ДЖОН ГРИШЭМ

НЕВИНОВНЫЙ

УДК 821.111 (73)
ББК 84 (7Сое)
Г85

John Grisham
THE INNOCENT MAN

Перевод с английского И.Я. Дорониной

Оформление А.А. Кудрявцева

Компьютерный дизайн А.В. Тихомирова

Печатается с разрешения Bennington Press LLC
и литературных агентств The Gernert Company, Inc.
и Andrew Nurnberg.

Подписано в печать с готовых диапозитивов заказчика 28.05.08.
Формат 84×108 1/32. Бумага газетная. Печать высокая с ФПФ.
Усл. печ. л. 18,48. Тираж 20 000 экз. Заказ 1984.

Гришэм, Д.

Г85 Невиновный : [роман] / Джон Гришэм; пер. с англ. И.Я. Дорониной. — М.: АСТ: АСТ МОСКВА, 2008. — 349, [3] с.

ISBN 978-5-17-048365-5 (ООО «Издательство АСТ»)
ISBN 978-5-9713-8634-6 (ООО Издательство «АСТ МОСКВА»)

Трагическая история молодого человека, некогда знаменитого спортсмена Рона Уильямсона, осужденного за убийство, которого он не совершал.

Как невиновный оказался в камере смертников? Почему процесс по делу велся с грубейшими нарушениями? Сколько времени и сил понадобилось адвокатам, чтобы спасти надломленного судьбой человека?

На эти вопросы отвечает Джон Гришэм в своей поразительной книге.

УДК 821.111(73)
ББК 84 (7Сое)

ISBN 978-985-16-5562-1
(ООО «Харвест»)

В издательстве АСТ вышли романы Д.Гришэма:

Пора убивать

Фирма

Дело о пеликанах

Клиент

Камера

Золотой дождь

Вердикт

Партнер

Адвокат

Завещание

Шантаж

Покрашенный дом

Повестка

Рождество с неудачниками

Король сделки

Последний присяжный

Брокер

Невиновный

Готовятся к печати:

Трибуны

Играя за пиццу

Апелляция

ГЛАВА ПЕРВАЯ

В череде холмов, что волнами катятся от Нормана через весь юго-восток Оклахомы до самого Арканзаса, теперь почти невозможно обнаружить признаки богатых запасов нефти, некогда залегавших под ними. Местность расчерчена пунктирами буровых вышек, большей частью заброшенных, хотя немногочисленные действующие помпы еще продолжают монотонно кивать, каждый раз выкачивая несколько галлонов сырца и заставляя проезжающих недоумевать, зачем они еще работают... Большинство же вышек давно сдались и торчат, ржавея и напоминая о днях былой славы, о бесперебойно бивших нефтяных фонтанах, удачливых разведчиках-предпринимателях, быстро сколачивающих состояние.

Отдельные вышки разбросаны и по сельскохозяйственным угодьям в окрестностях Ады, некогда городка нефтяников с шестнадцатью тысячами населения, колледжем и окружным судом. Помпы бездействуют, нефть кончилась. Теперь деньги в Аде зарабатывают почасовым трудом на фабриках, кормозаготовительных фермах и на плантациях, где выращивают орехи пекан.

В центре Ады жизнь кипит. На главной улице не найти пустующих заколоченных домов. Торговля тоже процветает, хотя большей частью переместилась на окраины города. Кафетерии в обеденное время переполнены.

Старинное здание суда округа Понтоток тесно и забито адвокатами и их клиентами. Вокруг него сосредоточены окружные административные учреждения и адвокатские конторы. Тюрьма — приземистое строение без окон, напоминающее бомбоубежище, — по некоей забытой уже причине была возведена в свое время прямо на лужайке перед судом. Метамфетаминовый* бич не дает ей опустеть

Главная улица заканчивается кампусом Восточного центрального университета — обители четырех тысяч студентов, многие из которых живут в пригородах. Учебное заведение подпитывает местную жизнь, вливая в нее свежую струю молодежи и педагогов и придавая некоторое разнообразие привычному укладу жизни юго-восточной Оклахомы.

Мало что из происходящего вокруг ускользает от внимания «Ада ивнинг ньюз» — популярной ежедневной газеты, освещающей все события в регионе и истово соревнующейся с «Оклахомцем» — крупнейшей газетой штата. На первой полосе обычно печатают международные и общенациональные новости, далее — новости штата и региона, еще дальше — информацию о важных событиях локального значения — школьных спортивных мероприятиях, местной политике, знаменательных датах в жизни городской общины и... некрологи.

Население Ады и округа Понтоток составляет обаятельная смесь провинциалов-южан из маленьких городков и независимых «западников». Акценты варьируются от восточно-техасского до арканзасского с его протяжными гласными и редуцированным «и». Это земля индейцев чикасо. В Оклахоме аборигенов больше, чем в каком бы то ни было другом штате, и в результате столетнего смешения в жилах многих белых здесь течет индейская кровь. Клеймо позора выцветает быстро, и потомство от смешанных браков теперь даже гордится своим происхождением.

Библейский пояс проходит прямо через Аду, накладывая на нее зримый отпечаток. В городе пятьдесят церквей, представляющих дюжину ветвей христианства. Они активно действуют, причем не только по воскресеньям. Здесь есть одна католическая и одна епископальная церковь, но нет ни молельного дома, ни синагоги. Большая часть населения — христиане или называющие себя таковыми, всем желательно принадлежать к какому-нибудь приходу. Социальный статус человека зачастую определяется его членством в той или иной религиозной общине.

Со своим шестнадцатитысячным населением Ада считается крупным для сельской Оклахомы городом и привлекает к себе про-

* Метамфетамин (первитин) — синтетический наркотик, более известный в молодежных кругах как «винт». — *Здесь и далее примеч. пер.*

мышленные предприятия и оптовые склады. Сюда интенсивно стекаются рабочие и покупатели из других округов. Город расположен в восьмидесяти милях к юго-востоку от Оклахома-Сити и в трех часах езды на север от Далласа. У каждого есть знакомые, работающие или живущие в Техасе.

Источник самой большой гордости для местных жителей — то, что их город является «законодателем цен» на лошадей для состязаний на короткие дистанции. Некоторые лучшие экземпляры выведены на ранчо в окрестностях Ады. А когда местные «Пумы» завоевывают очередной титул чемпионов штата среди старшеклассников, весь город самодовольно кичится этим несколько лет.

Это дружелюбное место, населенное людьми, которые приветливы с приезжими и друг с другом и всегда готовы помочь в беде. Ребятня играет на лужайках перед домами. Двери днем никогда не закрываются. Подростки гуляют по ночам, редко причиняя хлопоты.

Если бы не два печально знаменитых убийства, совершенных здесь в начале восьмидесятых, о существовании Ады никто бы и не узнал, чему добропорядочные жители округа Понтоток были бы только рады.

По некоему неписаному городскому постановлению, большинство ночных клубов и пивных в Аде располагались на окраинах города, куда были сосланы, чтобы держать отбросы общества подальше от добропорядочных граждан. Одним из таких мест был «Каретный фонарь» — похожее на пещеру металлическое сооружение с плохим освещением, дешевым пивом, музыкальным автоматом по будням, оркестриком по выходным, танцплощадкой и — снаружи — обширной, посыпанной гравием автостоянкой, число запыленных грузовичков-пикапов на которой значительно превосходило количество седанов. Тамошними завсегдатаями были именно такие люди, каких ожидаешь увидеть в подобном заведении: фабричные рабочие, завернувшие выпить по дороге домой, деревенские парни, ищущие развлечений, «ночные бабочки» лет двадцати с небольшим и прочая подобная публика, собиравшаяся здесь, чтобы выпить, поплясать и послушать живую музыку. Винс Джил и Рэнди Тревис начинали свою карьеру именно там.

Место было популярное, всегда заполненное посетителями, ему требовалось много почасовых барменов, вышибал и официанток, разносящих коктейли. Одной из них была Дебби Картер, местная девица двадцати одного года от роду, за несколько лет до того окончившая в Аде среднюю школу и теперь наслаждавшаяся самостоятельной жизнью. Она подрабатывала еще в двух местах, а время от времени служила и няней по вызову. Дебби имела свою машину и жила одна в трехкомнатной квартире над гаражом на Восьмой улице, неподалеку от Восточного центрального университета. Она была очень независимой миловидной девушкой с темными волосами, стройной спортивной фигурой и пользовалась успехом у молодых людей.

Ее мать, Пегги Стиллуэлл, тревожилась из-за того, что Дебби проводит слишком много времени в «Каретном фонаре» и других клубах. Не для такой жизни воспитывала она дочь. В сущности, Дебби выросла в церкви. Однако по окончании школы начала встречаться с парнями и поздно возвращаться домой. Пегги выражала недовольство, и порой они ссорились из-за нового образа жизни девушки. Тогда-то Дебби и решила жить отдельно. Она нашла квартиру, съехала из дома, но продолжала поддерживать с матерью очень тесные отношения.

Вечером 7 декабря 1982 года Дебби работала в «Каретном фонаре» — следя за временем, разносила напитки. Народу в баре было не слишком много, и она спросила хозяина, нельзя ли ей освободиться пораньше и посидеть с друзьями. Хозяин не возражал, и вскоре она уже выпивала за столиком со своей лучшей школьной подругой Джиной Виеттой и несколькими приятелями. Глен Гор, с которым они тоже вместе учились в школе, подошел и пригласил Дебби на танец. Она согласилась, но посреди танца вдруг остановилась и сердито отошла от Гора. Позднее, в дамской комнате, она сказала, что ей было бы спокойнее, если бы кто-нибудь из подруг переночевал у нее, но не уточнила, чего опасается.

«Каретный фонарь» в тот день закрывался рано, около половины первого ночи, и Джина Виетта пригласила нескольких человек из компании продолжить веселье у нее дома. Большинство согласилось; а Дебби, сославшись на усталость и на то, что она голодна, решила ехать домой. Гурьбой они неторопливо вывалились на улицу.

Несколько человек видели, как в момент закрытия клуба Дебби на стоянке разговаривала с Гленом Гором. Томми Гловер хорошо знал Дебби, так как они вместе работали в городской оранжерее. Знал он и Гора. Садясь в свой грузовичок-пикап, чтобы ехать домой, он заметил, что Дебби открывает водительскую дверцу своей машины. Гор возник из ниоткуда, они несколько секунд поболтали, потом она его оттолкнула.

Майк и Терри Карпентер оба работали в «Каретном фонаре»: он вышибалой, она официанткой. Направляясь к своей машине, они проходили мимо машины Дебби и видели, как она, сидя на водительском месте, разговаривала с Гленом Гором, стоявшим у открытой дверцы. Карпентеры помахали ей на прощание и пошли дальше. Как-то за месяц до того Дебби сказала Майку, что боится Гора из-за его буйного нрава.

Тони Рэмзи работала в клубе чистильщицей обуви. В 1982-м нефтяной бизнес в Оклахоме еще процветал и немало дорогих штиблет топтали тротуары Ады. Надо же было кому-то их полировать, и Тони таким образом зарабатывала деньги, в которых очень нуждалась. Она хорошо знала Гора. Уходя в тот вечер с работы, она видела Дебби, сидевшую за рулем своего автомобиля. Гор стоял у открытой противоположной дверцы, согнувшись и заглядывая внутрь. Они разговаривали, как ей показалось, вполне мирно, ничто ее не встревожило.

Гора, у которого не было своей машины, привез в «Каретный фонарь» где-то около одиннадцати тридцати приятель по имени Рон Уэст. Уэст заказал обоим пиво и уютно расположился за столом, пока Гор слонялся по залу. Казалось, он знал там всех. Когда объявили последний танец, Уэст поймал Гора и спросил, нужно ли его опять подвезти. Гор ответил утвердительно, поэтому Уэст отправился на стоянку и стал поджидать его. Прошло несколько минут, прежде чем Гор поспешно подбежал к машине и сел в нее.

Они решили, что голодны, поэтому Уэст направил машину в центр города, к кафе, которое называлось «Болтун», там они заказали завтрак на скорую руку. За еду платил Уэст, так же как и за выпивку в «Каретном фонаре». Тот вечер он начал «У Харолда» — в еще одном клубе, куда отправился в поисках деловых партнеров. Вместо них наткнулся на Гора, работавшего там от случая к случаю барменом и диск-жокеем. Они были едва знакомы, однако когда Гор попросил подвезти его в «Каретный фонарь», Уэсту показалось неловко ему отказать.

Уэст был счастливо женатым отцом двух маленьких девочек и не имел привычки допоздна шататься по барам. Ему не терпелось вернуться домой, но Гор не отставал от него и с каждым часом стоил ему все дороже и дороже. Когда они покинули кафе, он спросил своего пассажира, куда ему нужно. К матери, ответил тот, на Оук-стрит, это, мол, всего в нескольких кварталах отсюда к северу. Уэст прекрасно знал город и немедленно тронулся в путь, но не успели они доехать до Оук-стрит, как Гор вдруг передумал, сказал, что за несколько последних часов успел накататься с Уэстом и хочет пройтись пешком. Температура была весьма низкой и продолжала падать, дул резкий ветер, надвигался холодный фронт.

Они остановились возле баптистской церкви на Оук-стрит, недалеко от того места, где, по словам Гора, жила его мать. Гор выскочил из машины, поблагодарил за все и направился на запад.

Баптистская церковь на Оук-стрит находится приблизительно в миле от дома Дебби Картер.

Мать Гора на самом деле жила на другом конце города, и рядом с тем местом не было никакой церкви.

Около половины третьего Джина Виетта принимала у себя в квартире друзей, когда последовали два странных звонка, оба — от Дебби Картер. Позвонив первый раз, Дебби попросила Джину приехать и забрать ее, потому что у нее сейчас находится некто, гость, в чьем обществе она чувствует себя неуютно. Джина спросила, кто он, этот гость. Разговор прервался, послышались приглушенные голоса, кто-то, казалось, пытался отнять у Дебби трубку. Джина, естественно, забеспокоилась — просьба показалась ей странной. У Дебби ведь есть собственная машина, «олдсмобиль» 1975 года выпуска, и она, разумеется, могла бы приехать сама. В тот момент, когда Джина уже торопливо собиралась уходить, телефон зазвонил снова. Это опять была Дебби, которая сказала, что передумала, что у нее все в порядке и чтобы Джина не беспокоилась. Джина еще раз спросила, кто у нее в гостях, но Дебби сменила тему и имени не назвала, лишь попросила позвонить ей утром и разбудить, чтобы она не опоздала на работу. Это была еще одна странная просьба, с которой Дебби никогда прежде к ней не обращалась.

Несмотря ни на что, Джина поехала-таки было к подруге, но, поразмыслив, изменила решение: у Дебби в квартире гости, уже очень поздно, в случае необходимости Дебби сможет воспользоваться собственной машиной, а кроме того, если у нее мужчина, появление Джины будет выглядеть неуместным. Джина вернулась, легла спать и утром забыла позвонить Дебби.

Около одиннадцати часов утра 8 декабря Донна Джонсон заехала повидаться с Дебби. До того как Донна перебралась в Шоуни, что в часе езды от Ады, девочки учились в одном классе и дружили. Донна приехала в город на один день навестить родителей и повстречаться кое с кем из старых друзей. Она начала быстро подниматься по узкой наружной лестнице, ведущей в квартиру Дебби над гаражом, но потом замедлила шаг, осознав, что ступает по битому стеклу. Окошко на двери было разбито. Почему-то первое, что пришло в голову Донне: Дебби захлопнула дверь, оставив ключи внутри, и была вынуждена разбить стекло, чтобы попасть домой. Она постучала. Никто не ответил. Прислушавшись, она догадалась, что в квартире работает радио, а повернув шаровидную дверную ручку, обнаружила, что дверь не заперта. Стоило ей сделать всего один шаг внутрь — и стало ясно: что-то здесь случилось.

В маленькой гостиной царил полный кавардак — диванные подушки валялись на полу, повсюду была разбросана одежда. На правой стене кто-то намалевал какой-то красной жидкостью слова: «Следующим умрет Джим Смит».

Донна позвала Дебби, но опять не получила ответа. Ей доводилось уже однажды бывать в этой квартире, поэтому она уверенно направилась в спальню, продолжая выкрикивать имя подруги. Кровать была сдвинута с места, постельное белье сдернуто. Сначала Донна увидела ногу, потом — на полу, по ту сторону кровати, — саму Дебби, лежавшую лицом вниз, обнаженную, на спине у нее было что-то написано.

Донна замерла от ужаса, не в состоянии сделать больше ни шага, она уставилась на подругу, надеясь уловить признаки дыхания. «Может, Дебби просто спит?» — мысленно уговаривала она себя.

Попятившись, Донна очутилась в кухне, где на маленьком белом столике увидела еще одну надпись, оставленную убийцей. «А что, если он еще здесь?» — вдруг пришло ей в голову, и она бросилась вон из квартиры. Добежав до машины, Донна рванула к ближайшему дежурному магазинчику, где нашла телефон и позвонила матери Дебби.

Пегги Стиллуэлл слышала ее слова, но не могла в них поверить. Ее дочь лежит на полу голая, окровавленная, недвижимая?! Она заставила Донну повторить все еще раз и только после этого бросилась к машине. Аккумулятор оказался мертв. Обезумев от страха, она помчалась обратно домой и позвонила Чарли Картеру, отцу Дебби и своему бывшему мужу. Их развод, состоявшийся за несколько лет до того, не был мирным, они едва разговаривали друг с другом.

У Чарли Картера никто не ответил. Подруга Пегги Кэрол Эдвардс жила в доме напротив Дэбби. Пегги позвонила ей, сказала, что у Дебби что-то стряслось, и попросила сбегать к дочери, проверить. Ждать пришлось долго. В конце концов Пегги снова позвонила Чарли, и на этот раз он снял трубку.

Кэрол Эдвардс перебежала на противоположную сторону улицы, тоже заметила битое стекло и открытую входную дверь. Потом вошла и увидела тело.

Чарли Картер, каменщик, был дородным человеком с широкой грудью, который иногда тоже подрабатывал в «Каретном фонаре» вышибалой. Вскочив в свой пикап, он ринулся к дому дочери, мысленно представляя себе все ужасы, которые только может вообразить испуганный отец. Но то, что он увидел, оказалось страшнее любой фантазии.

Он дважды окликнул дочь. Потом встал рядом с ней на колени, осторожно приподнял ее за плечо, чтобы разглядеть лицо. Окровавленная тряпка торчала у нее изо рта. В сущности, он не сомневался, что дочь мертва, но ждал, все еще надеясь заметить хоть какой-то признак жизни. Потом медленно встал и огляделся. Кровать была отодвинута от стены, постельное белье беспорядочно валялось на полу, в комнате царил бедлам. Совершенно очевидно, что там происходила борьба. Он прошел в гостиную и увидел слова на стене, потом — в кухню. Несомненно, квартира являла собой место преступления. Засунув руки в карманы, Чарли вышел.

Донна Джонсон и Кэрол Эдвардс, рыдая, стояли на лестничной площадке перед дверью. Они слышали, как Чарли попрощался с дочерью и сказал ей, как невыносимо больно ему сознавать, что с ней произошло. Очутившись за дверью, он тоже заплакал.

— Мне позвонить в «Скорую»? — спросила Донна.

— Нет, — ответил он. — «Скорая» тут уже не поможет. Звони в полицию.

Первыми приехали фельдшеры — двое. Они вихрем взлетели по лестнице, ворвались в квартиру, и через считанные секунды один из них выбежал обратно на площадку, его вырвало.

Когда на место преступления прибыл детектив Деннис Смит, вокруг дома уже толпились местные полицейские, медики, зеваки и даже два прокурора. Сообразив, что речь идет о вероятном убийстве, он приказал огородить место и никого не пускать внутрь ограждения.

Капитан, ветеран, проработавший в Полицейском департаменте Ады семнадцать лет, Смит знал, что делать. Он велел всем, за исключением еще одного детектива, покинуть квартиру и разослал своих подчиненных по соседям — стучать в двери, искать свидетелей. Смит кипел от ярости и с трудом сдерживался. Он отлично знал Дебби, его дочь дружила с ее младшей сестрой. Знал он и Чарли Картера, и Пегги Стиллуэлл и не мог поверить, что это их дитя лежит здесь мертвое на полу собственной спальни. Когда должный порядок был наведен, Смит приступил к осмотру места преступления.

Стекло на площадке было от разбитого окошка входной двери, осколки разлетелись как наружу, так и внутрь квартиры. В гостиной слева от двери стоял диван, подушки с него были сброшены и валялись по всей комнате. На полу перед диваном Смит нашел новую байковую ночную рубашку с еще даже не оторванным торговым ярлыком магазина «Уол-март». Он обследовал надпись на противоположной от входа стене, сразу же определив, что она сделана лаком для ногтей: «Джим Смит умрет следующим».

Он знал Джима Смита.

В кухне на белом квадратном столике он увидел еще одну надпись, сделанную кетчупом: «Ни исчите нас, а то...» На полу возле столика валялись джинсы и пара ботинок. Вскоре он узнает, что они были на Дебби прошлым вечером в «Каретном фонаре».

Смит проследовал в спальню. Сдвинутая кровать загораживала вход. Окна были открыты, шторы раздвинуты, в комнате стоял жуткий холод. Смерти явно предшествовала ожесточенная борьба: повсюду на полу валялись предметы одежды, простыни, одеяла, покрывала, мягкие игрушки. Казалось, ничто не осталось на месте. Опустившись на колени возле тела Дебби, детектив Смит заметил третье послание убийцы. На спине жертвы чем-то похожим на высохший кетчуп было написано: «Дюк Грэм».

Он знал Дюка Грэма.

Под телом лежали электрический шнур и ковбойский ремень с большой серебряной пряжкой, на которой посередине было выгравировано имя «Дебби».

Пока офицер Майк Кисуэттер, тоже из Департамента полиции Ады, фотографировал место преступления, Смит начал собирать улики. Он нашел волосы на теле, на полу, на кровати и на мягких игрушках, методично собрал их и поместил каждый в самодельный «пакет» — сложенный листок бумаги, — аккуратно пометив, где какой волосок найден.

Потом он осторожно собрал, упаковал и снабдил надписями простыни, наволочки, покрывала, электрический шнур и ремень, разорванные трусики, обнаруженные на полу в ванной, несколько мягких игрушек, пачку сигарет «Мальборо», пустую банку из-под воды «севен-ап», пластмассовую бутылку с шампунем, окурки, стакан из кухни, телефонный аппарат и несколько волосков, найденных под телом. Завернутая в простыню бутылка, валявшаяся рядом с Дебби, оказалась из-под кетчупа «Дель Монте». Ее он тоже аккуратно упаковал, чтобы отправить на исследование в криминалистическую лабораторию штата. На бутылке не было крышки, но ее впоследствии обнаружил врач-патологоанатом.

Закончив сбор улик, детектив Смит перешел к поиску отпечатков пальцев — процедуре, которую ему доводилось проводить много раз на многих местах преступления. Он припудрил порошком обе стороны входной двери, оконные рамы, все деревянные поверхности в спальне, кухонный стол, наиболее крупные осколки стекла, телефонный аппарат, окрашенные наличники окон и дверей, даже машину Дебби, припаркованную на улице.

Гэри Роджерс был агентом Оклахомского отделения ФБР и жил в Аде. Когда около 12.30 он прибыл в квартиру жертвы, Деннис Смит коротко ввел его в курс дела. Они были друзьями и вместе расследовали не одно преступление.

В спальне Роджерс заметил у южной стены, прямо над плинтусом, возле электрической розетки, нечто напоминавшее пятно крови. Позднее, когда тело увезли, он попросил офицера Рика Карсона вырезать этот кусочек штукатурки размером четыре квадратных дюйма, чтобы сохранить кровавый отпечаток.

Деннис Смит и Гэри Роджерс, обменявшись предварительными наблюдениями, сошлись во мнении, что убийца был не один. Разгром в квартире, отсутствие следов от веревки на щиколотках и запястьях Дебби, тяжелая черепно-мозговая травма, кляп, синяки на бедрах и руках, вероятность использования шнура и ремня в качестве удавки — всего этого было слишком много для одного убийцы. Дебби была крупной девушкой, имела рост пять футов восемь дюймов и весила сто тридцать фунтов. Не слыла она и тихоней и, разумеется, бешено сопротивлялась, борясь за жизнь.

Для предварительного осмотра прибыл доктор Ларри Картмелл, местный медэксперт. По его предварительному заключению, причиной смерти было удушение. Он разрешил увезти тело, препоручив это заботам Тома Крисуэлла, владельца местного похоронного бюро. В 18.25 на катафалке Крисуэлла тело было доставлено в Оклахома-Сити, в криминалистическую лабораторию штата, и помещено в рефрижераторную ячейку.

Детектив Смит и агент Роджерс вернулись в Департамент полиции Ады и занялись опросом членов семьи Дебби Картер. Стараясь утешить их, они попутно выясняли имена — друзей, ухажеров, коллег, врагов, бывших хозяев — всех, кто был знаком с Дебби и мог что-нибудь знать о ее смерти. Пока список множился, Смит и Роджерс начали обзванивать ее знакомых мужчин с единственной просьбой: прибыть в полицейское управление, чтобы сдать отпечатки пальцев, образцы слюны и лобковых волос.

Ни один не отказался. Майк Карпентер, вышибала из «Каретного фонаря», который видел Дебби на стоянке с Гленом Гором около 12.30 той ночью, добровольно явился одним из первых. Томми Гловер, еще один свидетель ссоры Дебби с Гором, тоже не заставил себя ждать.

8 декабря около 7.30 вечера Глен Гор появился в клубе «У Харолда», где ему предстояло стоять за барной стойкой и включать музыкальные записи. Помещение было практически пусто, и когда он спросил, почему в клубе так безлюдно, кто-то в ответ рассказал ему об убийстве. Многие завсегдатаи и даже некоторые служащие «У Харолда» находились в полицейском управлении, где их допрашивали и дактилоскопировали.

Гор тоже поспешил в полицию. Там его допросили Гэри Роджерс и Д.В. Баррет, местный полицейский. Гор сообщил им, что знаком с Дебби Картер со школы и накануне вечером видел ее в «Каретном фонаре».

Весь протокол допроса Гора сводился к следующему:

> Глен Гор работает в клубе «У Харолда» в качестве диск-жокея. Сьюзи Джонсон сообщила Глену о Дебби в клубе «У Харолда» около 7.30 8.XII.82. Глен учился вместе с Дебби в школе. Глен видел ее 7.XII.82 в «Каретном фонаре». Они говорили о покраске автомобиля Дебби. Она ничего не сказала Глену о том, что кого-то боится. Глен приехал в «Каретный фонарь» около 10.30 вечера с Роном Уэстом. Уехал тоже с Роном около 1.15 ночи. Глен никогда не бывал в квартире Дебби.

Протокол был составлен Д.В. Барретом в присутствии Гэри Роджерса и подшит к делу вместе с дюжиной других.

Впоследствии Гор изменит свои показания и заявит, что видел, как человек по имени Рон Уильямсон вечером 7 декабря приставал к Дебби в клубе. Эту новую версию никто другой не подтвердит. Многие из присутствовавших тогда в клубе знали Рона Уильямсона, известного гуляку и горлопана, но никто не мог припомнить, чтобы видел его той ночью в «Каретном фонаре»; более того, большинство опрошенных энергично утверждали, что его там не было.

Когда Рон Уильямсон появляется в баре, это невозможно не заметить.

Весьма странно, но 8 декабря, в разгар дактилоскопирования и выдергивания волосков, Гор загадочным образом избежал процедуры. То ли сам улизнул, то ли ему повезло и о нем случайно забыли, то ли просто проигнорировали. Как бы то ни было, у него не взяли ни отпечатков пальцев, ни образцов слюны и волос.

Понадобилось более трех с половиной лет, чтобы полицейские в Аде наконец спохватились и взяли-таки у Гора — последнего, кого видели с Дебби Картер перед ее убийством, — образцы на анализ.

На следующий день, 9 декабря, в три часа дня доктор Фрэд Джордан, медэксперт штата и судебно-медицинский патологоанатом, произвел аутопсию. На вскрытии присутствовали агент Гэри Роджерс и Джерри Питерс, тоже сотрудник Оклахомского отделения ФБР.

Доктор Джордан, произведший на своем веку тысячи анатомирований, для начала сделал предварительное описание: тело, полностью обнаженное, если не считать пары белых носков, принадлежит молодой женщине, белой. Трупное окоченение завершено, из чего следует, что она мертва минимум двадцать четыре часа. Поперек груди чем-то напоминающим лак для ногтей написано слово «Умри». Тело испачкано другой красной жидкостью, вероятно, кетчупом, им же на спине жертвы написано: «Дюк Грэм». На руках, груди и лице имеется некоторое количество небольших ссадин и синяков.

Доктор заметил также мелкие порезы на внутренней поверхности губ. Глубоко в гортань была засунута окровавленная зеленоватая махровая тряпка для мытья посуды, внешний конец которой торчал изо рта наружу. Доктор осторожно удалил ее. На шее полукругом располагались синяки и ссадины. Вагина была повреждена, задний проход сильно растянут. Осматривая его, доктор

Джордан нашел и извлек металлическую свинчивающуюся бутылочную крышку.

Обследование внутренних органов не принесло неожиданностей: сжавшиеся легкие, расширенное сердце, несмотря на несколько ран на голове — никаких внутренних поражений мозга.

Все раны нанесены, когда жертва была еще жива.

Ни на запястьях, ни на щиколотках никаких следов от веревок. Серия мелких ссадин на предплечьях, вероятно, получена жертвой при попытках защититься. Содержание алкоголя в крови в момент смерти низкое — 0,04. У жертвы были взяты мазки изо рта, вагины и ануса. Исследования под микроскопом впоследствии подтвердят наличие спермы в вагине и анусе, но не во рту.

Чтобы сохранить улику, доктор Джордан состриг ногти жертвы, взял соскоб с надписей, сделанных кетчупом и лаком для ногтей, вычесал несколько волосков с лобка и срезал прядь с головы.

Причиной смерти действительно оказалась асфиксия, наступившая вследствие затыкания рта тряпкой и удушения с помощью либо шнура, либо ремня.

Когда доктор Джордан закончил вскрытие, Джерри Питерс сфотографировал тело и снял полный комплект отпечатков пальцев и ладоней.

Пегги Стиллуэлл обезумела от горя настолько, что потеряла способность адекватно действовать и принимать решения. Ей было безразлично, кто занимается похоронами и как они будут проходить, потому что она не собиралась на них присутствовать. Она перестала есть, мыться и никак не могла осознать тот факт, что ее дочь мертва. Ее сестра Гленна Лукас переехала к ней и постепенно взяла бразды правления в свои руки. Было назначено отпевание, и родственники деликатно намекнули Пегги, что ее присутствие желательно.

В субботу 11 декабря в часовне похоронного бюро Крисуэлла состоялась поминальная служба. Гленна выкупала и одела Пегги, потом отвезла ее на отпевание и на протяжении всего этого испытания держала за руку.

В сельской Оклахоме принято проводить поминальную службу при открытом гробе, который устанавливают прямо перед кафедрой священника, так что покойный все время находится в поле зрения скорбящих. Причина, по которой так делается, неясна и давно забыта, но эффект сохраняется: церемония придает их страданиям дополнительную боль.

Когда гроб открыли, всем стало очевидно, что Дебби избивали. Ее лицо распухло и было покрыто синяками, но странгуляционную полосу скрывал высокий кружевной воротник блузки. Ее хоронили в любимых ботинках и джинсах с ковбойским ремнем. На пальце было колечко в форме подковы с бриллиантиком, которое мать загодя купила ей в качестве рождественского подарка.

Преподобный Рик Саммерс проводил службу при большом стечении народа. Позднее, под легким снегопадом, Дебби похоронили на Роуздейлском кладбище. Ее пережили родители, две сестры, двое из бабушек-дедушек и два племянника. Она принадлежала к маленькой баптистской церкви, где ее крестили в шестилетнем возрасте.

Это убийство потрясло Аду. Хотя город имел богатую историю насилий и убийств, жертвами их обычно бывали ковбои, бродяги и им подобные мужчины, которые если не схватят пулю сами, то скорее всего в положенный им судьбой срок разрядят в кого-нибудь собственный пистолет. Но столь жестокое изнасилование и убийство молодой девушки ужаснуло всех; город бурлил слухами, подозрениями и полнился страхом. По вечерам все окна и двери запирались. Для подростков был установлен строгий «комендантский час». Молодые матери ни на секунду не отходили от детей, пока те играли на затененных лужайках перед домами.

В питейных заведениях ни о чем другом не говорили. С тех пор как Дебби начала работать официанткой, большинство завсегдатаев знали ее. У нее были поклонники, которых в первые дни после ее смерти полиция допросила. Список имен в процессе расследования удлинялся, всплывали новые друзья, новые знакомые, новые ухажеры. В ходе десятков допросов появлялось все больше фамилий, но ни одного реального подозреваемого. Дебби слыла общительной девушкой, ее знали и любили, и было трудно поверить, что кто-то хотел причинить ей зло.

Полицейские постепенно составили список — он насчитывал двадцать три человека — всех, кто присутствовал в «Каретном фонаре» седьмого декабря, и допросили большинство из упомянутых в нем. Никто не припомнил, чтобы видел в тот вечер Рона Уильямсона, хотя почти все его знали.

В Департамент полиции стекались догадки, россказни и воспоминания разных странных персонажей. Молодая дама по имени Анджела Нейл связалась с Деннисом Смитом и сообщила ему о встрече с Гленом Гором. Они с Дебби Картер были близкими подругами, Дебби, по ее словам, не сомневалась, что Гор украл дворники с лобового стекла ее машины. Это стало постоянным камнем преткновения между ними. Анджела Нейл знала Гора со школы и боялась его. Приблизительно за неделю до убийства Дебби Анджела возила ее к Гору домой для выяснения отношений. Дебби пошла в дом и разговаривала с Гором наедине. Вернувшись в машину, она была сердита и убеждена, что он таки украл ее дворники. Они отправились в полицейский участок и все рассказали офицеру, но официальный протокол так и не был составлен.

Дюк Грэм и Джим Смит были хорошо известны полиции Ады. Грэм вместе с женой Джонни управлял собственным ночным клубом, весьма респектабельным заведением, где никаких выходок не терпели. Скандалы там случались редко, но один, особенно неприятный, произошел как раз с Джимом Смитом, местным хулиганом и мелким преступником. Смит напился и всех задирал, а когда отказался покинуть клуб по требованию хозяев, Дюк навел на него пистолет и выдворил вон. Они обменялись угрозами, и в течение нескольких дней обстановка вокруг клуба оставалась напряженной. Смит был из тех, кто мог вернуться с собственным оружием и устроить пальбу.

Глен Гор являлся завсегдатаем заведения Дюка, пока не начал очень уж откровенно флиртовать с Джонни. Когда он сделался слишком настойчивым, она окоротила его, и в дело вступил Дюк. Гора изгнали из клуба и запретили ему там появляться.

Кем бы ни был тот, кто убил Дебби Картер, он неуклюже пытался навести подозрения на Дюка Грэма и одновременно отвести их от Джима Смита. Хотя защищать Смита не было нужды: к тому времени он уже коротал время в тюрьме штата. Дюк Грэм без промедления приехал в полицейский участок и представил надежное алиби.

Семью Дебби Картер поставили в известность, что квартиру, которую та занимала, следует освободить. Мать Дебби все еще была не в себе. Выполнить неприятную обязанность вызвалась тетушка Дебби — Гленна Лукас.

Полицейский отпер дверь, и Гленна боязливо вошла. С момента убийства здесь ничего не трогали, и ее первой реакцией был приступ бешеного гнева. Несомненно, здесь имела место яростная схватка. Ее племянница отчаянно боролась за жизнь. У кого только поднялась рука совершить столь жестокое насилие над такой славной и симпатичной девушкой?

В квартире было холодно и стоял какой-то мерзкий запах, который она никак не могла определить. Надпись «Джим Смит умрет следующим» все еще оставалась на стене. Гленна, не веря своим глазам, смотрела на грубо намалеванные убийцей слова. На это же потребовалось время, подумалось ей. Значит, он пробыл здесь довольно долго. Ее племянница приняла смерть после продолжительных жестоких мучений. В спальне матрас стоял прислоненным к стене и ничто не оставалось на своем месте. Ни одно платье, ни одна блузка не висели на вешалках в шкафу. Зачем убийце понадобилось срывать одежду с плечиков?

В маленькой кухне тоже царил беспорядок, но следов борьбы здесь не наблюдалось. Последний ужин Дебби состоял из размороженной картошки «Тейтер Тотс»; политые кетчупом остатки еды на картонной тарелке так и стояли нетронутые на кухонном столе, за которым Дебби обычно ела. Рядом — солонка. На столешнице — еще одно грубо намалеванное послание: «Ни исчите нас, а то...» Гленна знала, что некоторые надписи убийца сделал кетчупом. Ее поразила его безграмотность.

Гленна попыталась отрешиться от тягостных мыслей и начала собирать вещи. Ей понадобилось два часа, чтобы упаковать одежду, посуду, полотенца и прочее. Полиция не увезла окровавленное постельное покрывало. Кровь оставалась и на полу.

Гленна не намеревалась приводить в порядок квартиру — только собрать вещи Дебби и как можно скорее убраться оттуда. Однако ей показалось, что нехорошо оставлять надпись, сделанную убийцей с помощью лака для ногтей, принадлежавшего племяннице. Было нечто неправильное и в том, чтобы кто-то чужой смывал кровь племянницы с пола.

Гленна подумала, не сделать ли тщательную уборку, чтобы уничтожить все следы убийства, но к тому времени она насмотрелась достаточно и соприкасаться со смертью еще теснее была не в состоянии.

* * *

В течение нескольких дней, последовавших за убийством, допросы хотя бы отдаленно подозреваемых продолжались беспрерывно. В общей сложности двадцать один мужчина сдал отпечатки пальцев и образцы либо слюны, либо волос. 16 декабря детектив Смит и агент Роджерс отправились в криминалистическую лабораторию отделения ФБР в Оклахома-Сити и передали на исследование вещественные доказательства, собранные на месте преступления, вместе с образцами, взятыми у семнадцати мужчин.

Пластина штукатурки «Шитрок» площадью четыре квадратных дюйма, вырезанная из стены, была наиболее многообещающей уликой. Если кровавый след действительно отпечатался на стене во время борьбы и кровь не принадлежала Дебби Картер, то полиция получала надежную ниточку, которая могла вывести на убийцу. Агент Оклахомского отделения ФБР Джерри Питерс исследовал «Шитрок» и тщательно сравнил имевшийся на нем отпечаток с теми, которые он снял у Дебби во время вскрытия. На первый взгляд они не принадлежали жертве, но он хотел убедиться точнее, сверившись со сделанными ранее дактилограммами.

4 января 1983 года Деннис Смит привез оставшиеся отпечатки и в тот же день представил Сьюзан Лэнд, эксперту по волосам местного отделения ФБР, образцы волос Дебби Картер и волосы, найденные на месте преступления. Спустя две недели на ее стол легли дополнительные образцы, взятые на месте преступления. Все они были каталогизированы, добавлены к остальным и поставлены в длинную очередь, чтобы когда-нибудь эксперт Лэнд, по горло загруженная работой и не справлявшаяся с накопившейся задолженностью, исследовала их и выдала заключение. Как большинство криминалистических лабораторий, оклахомская страдала от недофинансирования, неукомплектованности штата и неподъемного количества рассматриваемых дел.

В ожидании результатов Смит и Роджерс рассекали борозду дальше, отыскивая ключи к разгадке. В Аде убийство по-прежнему оставалось самой горячей новостью, и публика требовала, чтобы оно было раскрыто. Но после опроса всех барменов, вышибал, ухажеров и ночных завсегдатаев расследование стало быстро превращаться в нудную рутину. Явного подозреваемого так и не появилось, не было и реальных ключиков к разгадке.

7 марта 1983 года Гэри Роджерс допросил местного жителя Роберта Джина Десераджа. Десерадж как раз завершил свою краткосрочную отсидку в тюрьме округа Понтоток за езду в пьяном виде. Сидел он в одной камере с Роном Уильямсоном, также посаженным за пьяную езду. В тюрьме убийство Дебби Картер обсуждали бурно, выдвигая массу диких версий, объяснявших, что произошло на самом деле; недостатка в намеках на то, что здесь это знают точно, не было. Сокамерники часто разговаривали об убийстве, и, по мнению Десераджа, Уильямсона эти разговоры раздражали. Они часто спорили и даже обменивались тумаками. Вскоре Уильямсона перевели в другую камеру. У Десераджа создалось смутное ощущение, что Рон каким-то образом причастен к убийству, и он порекомендовал полиции держать его в поле зрения как подозреваемого.

Так впервые в ходе расследования всерьез всплыло имя Рона Уильямсона.

Два дня спустя полиция допросила Ноэла Клемента, одного из первых, кто добровольно сдал отпечатки пальцев и образцы волос. Клемент поведал историю о том, как незадолго до того Рон Уильямсон нанес визит в его квартиру, делая вид, будто кого-то ищет. Он вошел без стука, увидел гитару, взял ее и завел с Клементом беседу об убийстве Картер. По ходу разговора Уильямсон признался, что, увидев утром в день убийства в окрестностях полицейские машины, подумал, будто копы приехали за ним. Ему, сказал он, хватает неприятностей и в Талсе, так что еще и здесь, в Аде, они ему не нужны.

То, что полиция рано или поздно выйдет на Рона Уильямсона, было неизбежно; странным казалось, что они три месяца тянули с его допросом. Кое-кто из полицейских, в том числе Рик Карсон, рос вместе с Роном, большинство же помнили его по его школьной бейсбольной славе. В 1983 году он все еще оставался самой блистательной надеждой, когда-либо взращенной Адой. Когда он в 1971 году подписал контракт с «Окленд эйз», многие, включая, разумеется, самого Уильямсона, считали, что он станет следующим Микки Мэнтлом, еще одним великим игроком из Оклахомы.

Но бейсбол остался далеко в прошлом, и полиция знала теперь Рона как безработного любителя-гитариста, живущего с матерью, слишком много пьющего и странно ведущего себя.

У него за плечами было несколько арестов за вождение в нетрезвом состоянии, один — за буйное поведение в пьяном виде, и плохая репутация, тянувшаяся за ним из Талсы.

ГЛАВА ВТОРАЯ

Рон Уильямсон родился 3 февраля 1953 года и был единственным сыном и последним ребенком Хуаниты и Роя Уильямсон. Рой работал коммивояжером в компании «Роли». Аду было невозможно представить себе без Роя, бредущего по обочине в пиджаке и галстуке, с тяжелым чемоданом образцов пищевых добавок и специй. Карман у него всегда был набит конфетами для детей, которые весело его приветствовали. Это был тяжелый способ зарабатывать на жизнь, изнурительный физически, а по вечерам приходилось еще часами составлять бумажную отчетность. Комиссионные были скромными, и вскоре после рождения Ронни Хуанита нашла работу в городской больнице.

Поскольку оба родителя работали, Ронни, естественно, поступил под опеку своей двенадцатилетней сестры Аннет, для которой не было большего счастья, чем кормить братишку, купать его, играть с ним, баловать и портить, — он был для нее чудесной живой игрушкой, которую ей посчастливилось получить. Если Аннет не была в школе, она нянчила братишку, а заодно убирала дом и готовила еду.

Средней сестре, Рини, было пять лет, когда родился Рон, и хотя она не имела ни малейшего желания возиться с ним, вскоре они стали друзьями по играм. Аннет, конечно, руководила и ею, так что по мере взросления Рини и Ронни нередко объединялись против своей воображавшей себя мамочкой опекунши.

Хуанита была ревностной христианкой, женщиной властной, и водила всю семью в церковь каждые воскресенье и среду, а также во все прочие дни, когда там велась служба. Дети никогда не пропускали воскресную школу, летние лагеря, религиозные бдения, собрания общины, даже редкие венчания и отпевания. Рой был менее набожен, но дисциплинированно придерживался установленного образа жизни: добросовестно посещал церковь, не брал в рот спиртного, не играл в азартные игры, не ругался, не танцевал и был беззаветно предан семье. Он строго соблюдал заведенные правила и, не задумываясь, снимал ремень, грозя им, а то и охаживая разок-другой по мягкому месту — главным образом единственного сына.

Семья принадлежала к энергичной, обожающей духовные песнопения пастве Первой пятидесятнической церкви святости. Будучи пятидесятниками, члены конгрегации верили в важность истовой молитвы, в необходимость постоянно подпитывать персональные отношения с Христом, хранить преданность церкви во всех аспектах ее деятельности, усердно изучать Библию и любить друг друга. Отправление их религиозных обрядов было мероприятием не для слабаков: оглушительная музыка, страстные проповеди, порой на незнакомых языках, требующие от паствы эмоциональной отдачи, мгновенные чудесные исцеления путем «возложения рук» и полнейшая открытость в громогласном выражении любых чувств, какие ниспошлет Святой Дух.

Маленьким детям рассказывали красочные истории из Ветхого Завета и заставляли заучивать самые известные библейские стихи. Их с ранних лет побуждали «принять Христа», признавать свои грехи, просить Святого Духа войти в их жизнь, чтобы обессмертить души, и последовать примеру Христа, приняв публичное крещение. Ронни принял Христа в возрасте шести лет. После долгих весенних религиозных бдений его окрестили в Голубой реке, протекавшей к югу от города.

Уильямсоны жили тихо в небольшом доме на Четвертой улице, в восточном секторе Ады, неподалеку от колледжа. Чтобы расслабиться, они навещали живших в пределах досягаемости родственников, с готовностью выполняли любую работу в церкви и изредка совершали походы в ближайший парк-заповедник штата. Спортом в их семье почти не интересовались, но это решительно изменилось, когда Ронни открыл для себя бейсбол. Сначала он играл с ребятами на улице. Это были беспорядочные игры с дюжиной вариаций и бесконечной переменой правил. Однако с самого начала стало ясно, что посыл у мальчика мощный и руки ловкие. Он закручивал биту с левой стороны площадки. День ото дня игра захватывала его все больше, и вскоре он уже не отставал от отца, канюча, чтобы тот купил ему перчатку-ловушку и биту. Лишних денег в доме не водилось, но Рой отправился с Роном в спортивный магазин, и с тех пор установился ежегодный обычай: рано по весне они ехали в «Хейнес» выбирать новую перчатку. Обычно ею оказывалась самая дорогая из имевшихся в наличии моделей.

Рон хранил перчатку в углу своей спальни, где соорудил настоящий алтарь Микки Мэнтлу — величайшему игроку команды высшей лиги «Янки» и величайшему оклахомцу. Для мальчишек по всей стране Мэнтл был идолом, в Оклахоме его почитали за божество. Каждый игрок оклахомской младшей лиги мечтал стать следующим Микки, в том числе и Ронни, который пришпиливал его фотографии и бейсбольные карточки на висевшую в углу спальни доску для постеров. К шести годам он назубок знал всю статистику игр Мэнтла, а также многих других игроков.

Если Ронни не играл на улице, то сидел в гостиной и в полную мощь руки размахивал битой. Дом был очень тесным, мебель скромной, но незаменимой, и мать, заставая его за этим занятием и видя, как он едва не задевает то лампу, то стул, всякий раз выгоняла его из дома. Впрочем, он возвращался уже через несколько минут. Для Хуаниты ее мальчик был особенным. Правда, немного избалованным, но ничего дурного он, разумеется, сделать не мог.

Его поведение порой ставило в тупик. Он мог быть милым и чувствительным, открыто демонстрировать матери и сестрам свою любовь, а в следующий момент становился дерзким, эгоистичным и предъявлял непомерные требования всем членам семьи. Предрасположенность к мгновенной перемене настроений в нем заметили рано, но особо это никого не настораживало. Просто Ронни порой бывал трудным ребенком. Быть может, потому, что он младший, а в доме полно женщин, которые в нем души не чают.

В любом маленьком городке есть свой тренер младшей лиги, влюбленный в игру и постоянно рыщущий в поисках свежих талантов, даже среди восьмилеток. В Аде таким парнем был Дьюэн Сандерс, тренер «Полицейских орлов». Он работал на угловой заправочной станции неподалеку от дома Уильямсонов, до него, конечно же, дошел слух об их парнишке, и вскоре тот уже был привлечен в команду. Несмотря на юный возраст Рона, было очевидно: парень далеко пойдет, что казалось странным, поскольку отец Рона почти ничего не знал о бейсболе. Ронни научился играть сам, на улице.

В летние месяцы бейсбол начинался рано. Собравшись, мальчишки обсуждали состоявшуюся накануне игру «Янки». Всегда только «Янки». Они изучали статистику иннингов, говорили о Микки Мэнтле и перебрасывались мячом в ожидании остальных игроков. Любая маленькая стайка мальчиков на улице означала игру, в ходе которой непременно доставалось какой-нибудь случайной машине или окну. Когда собиралось достаточно народу, компания перебазировалась на пустырь, где приступала уже к серьезной игре, длившейся весь день. Ближе к вечеру ребята расходились по домам только для того, чтобы помыться, надеть форму и поспешить в Кивани-парк для настоящей игры.

«Полицейские орлы» обычно были первыми — свидетельство безграничной увлеченности делом Дьюэна Сандерса и его преданности команде. Звездой «Орлов» слыл Ронни Уильямсон. Впервые его имя появилось на страницах «Ада ивнинг ньюз», когда ему было всего девять лет от роду: «“Полицейские орлы” сделали 12 хитов, в том числе два хоума, выполненные Роном Уильямсоном, у которого на счету также 2 дабла».

Рой Уильямсон не пропускал ни одного матча, наблюдая за игрой с самых дешевых мест верхнего яруса. Он никогда ничего не выкрикивал в адрес ампайра* или тренера, никогда не кричал ничего и сыну. Иногда после неудачной игры он мог дать ему лишь отеческий совет, обычно в связи с жизнью вообще. Рой, никогда не игравший в бейсбол, пока только постигал смысл игры. В этом отношении маленький сын обогнал его на много лет.

Когда Ронни исполнилось одиннадцать, он перешел в Детскую лигу Ады и был принят первым номером на контракт в команду «Янки», спонсировавшуюся Оклахомским банком. Именно он обеспечил команде сезон без поражений.

Когда ему было двенадцать и он продолжал играть за «Янки», городская газета начала отслеживать его успехи. «Оклахомский банк завоевал 15 очков в нижней части первого иннинга... Ронни Уильямсон сделал два трипла» (9 июня 1965 г.); «“Янки”сделали только три хоума... но бомбовые удары Роя Хейни, Рона Уильямсона и Джеймса Лэмба решили исход игры. Уильямсон выполнил трипл» (11 июня 1965 г.); «“Янки” Оклахомского банка дважды получали преимущество в первом иннинге... Рон Уильямсон и Карл Тилли сделали два из четырех хитов... каждый из которых был даб-

---

* Ампайр — судья в бейсболе.

лом» (13 июля 1965 г.); «Тем временем команда Оклахомского банка вырвалась на второе место... Ронни Уильямсон сделал два дабла и один сингл» (15 июля 1965 г.).

В шестидесятые годы «Бинг хай скул» располагалась в восьми милях от городской черты Ады. Она считалась сельской школой и была гораздо меньше, чем раскинувшаяся на большой территории городская. Хотя жившие по соседству с Роном дети могли при желании, и если бы согласились ездить сами, учиться в городской школе, практически все они выбирали эту, меньшую, главным образом потому, что школьный автобус из Бинга шел через восточную окраину Ады, а автобус городской школы — нет. Таким образом, большинство ребят с улицы, где жил Рон, учились в Бинге.

В седьмом классе Ронни выбрали старостой, а на следующий год — председателем ученического совета и — неофициально — лидером восьмых классов.

В девятый, первый старший, класс бингской школы он пришел в 1967 году в числе шестидесяти других учеников.

В Бинге не играли в футбол — эта привилегия негласно оставалась за Адой, чьи сильные команды каждый год соревновались за звание чемпиона штата. В бингской школе королем спорта был баскетбол, и Ронни, перейдя в девятый класс, начал играть в него, освоив игру так же быстро, как бейсбол.

Он никогда не был книжным червем, но читать любил и получал только отличные и хорошие отметки. Любимым его предметом была математика. Устав от учебников, Ронни зарывался в словари и энциклопедии. Он зацикливался на определенных темах и любил поразить товарищей словами, каких те в жизни не слышали. Если выяснялось, что собеседники не понимают смысл этих слов, он самодовольно стыдил их. Рон, например, изучал биографии всех американских президентов, запоминал множество мельчайших подробностей и месяцами говорил только об этом. Постепенно отходя от своей церкви, он тем не менее все еще помнил наизусть десятки стихов из Писания, которые часто цитировал, чтобы покрасоваться и выказать свое превосходство над окружающими. Но зачастую его «заморочки» вызывали у родных и друзей лишь снисходительные улыбки.

Спортсменом, однако, Ронни был и впрямь классным и поэтому пользовался в школе большой популярностью. Девушки его выделяли, он им нравился, они хотели с ним встречаться, и он, надо признать, не робел в их присутствии. Он стал уделять большое внимание внешнему виду и сделался привередлив в отношении своего гардероба. Ему хотелось иметь более шикарные вещи, чем те, какие могли позволить себе покупать ему родители, и он, не стесняясь, требовал их. Постепенно Рой начал приобретать для себя подержанную одежду, чтобы сын мог щеголять в дорогой.

Аннет, выйдя замуж, по-прежнему жила в Аде. В 1969 году они с матерью открыли в цокольном этаже старого «Жюльен-отеля» в центре города парикмахерский салон «Бьюти каса». Они усердно трудились, и вскоре их заведение стало популярным; теперь оно включало в себя и нескольких девушек по вызову, работавших на верхних этажах отеля. «Ночные бабочки» были неотъемлемой принадлежностью города в течение десятилетий и нанесли тяжелый урон нескольким законным бракам. Хуанита с трудом терпела их.

Выработавшаяся за долгие годы неспособность Аннет в чем бы то ни было отказать своему «маленькому братику» никуда не делась, и Ронни постоянно лестью выманивал у нее деньги на одежду и девушек. Обнаружив, что сестра имеет открытый счет в местном магазине одежды, он начал им пользоваться. Причем ему и в голову не приходило выбирать вещи подешевле. Иногда он спрашивал разрешения, чаще — нет. Аннет взрывалась, они ссорились, но в конце концов он хитростью все же заставлял ее оплатить его покупки. Она слишком сильно любила его, чтобы сказать «нет», и хотела, чтобы у ее братца было все только лучшее. В разгар любой стычки он всегда умудрялся ввернуть, как он любит ее, и, без сомнения, это было правдой.

И Рини, и Аннет тревожило то, что брат растет избалованным и слишком многого требует от родителей. Время от времени они набрасывались на него с упреками, случались серьезные ссоры, но Ронни всегда одерживал верх. Он плакал, просил прощения и в конце концов заставлял всех рассмеяться. Сестры иногда тайком друг от друга совали ему деньги, чтобы он мог купить себе то, чего не в состоянии были купить ему родители. Он мог быть эгоцентричным, требовательным, являясь всеобщим баловнем, вести себя совершенно по-детски — а потом вдруг, проявив незаурядную индивидуальность, заставить всю семью есть из его рук.

Все они безоглядно любили его, он платил им такой же любовью, и даже в разгар самой яростной перебранки все знали, что он обязательно получит то, чего хочет.

* * *

Летом по окончании девятого класса везунчики планировали провести каникулы в бейсбольном лагере ближайшего колледжа. Ронни тоже хотелось поехать, но Рой и Хуанита просто не могли за это заплатить. Он настаивал: это редкая для него возможность усовершенствоваться в игре и, возможно, обратить на себя внимание тренеров колледжа. Неделями он говорил только об этом и дулся, когда притязания его казались безнадежными. Наконец Рой нехотя согласился и взял кредит в банке.

Следующим «проектом» Рона стала покупка мопеда, вызвавшая протест со стороны родителей. Началась очередная серия отказов, упреков и разъяснений, что они не в состоянии это себе позволить и что вообще мопед — вещь опасная. Тогда Ронни заявил, что заплатит сам. Он впервые в жизни нашел работу — разносчиком газет — и начал откладывать каждое пенни. Накопив достаточно для первого взноса, он купил мопед и договорился с торговым агентом о дальнейших ежемесячных выплатах.

График погашения кредита рухнул, когда в город со своим шатром нагрянул проповедник секты «возрожденцев» Бад Чемберс. Его харизматические проповеди, сопровождавшиеся непрекращающейся оглушительной музыкой, собирали огромные толпы народа — провинциалам нашлось чем заняться по вечерам. Ронни пошел на первое же выступление, был глубоко впечатлен и на следующий вечер вернулся с большой частью своих сбережений. Когда по кругу передавали блюдо для пожертвований, он опорожнил все карманы. Баду, однако, требовалось больше, поэтому на третий день Ронни принес остальные свои деньги. А еще через день наскреб всю наличность, какую смог найти в доме или занять, и снова ринулся в шатер на очередную пламенную проповедь со своими добытыми тяжкими усилиями пожертвованиями. Целую неделю Ронни так или иначе умудрялся давать и давать, но когда Бад наконец покинул город, он обнаружил, что остался без гроша.

Потом он бросил работу, потому что она мешала бейсболу. Рой насобирал денег и расплатился за мопед.

Теперь, когда обе сестры жили отдельно, Ронни требовал, чтобы все родительское внимание безраздельно принадлежало ему. Менее обаятельный ребенок мог бы на его месте стать невыносимым, но Рон обладал невероятным талантом обольщения. Сам отзывчивый, дружелюбный и щедрый, он легко добивался бескорыстной щедрости со стороны семьи.

Когда Ронни начал учиться в десятом классе, к Рою обратился тренер футбольной команды из городской школы и предложил, чтобы его сын перешел в нее. Парень был прирожденным спортсменом, к тому времени вся Ада знала его как выдающегося баскетболиста и бейсболиста. Но Оклахома — штат футбольный, и тренер заверил Роя, что на футбольном поприще, в составе «Пум», мальчика ожидает более блестящее будущее. С его физическими данными, скоростью и уверенной рукой он может легко стать классным игроком, а возможно, будет замечен и на более высоких уровнях. Тренер обещал каждое утро заезжать за Роном и отвозить его в школу.

Решение, однако, оставалось за самим Роном, и он предпочел остаться в Бинге, по крайней мере еще на два года.

Сельская община Ашера затерялась близ шоссе номер 177 в двадцати милях к северу от Ады. Народу в ней живет немного — менее пятисот человек, — никакого «делового центра», заслуживающего упоминания, в городишке нет — всего лишь пара церквей, водонапорная башня да несколько асфальтированных улиц с разбросанными вдоль них стареющими домами. Гордость Ашера — прекрасная бейсбольная площадка, расположенная на Дивижн-стрит, позади крохотной заштатной городской школы.

Как большинству очень маленьких городков, Ашеру было бы нечем похвастать, если бы вот уже сорок лет его школьная бейсбольная команда не оставалась самой титулованной в стране. Ни одна средняя школа, ни частная, ни государственная, за всю историю страны не одержала столько побед, сколько «Ашерские индейцы».

Все началось в 1959 году, когда в город приехал молодой тренер по имени Мерл Боуэн. Он принял тяжелое наследство — в 1958 году команда не выиграла ни одной игры. Положение быстро изменилось. Не прошло и трех лет, как ашерская школа завоевала свой первый национальный титул, за которым последовали десятки других.

По причинам, которые едва ли когда-нибудь станут известны, Оклахома разрешает проводить школьные соревнования по бейсболу и осенью, но только тем школам, которые слишком малочисленны для занятий футболом. За время работы тренера Боуэна в Ашере его команды нередко побеждали в масштабах штата осенью и завоевывали новый титул уже следующей весной. Был один замечательный период, когда ашерская команда выходила в финал соревнований шестьдесят раз подряд, то есть в течение тридцати лет кряду — осенью и весной.

За сорок лет команды тренера Боуэна выиграли 2115 игр, проиграли только 349, привезли домой сорок три высших спортивных трофея и подарили десятки своих воспитанников студенческим командам и командам профессиональной младшей лиги. В 1975 году Боуэн был удостоен звания тренера года среди тренеров школьных команд страны, и город отблагодарил его, реконструировав и назвав его именем бейсбольное поле Ашера. В 1995 году Боуэн снова завоевал титул тренера года.

— Это не моя заслуга, — скромно сказал он, оглядываясь на минувшие годы. — Это заслуга ребят. Я никогда не принес команде ни одного очка.

Сам очков команде он, может, и не принес, но побеждали ребята благодаря ему. Начиная с августа, когда температура в Оклахоме зачастую достигает ста градусов*, Боуэн собирал свою маленькую группу игроков и планировал очередную атаку на серию плей-офф штата. Резерв у него был невелик: выпускной класс ашерской школы обычно насчитывал около двадцати человек, половина из них — девочки, так что ему было не привыкать иметь в команде всего двенадцать игроков, включая одного-другого восьмиклассника из подающих надежды. Чтобы быть уверенным, что никто не выпадет — в столь маленькой команде каждый был на счету, — первым правилом Боуэна было снабдить всех формой.

Потом он приступал к работе с ребятами, начиная с трех дней в неделю. Тренировки были более чем суровыми — многочасовые общеразвивающие упражнения, спринтерский бег, пробежки между базами, доскональное изучение основ игры. Боуэн был приверженцем неустанной практики, крепких ног, преданности и — превыше всего — спортивного поведения. Ни один игрок ашерской команды ни разу не позволил себе поспорить с ампайром, в раздражении бросить на землю шлем или сделать что бы то ни было, чтобы поставить противника в неловкое положение. Если только было возможно, ашерцы старались не выигрывать у заведомо слабой команды со слишком крупным счетом.

Тренер Боуэн всячески уклонялся от игр со слабейшими, особенно весной, когда розыгрыш длился дольше и график игр мож-

* По Фаренгейту. По Цельсию — 37,78°.

но было составить более гибко. Ашерцы славились тем, что не боялись мериться силами с большими школами и побеждали их. Они регулярно громили команды Ады, Нормана и команды класса 4А и 5А из Оклахома-Сити и Талсы. По мере того как росла слава ашерских бейсболистов, их противники предпочитали ездить в Ашер, чтобы играть на идеальной площадке, которую поддерживал в идеальном же состоянии лично тренер Боуэн. Чаще всего они покидали город в отнюдь не ликующем автобусе.

Все команды Боуэна были в высшей степени дисциплинированны и, по мнению спортивных обозревателей, имели отличную физическую форму. Ашер стал магнитом для многих серьезных игроков с большими амбициями, и, конечно, Ронни Уильямсон неизбежно должен был найти дорогу в ашерскую школу. Во время летних сборов он познакомился и подружился с Брюсом Либой, ашерским жителем и, очевидно, вторым по силе игроком в округе, стоявшим всего на одну-две ступеньки ниже Ронни. Они стали неразлучны и вскоре решили на следующий год вместе играть в Ашере. Вокруг поля Боуэна крутилось немало скаутов — «разведчиков», ищущих пополнение как для любительских, так и для профессиональных команд, а у ашерцев были отличные шансы победить в чемпионате штата осенью 1970-го и весной 1971-го. После этого Рон стал бы гораздо более заметен в бейсбольном мире.

Переход в ашерскую школу означал необходимость снимать жилье, что потребовало бы очередной тяжкой жертвы от родителей. Денег у них всегда было в обрез, к тому же Рою и Хуаните пришлось бы без конца сновать из Ады в Ашер и обратно. Но Ронни был настроен решительно. Он, как и большинство тренеров и «разведчиков» в регионе, не сомневался, что летом после окончания школы окажется претендентом номер один для дублирующего состава многих команд, считал, что уже почти ухватил за хвост мечту стать профессионалом и что осталось сделать лишь последнее усилие.

Разговоры о том, что он может стать следующим Микки Мэнтлом, носились в воздухе, и Ронни слышал их.

При неафишируемой помощи некоторых поклонников бейсбола Уильямсоны сняли небольшой домик в двух кварталах от ашерской средней школы, и в августе Ронни прибыл в тренировочный лагерь Боуэна. Поначалу он был обескуражен интенсивностью физической подготовки, тем, сколько времени приходилось бегать, бегать, бегать. Тренеру пришлось несколько раз объяснять своей новой звезде, что железные ноги — решающее условие успеха и для хитера, и для питчера, и для аутфилдера, для пробежек до базы, для дальних бросков и для того, чтобы при дефиците запасных игроков суметь выстоять в последних иннингах второй игры, даже когда два матча играются в один день. Ронни не был склонен разделять эту точку зрения, однако вскоре суровая этика неустанной работы, которую вслед за тренером исповедовали Брюс Либа и другие ашерские игроки, повлияла и на него. Он принял правила и вскоре обрел отличную спортивную форму. Один из всего четверых старшеклассников в команде, он вскоре был признан неофициальным капитаном и — наравне с Либой — лидером.

Мерлу Боуэну нравились его габариты, его скорость, его мощные броски из центра поля. Рука Рона выстреливала мяч как пушка, а удар битой слева обладал незаурядной мощью. Иные из его подач навылет были поистине выдающимися. С началом осеннего сезона «разведчики» вернулись, и многие из них всерьез положили глаз на Рона Уильямсона и Брюса Либу. При том что в чемпионате участвовали в основном маленькие школы, не имевшие футбольных команд, ашерцы проиграли только одну игру и, пройдя в финал, завоевали очередной титул. Рон принес команде 468 очков, сделав шесть хоум-ранов. Брюс, его друг-соперник, принес 444 очка и сделал шесть хоумеров. Они негласно соревновались друг с другом, и оба были уверены, что идут прямиком в высшую лигу.

Вне поля они также стали проявлять бешеную активность — пили пиво по выходным и открыли для себя марихуану. Они приударяли за девушками и имели успех, поскольку в Ашере любили своих героев. Бесконечные вечеринки вошли в привычку, клубы и пивные в окрестностях Ады притягивали их необоримо. Если они слишком сильно напивались и боялись возвращаться в Ашер, то заваливались к Аннет, будили ее и, не уставая извиняться, просили чем-нибудь накормить. Ронни, конечно, умолял сестру ничего не рассказывать родителям.

Тем не менее, соблюдая осторожность, им удавалось избегать неприятностей с полицией, поскольку они очень боялись гнева Мерла Боуэна и многого ожидали от весенних игр 1971 года.

Баскетбол в Ашере был для бейсбольной команды всего лишь хорошим способом поддерживать физическую форму в межсезонье. Рон играл на месте форварда и приносил самое большое количество очков. Несколько «разведчиков» из небольших колледжей проявили к нему интерес, оставшийся, однако, без взаимности с его стороны. По мере того как приближалось начало бейсбольного сезона, он стал получать письма от бейсбольных рекрутеров, которые обещали через несколько недель приехать посмотреть его в игре, просили сообщить расписание и предлагали провести лето в отборочном лагере. Брюс Либа тоже получал подобные письма, и они веселились, сравнивая свою корреспонденцию, — то от «Филлиз» и «Кабс», то от «Энджелз» и «Атлетикс».

В конце февраля, по завершении баскетбольного сезона, в Ашере наступало время главных событий.

Команда сначала разогревалась несколькими легкими победами, а затем, когда в город приезжали соперники из крупных школ, переходила на свой привычный уровень. Рон начинал горячо и не остывал до конца. «Разведчики» шушукались, команда побеждала, жизнь была хороша. Поскольку воспитанники Боуэна соревновались с лучшими из лучших, они каждую неделю имели возможность видеть, что такое классная подача. На глазах у все прибывающих скаутов Рон в каждой игре доказывал, что может справиться с любой. В том сезоне он принес команде 500 очков, сделав пять хоум-ранов и сорок шесть ранов. «Разведчикам» нравились его физическая сила и дисциплинированность на площадке, скорость, с какой он достигал первой базы, и, разумеется, его мощная рука. В конце апреля Рон был номинирован на премию Джима Торпа как выдающийся школьный спортсмен штата Оклахома.

Ашер выиграл двадцать шесть игр, проиграл пять и первого мая 1971 года наголову разбил Гленпул со счетом 5:0, в очередной раз став чемпионом штата.

Тренер Боуэн выдвинул кандидатуры Рона и Брюса Либы в сборную штата. Разумеется, они заслуживали чести, но едва сами себя ее не лишили.

За несколько дней до выпуска, перед лицом ожидавшей впереди решительной перемены в жизни, они осознали, что скоро ашерский бейсбол окажется для них позади и они уже никогда не будут так близки, как в минувшем году. Это требовалось отметить таким буйным разгулом, чтобы запомнился навсегда.

В те времена в Оклахома-Сити имелось три стрип-клуба. Они выбрали лучший, который назывался «Красная собака», и, прежде чем отправиться туда, прихватили литровую бутылку виски и упаковку из шести банок пива с кухни Либы. С этим добром они покинули Ашер и ко времени прибытия в «Красную собаку» были в стельку пьяны. В клубе они заказали еще пива и стали наблюдать за танцовщицами, которые с каждой минутой казались им все более привлекательными. Мальчишки пригласили двоих из них за свой столик и принялись сорить деньгами. Отец Брюса установил строгий «комендантский час» — возвращение домой не позднее часа ночи, — но стриптизерши и хмель сильно отодвинули его. Ребята с трудом вывалились из клуба лишь в половине первого, а езды до дома было два часа. Брюс на своем новеньком «камаро» с усиленным двигателем рванул на полной скорости, но вдруг остановился, потому что Рон сказал ему что-то обидное. Они начали ссориться и в конце концов решили выяснить отношения немедленно и на месте. Выкарабкавшись из машины, они затеяли кулачный бой прямо посреди Десятой улицы.

Однако, потолкавшись и полягавшись несколько минут, устали, быстро согласились на перемирие, забрались обратно в машину и продолжили путь. Ни один из них не помнил, из-за чего произошла ссора, эта подробность той ночи навсегда осталась покрытой туманом неизвестности.

Брюс пропустил нужный съезд, повернул не в том месте и решил сделать длинный объезд по незнакомым сельским дорогам, полагая, что сохраняет общее направление на Ашер. Поскольку «комендантский час» был уже нарушен, он мчался как угорелый. Его собутыльник в коматозном состоянии раскачивался на заднем сиденье. Вокруг царила непроглядная темень, пока Брюс не увидел красные огни, стремительно приближавшиеся сзади.

Впоследствии он помнил лишь, что остановился перед каким-то «Мясокомбинатом Уильямса», но плохо себе представлял, близ какого города находился. И даже — в каком округе.

Брюс вылез из машины. Патрульный из полиции штата исключительно вежливо поинтересовался, не выпил ли он.

— Да, сэр.

— Вы понимали, что превышаете скорость?

— Да, сэр.

Они поговорили еще немного, и казалось, что полицейский даже не собирался выписывать штраф, не то что арестовывать нарушителя. Брюс уже убедил его, что сможет осторожно доехать до дома, как вдруг Рон высунул голову из заднего окошка машины и грубо заорал что-то нечленораздельное.

— Кто это? — спросил офицер.

— Просто друг.

Друг выкрикнул что-то еще, и патрульный офицер велел ему выйти из машины. Почему-то Рон открыл дверцу не на шоссе, а с внешней стороны и выпал прямо в глубокий кювет.

Обоих арестовали и отвезли в тюрьму — сырое помещение, в котором не хватало кроватей. Тюремщик бросил на пол крохотной камеры два матраса, и парни, дрожащие, перепуганные, никак не трезвеющие, провели в ней остаток ночи. Позвонить отцам они не решились.

Для Рона эта ночь оказалась первой из множества проведенных за решеткой.

На следующее утро надзиратель принес им кофе, бекон и посоветовал позвонить домой. После долгих колебаний оба так и сделали и через два часа были отпущены. Брюс отправился домой на своей «камаро» один, Рону почему-то велели ехать в машине с мистером Либой и мистером Уильямсоном. Двухчасовая поездка показалась очень долгой, особенно в преддверии встречи с тренером Боуэном.

Оба отца настояли, чтобы их сыновья отправились прямиком к тренеру и рассказали ему правду, что те и сделали. Мерл, не произнеся ни слова, недвусмысленно дал им понять, что думает об их поведении, однако своего выдвижения не отозвал — оно касалось только их спортивных заслуг в минувшем сезоне.

До выпуска с друзьями больше никаких неприятностей не произошло. Брюс, которому поручили произносить торжественную речь, блистательно справился с задачей. С обращением к выпускникам выступил достопочтенный Фрэнк Эйч, всем известный окружной судья из соседнего округа Семинол.

В 1971 году ашерский выпускной класс состоял из семнадцати учеников, и почти для всех них окончание школы было знаменательным событием, вехой, которой гордились их семьи. Мало кто из родителей этих ребят имел возможность окончить колледж, иные не имели даже полного среднего образования. Но для Рона и Брюса церемония почти ничего не значила. Они все еще купались в славе чемпионов штата, куда более важной для них, чем школьный аттестат, и мечтали попасть в высшую лигу. Их жизни не должны были закончиться в сельской Оклахоме.

Спустя месяц оба были включены в сборную Оклахомы, а Рон занял второе место в рейтинге лучших школьных игроков 1971 года.

Традиционная ежегодная игра сборной, составленной из звезд штата, проходила при огромном стечении публики, среди которой были «разведчики» всех команд высшей профессиональной лиги и многих колледжей. После игры двое из них — один от филадельфийской «Филлиз», другой от «Окленд эйз» — отозвали друзей в сторону и сделали каждому неофициальное предложение. Если они согласятся на бонус в 18 тысяч долларов каждому, то «Филлиз» возьмет в дублирующий состав Брюса, а «Окленд эйз» — Рона. Рон счел вознаграждение недостаточным и отказался. Брюса уже тогда начинали тревожить его колени, и он тоже полагал, что сумма недостаточна. Он попытался было выжать из «разведчика» побольше, сказав, что планирует два года поиграть в команде Семинолского двухгодичного колледжа. Предложи тот ему больше, Брюс, вероятно, и согласился бы, но больше ему не предложили.

Месяц спустя Рона отобрали в «Окленд атлетикс» во втором туре независимых выборов, он был назван сорок первым из восьмисот претендентов и первым из Оклахомы. «Филлиз» в свой дублирующий состав Брюса не взял, но предложил ему временный контракт. Он снова отказался, предпочтя колледж. Их мечта о том, чтобы стать профессионалами и играть в одной команде, начала меркнуть.

Первое официальное предложение «Оклендз эйз» казалось оскорбительным. Уильямсоны не имели, разумеется, ни агента, ни адвоката, но им и самим было ясно, что «Эйз» пытаются заполучить Рона по дешевке.

Рон один отправился в Окленд и встретился с руководством команды. Беседа между ними не была продуктивной, и Рон вернулся в Аду без контракта. Но вскоре ему снова позвонили, и во время второго своего визита он разговаривал с администратором Диком Уильямсом и несколькими игроками. Бейз-меном команды на второй базе был Дик Грин, дружелюбный парень, который вызвался показать Рону клубные помещения и игровое поле. Во время этой прогулки они столкнулись с Реджи Джексоном, самодовольной суперзвездой, самим «Мистером Оклендом». Узнав, что Рона предположительно берут в дублирующий состав, Реджи спросил, на какой позиции тот играет.

Дик Грин слегка подколол Реджи, ответив: «Рон — правый филдер». Правый фланг, разумеется, принадлежал Реджи. «Тогда, парень, ты так и умрешь в запасных», — бросил он и удалился. На том разговор и закончился.

«Оклендз эйз» не хотели платить крупный бонус, поскольку только планировали сделать Рона кетчером, но предстояло еще испытать его в этом качестве. Переговоры шли медленно, денег по-прежнему обещали мало.

Собираясь за обеденным столом, семья обсуждала возможность поступления Рона в колледж. Рона как талантливого спортсмена буквально умоляли стать стипендиатом Университета Оклахомы, и родители настаивали, чтобы он не пренебрегал этой возможностью. Для него это был единственный шанс получить специальное образование, шанс, который может больше никогда не представиться. Рон это понимал, но возражал, что поучиться в колледже успеет и потом. И когда «Окленд эйз» внезапно предложили ему 50 тысяч долларов за подписание контракта, он так же внезапно согласился и забыл о колледже.

Это стало громкой новостью для Ашера и Ады. Рон был лучшим из новичков в дублирующем составе, и поначалу шумное внимание к его персоне даже смущало его. Мечта сбылась, он стал профессиональным бейсболистом. Жертвы, принесенные родителями, начинают окупаться. Он чувствовал, что Святой Дух помог ему найти прямой путь к Богу, стал снова посещать церковь и во время одной воскресной вечери, подойдя к алтарю, помолился вместе с пастором, а потом, обратившись к прихожанам, поблагодарил братьев и сестер во Христе за их любовь и поддержку. Господь благословил его, он чувствовал себя по-настоящему счастливым. С трудом сдерживая слезы, он пообещал использовать свои возможности и таланты исключительно во славу Господа.

Потом он купил себе «олдсмобиль-катласс-суприм» и кое-что из одежды, а родителям — цветной телевизор. Остальные деньги проиграл в покер.

В 1971-м «Окленд атлетикс» принадлежала Чарли Финли, чужаку, который в 1968 году привез команду из Канзас-Сити. Он мнил себя визионером, но действовал скорее как клоун-фокусник: обожал устраивать переполох в бейсбольном мире такими, например, новациями, как необычайная многоцветная спортивная форма для игроков, девочки, подбирающие мячи вместо мальчиков, оранжевые мячи (у этой идеи жизнь оказалась особенно короткой) или «механический заяц», который доставлял новые мячи ампайру на «доме». Словом, Финли делал что мог, чтобы привлечь внимание. Он купил мула, назвал его Чарли О. и выгуливал вокруг бейсбольного поля, а то и заводил в гостиничные вестибюли.

Но, снабжая газеты материалом для крупных заголовков своими эксцентрическими выходками, он одновременно строил спортивную «династию». Наняв талантливого менеджера Дика Уильямса, он составил команду, которая включала Реджи Джексона, Роя Руди, Сэла Бандо, Берта Кампанериса, Рика Манди, Вида Блю, Кэтфиша Хантера и Роли Фингерса.

«Эйз» начала семидесятых, без сомнения, была самой классной бейсбольной командой. Подопечные Чарли Финли — первые и единственные — носили белые наклейки от скольжения на подошвах спортивных туфель и имели ослепительно яркую форму — в разных комбинациях в ней сочетались зеленый, золотистый, белый и серый цвета. По-калифорнийски невозмутимые, с длинными волосами, усами и бородками, игроки «Эйз» имели вызывающий вид. Для игры, чья история насчитывала к тому времени более сотни лет и требовала неукоснительного, даже благоговейного соблюдения традиций, они были возмутителями спокойствия, бунтарями. Но это была позиция. Страна все еще страдала похмельем 1960-х. Кому были нужны авторитеты? Все правила можно было ломать — даже в такой закоснелой сфере, как бейсбол.

В конце августа 1971 года Рон в третий раз отправился в Окленд, на сей раз как игрок дублирующего состава команды, член клуба, один из «своих парней» и будущая звезда, хотя ему еще только предстояло стать профессионалом. Встретили его хорошо — дружески похлопывали по спине и говорили ободряющие слова. Ему было восемнадцать лет, но со своим круглым детским лицом и челкой до глаз выглядел он не более чем на пятнадцать. Ветераны знали, что шансы у него невелики, как у всякого паренька, впервые подписывающего контракт, но делали все, чтобы он не чувствовал себя чужим. Ведь каждому когда-то довелось побывать в его шкуре.

Менее десяти процентов тех, кто получал контракты с испытательным сроком, попадали в высшие лиги после первых же игр, но восемнадцатилетний юнец ни о каких сомнениях и слышать ничего не желал.

Рон слонялся вокруг бейсбольного поля и скамеек для запасных, постоянно ошивался возле игроков, участвовал в разминках, наблюдал, как весьма жидкая струйка зрителей втекает на стадион оклендского округа Аламедия. Задолго до начала игры он усаживался в первом ряду позади скамей «Эйз», чтобы наблюдать за игрой своей новой команды. На следующий день он возвращался в Аду, еще более, чем всегда, решительно настроенный легко просквозить через период дублерства и к двадцати годам, от силы к двадцати одному, войти в зенит славы. Увидев, почувствовав и впитав в себя наэлектризованную атмосферу стадиона высшей лиги, он сильно изменился. Отрастил длинные волосы и попытался было отпустить усы, однако природа отказалась ему в этом помочь. Его друзья думали, что он богат, и он, разумеется, из кожи вон лез, чтобы поддерживать их в этом заблуждении. Он даже вел себя не так, как большинство жителей Ады и окрестностей, — более сдержанно, ведь теперь он был калифорнийцем!

В течение всего сентября Рон с восторгом наблюдал, как «Эйз» выиграла 101 игру и решила исход борьбы в Западном дивизионе Американской лиги. Скоро он будет там, с ними, в качестве кетчера или центрового, в такой же яркой форме, с длинными волосами и все такое прочее, он станет частью самой лучшей бейсбольной команды страны.

В ноябре он подписал контракт с производящей жвачку фирмой «Топпс чьюинг гам», передав ей эксклюзивное право печатать и любым иным способом воспроизводить на бейсбольных карточках и постерах его имя, лицо, фотографии и подпись.

Как любой мальчишка из Ады, он собирал такие карточки тысячами, хранил, менялся, вставлял в рамки, таскал за собой в коробке из-под обуви и экономил карманные деньги, чтобы купить еще. Микки Мэнтл, Уайти Форд, Йоджи Бера, Роджер Марис, Уилли Мэйз, Хэнк Аарон — карточки этих игроков ценились очень высоко. Теперь и у него будет своя карточка!

Мечта быстро сбывалась.

Однако первым местом, куда его сдали в аренду, стала команда «Куз бэй», Орегон, класс А в Северо-Западном дивизионе, весьма далеко от Окленда. Достижения, показанные им до того, весной 1972 года, на тренировках в Месе, штат Аризона, большого впечатления не произвели. Никто не свернул себе шею, следя за ним на поле, ничьего особого внимания он не привлек, и Окленд все еще не мог решить, как его использовать. Его поставили на основной базе, но этой позиции он не знал. Тогда его перевели в питчеры — просто потому, что у него был сильный бросок.

Поздней весной, в разгар тренировок, Рона постигло несчастье: прободение гнойного аппендицита, пришлось возвращаться в Аду на операцию. В ожидании, пока организм придет в норму, Ронни, чтобы скоротать время, начал пить. В местной «Пицца-хат» пиво было дешевым, а когда это заведение ему надоедало, он направлял свой «катласс» в «Элкс Лодж» и взбадривался несколькими бурбонами с колой. Он устал от ожидания, хотел поскорее выйти на бейсбольное поле хоть где-нибудь и, сам не зная почему, находил утешение в пьянстве. Наконец ему позвонили, и он отправился в Орегон.

Играя за «Куз бэй», он сделал 41 хит при 155 эт-бэтах и имел невпечатляющий средний показатель 265 очков. Он успел поучаствовать в сорока шести играх, несколько иннингов отыграл на второй базе. Позднее в том же сезоне его контракт был передан в аренду «Берлингтону», Айова, из Средне-Западного дивизиона, все так же команде класса А. По горизонтали это было движение к лучшему, но по сути — отнюдь не продвижение вверх. За «Берлингтон» он отыграл всего семь игр, после чего сезон закончился, и он вернулся в Аду.

Все эти передвижения в младших лигах временны и мало что дают. Игроки не успевают толком ничему научиться, зато успевают прожить те небольшие деньги, которые им платят, а равно и те премиальные, на которые может расщедриться принимающий клуб. Живут они в мотелях, оплачивая номер за месяц вперед, или теснятся в крохотных квартирках. Если город расположен у шоссе, где ходят автобусы, то чаще — в мотелях, рядом с которыми располагаются бары, ночные и стрип-клубы. Игроки молоды, редко кто из них женат, они находятся вдали от своих семей, которые худо-бедно все же дисциплинировали их, и поэтому предрасположены к ночным загулам. Большинству из них едва исполнилось двадцать, они еще незрелы, только что вышли из-под родительской опеки, и все убеждены, что вот-вот начнут зарабатывать большие деньги, играя на знаменитых стадионах.

В каком-то смысле их жизнь нелегка. Игры начинаются в 19.00 и продолжаются порой дольше, чем до десяти вечера. Быстрый душ — и по барам. Всю ночь в загулах, днем отсыпаются — либо «дома», либо в автобусе, на ходу. Много пьют, волочатся за женщинами, играют в покер, курят травку... Такова сомнительная сторона жизни дублеров-резервистов. И Рон окунулся в нее с энтузиазмом.

Как любой отец, Рой Уильямсон с огромным любопытством и гордостью следил за сезонами своего сына. Ронни звонил лишь время от времени, писал еще реже, но Рою удавалось быть в курсе его персональной игровой статистики. Дважды они с Хуанитой ездили в Орегон посмотреть на игру сына. Ронни тяжело дался этот годичный испытательный срок, он с трудом приспосабливался к жестким приемам и резким финтам.

По возвращении Рона в Аду Рою позвонил тренер «Эйз». Его беспокоил образ жизни Рона — тот слишком много пил, поздно ложился спать, часто страдал похмельем. Парень явно позволял себе лишнее. Не то чтобы это было такой уж редкостью среди девятнадцатилетних юношей, впервые оказавшихся вдали от дома, но, возможно, строгое слово отца поможет его урезонить?

Рон тоже названивал. По мере того как лето подходило к концу, а он по-прежнему оставался в дублерском составе, он чувствовал себя все более недооцененным и невостребованным и сердился на руководство команды. Как можно повысить мастерство, сидя на скамейке запасных?

Ронни избрал рискованную и редко используемую стратегию: действовать в обход тренеров. Он позвонил в дирекцию «Эйз» и предъявил жалобу: долгое пребывание в группе А означает для него деградацию, он просто не имеет возможности достаточно играть и хочет, чтобы большие шишки, которые взяли его в резерв, знали об этом.

В дирекции он отклика не нашел. Имея в резерве сотни игроков, большинство которых были на несколько голов выше Рона Уильямсона, руководство команды не сочло его доводы убедительными. Им была известна игровая статистика Рона, и они понимали, что он борется за выживание.

Наконец с самого верха была спущена резолюция: пусть парень заткнется и играет в бейсбол.

Вернувшись в Аду в начале осени 1972 года и продолжая оставаться местным героем, приобретшим теперь еще и своего рода калифорнийский лоск и аффектацию, Рон все так же вечерами слонялся по барам. Когда «Окленд эйз» в конце октября впервые победила в национальном первенстве, он устроил в местной пивной шумное празднование. «Это моя команда!» — без устали выкрикивал он, тыча в экран телевизора под восхищенными взглядами собутыльников.

Однако привычки Рона внезапно изменились, когда он познакомился и начал встречаться с Пэтти О'Брайан — красивой молодой девушкой, бывшей «Мисс Ада». Их отношения быстро перешли в серьезную стадию, они стали видеться регулярно. Она была правоверной баптисткой, не брала в рот спиртного и не терпела дурных привычек Рона. А он был только рад избавиться от них и пообещал полностью исправиться.

Настал 1973 год, а Рон по-прежнему ни на шаг не приблизился к высшим лигам. После очередного бездарного весеннего сезона в Месе его отправили в «Берлингтон биз», где он сыграл всего пять игр и был передан дальше, в «Ки-Уэст Кончес» — команду штата Флорида. Класс А. Пятьдесят девять игр — и печальный результат: всего 137 очков.

Впервые в жизни Рон усомнился, что ему вообще удастся когда-нибудь пройти в высший эшелон. Имея за плечами два весьма посредственных сезона, он усвоил наконец, что профессиональная игра, даже в команде класса А, — нечто куда более трудное, нежели то, что он видел в ашерской средней школе. Здесь у любого питчера и подача была мощнее, и финты резче. Все игроки были хороши, и некоторые вполне заслуживали перехода в высшие лиги. Бонус, полученный Роном при подписании контракта, был давно отчасти истрачен, отчасти пущен на ветер. Собственное улыбающееся лицо на бейсбольной карточке теперь уже не вызывало того восторга, какой оно вызывало еще два года назад. К тому же Рону казалось, что все вокруг смотрят на него вопрошающе. Друзья и просто добропорядочные граждане Ады и Ашера ждали, чтобы он оправдал их надежды, сделал их медвежий угол знаменитым. Он обязан был стать вторым великим оклахомцем. Микки слава настигла в девятнадцать лет. Рон от него уже отстал.

Он вернулся в Аду, снова стал встречаться с Пэтти, и та весьма настоятельно рекомендовала ему найти какую-нибудь осмысленную работу на период межсезонья. Какой-то ее дядюшка знал кого-то в Техасе, и Рон отправился на машине в Викторию, где несколько месяцев проработал у этого подрядчика кровельщиком.

3 ноября 1973 года Рон и Пэтти сыграли пышную свадьбу в Первой баптистской церкви Ады, приходской церкви Пэтти. Рону было двадцать лет, и он все еще только подавал надежды.

Но Ада по-прежнему видела в Роне Уильямсоне своего величайшего героя. А теперь он был еще и женат на королеве красоты, девушке из приличной семьи — значит, стал совсем уж неуязвим.

В феврале 1974 года молодожены отправились в Месу, где у Рона должны были быть весенние тренировки. Молодая жена послужила ему дополнительным стимулом для того, чтобы начать наконец восхождение наверх. На 1974 год у него был контракт с «Берлингтоном», но он не собирался туда возвращаться. Ему обрыдли Берлингтон и Ки-Уэст, и раз «Эйз» снова посылает его в подобные места, значит, ему явно дают понять, что перспективным игроком его больше не считают.

Он стал тренироваться еще усерднее, еще больше бегал, сверхурочно практиковался во владении битой — словом, работал так же рьяно, как когда-то в Ашере. Но однажды во время обычной игровой тренировки, совершив мощный бросок ко второй базе, он почувствовал резкую боль в плече. Он старался не обращать на нее внимания, убеждал себя, что такое случается с каждым игроком, что нужно просто продолжать играть — и все пройдет. Да, все пройдет, это всего лишь небольшое весеннее обострение от тренировок. Но боль вернулась на следующий день, причем с еще большей силой. К концу марта Рон еле-еле перебрасывал мяч в пределах площадки.

31 марта «Эйз» порвала с ним, и они с Пэтти отправились на машине в длинный обратный путь в Оклахому.

Не заезжая в Аду, они обосновались в Талсе, где Рон нашел работу в качестве представителя сервисной службы компании «Белл телефон». Это не было для него началом новой карьеры, скорее, оплаченным отпуском по болезни, в течение которого он ждал, чтобы перестала болеть рука, а пуще того — чтобы ему позвонил кто-нибудь из бейсбольного мира, кто-нибудь, кто по-настоящему знал и ценил его. Безуспешно прождав, однако, несколько месяцев, он стал звонить сам, но нигде никто не проявил к нему интереса.

Пэтти нашла работу в больнице, и они принялись обустраиваться. Аннет начала посылать им пять — десять долларов в неделю — на тот случай, если у них возникнут проблемы с оплатой счетов. Это скромное вспомоществование прекратило поступать после того, как Пэтти позвонила Аннет и объяснила, что Рон тратит эти деньги на пиво, чего она не одобряла.

Возникли трения. Аннет беспокоило, что брат снова начал пить. О том, что на самом деле происходило в его семье, она почти ничего не знала. Пэтти по натуре была очень скрытна, робка и никогда с Уильямсонами не откровенничала. Аннет с мужем навещали пару всего раз в год.

Когда Рона обошли повышением по службе, он во имя высшей справедливости уволился из «Белл» и стал агентом по страхованию жизни. Шел уже 1975 год, а у него по-прежнему не было контракта ни с одной бейсбольной командой, и никто не обращался к нему в поисках забытых талантов.

Но со своей спортивной уверенностью в себе и дружелюбием он прекрасно научился торговать страховками. Дела шли хорошо, и он обнаружил, что успех в работе и деньги доставляют ему удовольствие. Удовольствие он получал также от ночных бдений в барах и клубах. Пэтти ненавидела пьянство и не желала терпеть его запоев. Курение травки тоже вошло у него в привычку, которая была ей отвратительна. Смена настроений случалась у него теперь все чаще и была все более резкой. Очаровательный молодой человек, за которого она вышла замуж, менялся на глазах.

Весной 1976 года Рон однажды ночью позвонил родителям и, истерически рыдая, сообщил, что они с Пэтти жестоко разругались и расстались. Рой с Хуанитой, а равно и Аннет с Рини были шокированы этой новостью, но надеялись, что брак удастся спасти. В конце концов, все молодые пары переживают свои катаклизмы. Ронни вот-вот позвонят, он снова наденет форму и возобновит спортивную карьеру. Их жизнь опять наладится, а нынешнее затмение забудется.

Но наладить брак Рона и Пэтти оказалось уже невозможно. В чем бы ни заключались разделявшие их проблемы, они предпочли их не обсуждать — просто спокойно подали заявление на развод, в качестве причины указав «несовместимость характеров». Разрыв был окончательным. Их брак не продержался и трех лет.

У Роя Уильямсона был друг детства по имени Харри Бречин, или Харри Кот, как его называли во времена его бейсбольной карьеры. Мальчики вместе выросли в Оклахоме, в городке Фрэнсис. Теперь Харри искал новых игроков для «Янки». Рой разузнал номер его телефона и передал его сыну.

Талант Рона уговаривать проявился снова: в июне 1976 года он убедил «Янки», что с рукой у него уже все в порядке, лучше, чем прежде. Повидав достаточно классных бросков, чтобы удостовериться, что он не может с ними справиться, Рон решил играть в меру своих возможностей — правой рукой. В конце концов, именно этим он всегда привлекал внимание скаутов. В Окленде постоянно обсуждали вопрос о том, чтобы перепрофилировать его в питчеры.

Он подписал контракт с командой класса А «Онеонта янки» из лиги Нью-Йорк-Пенн и не мог дождаться дня, когда покинет Талсу. Мечта возродилась вновь.

Несомненно, Рон обладал мощным броском, но зачастую понятия не имел, куда полетит мяч. Его техника была несовершенна, ему просто не хватало опыта. Он бросал слишком сильно и слишком резко, боль вернулась, сначала слабая, потом рука почти совсем ослабела. Двухгодичный перерыв неизбежно сказался, и по окончании сезона с ним опять не возобновили контракт.

И снова, минуя Аду, он возвратился в Талсу, к своим страховкам. Аннет заехала навестить его, и когда разговор коснулся бейсбола и провала Рона, он начал истерически безостановочно рыдать. Потом признался сестре, что у него бывают долгие и тяжелые приступы депрессии.

Снова окунувшись в жизнь дублеров, он вернулся к былым привычкам: слонялся по барам, приударял за женщинами и пил слишком много пива. Чтобы убить время, он присоединился к софтбольной команде и наслаждался положением большой звезды на малой сцене. Однажды холодным вечером он во время игры слишком резко послал мяч, и что-то случилось с его плечом. Он ушел из команды, распрощался с софтболом, но ущерб уже был причинен. Рон обратился к врачу и согласился пройти интенсивный курс лечения, однако почти не испытал облегчения.

Некоторое время он старался держать руку в покое, надеясь, что к весне все пройдет.

Последняя атака Рона на профессиональный бейсбол состоялась весной 1977 года. Ему удалось еще раз уговорить «Янки» взять его в команду. Весенние тренировки, по-прежнему в роли питчера, он преодолел и был направлен в Форт-Лодердейл, в местную лигу штата Флорида. Там он выдержал свой последний сезон, все 140 игр, половина из них — на выездах, с долгими перегонами в трясских автобусах. Месяц проходил за месяцем, использовали его весьма скудно. Питчером он отстоял всего в четырнадцати играх — тридцать три иннинга. Ему было двадцать четыре года, у него было травмированное плечо — и никакой перспективы излечения. Ашерская слава и Мерл Боуэн остались далеко позади.

У большинства игроков есть понимание неизбежного конца карьеры, у Рона его не было. Слишком много людей там, дома, рассчитывало на него. Слишком многим пожертвовала его семья. Он отказался от колледжа, от образования, чтобы стать игроком высшей лиги, значит, не имеет права бросить бейсбол. Потерпел он поражение и в браке, а к поражениям Рон не привык. Кроме всего прочего, он носил форму «Янки» — живой символ, постоянно питавший его мечту.

Он храбро додержался до конца сезона, потом его обожаемые «Янки» снова сократили его.

ГЛАВА ТРЕТЬЯ

Спустя несколько месяцев после окончания сезона Брюс Либа, идя как-то вдоль Южного торгового мола в Талсе, увидел знакомое лицо и остановился как вкопанный. За витриной магазина мужской одежды «Топперз» расхаживал его старый друг Рон Уильямсон в красивой одежде, рекламируя ее покупателям. Друзья крепко обнялись и пустились в долгую беседу, расспрашивая друг друга о жизни. Их, бывших когда-то почти братьями, теперь удивляло, что их пути так надолго разошлись.

После окончания ашерской школы они потеряли друг друга из виду. Брюс два года играл в студенческой команде, потом, когда с коленями стало совсем плохо, бросил бейсбол. У Рона спортивная карьера сложилась не намного лучше. Оба прошли через развод; ни один понятия не имел о том, что другой был женат. Ни тот ни другой не удивился, узнав, что приятель сохранил любовь к ночной жизни.

Ребята были молоды, привлекательны, снова свободны, усердно трудились, хорошо зарабатывая, и немедленно принялись вместе обходить ночные клубы и «снимать» там девиц. Рон всегда любил женщин, а несколько сезонов, проведенных в младшей лиге, сделали его настоящим охотником за юбками.

Брюс жил в Аде, но каждый его приезд в Талсу означал загул на всю ночь с Роном и его друзьями.

Хотя игра и разбила им сердца, бейсбол оставался любимой темой разговоров: дни славы в Ашере, тренер Боуэн, мечты, которые они некогда лелеяли, старые товарищи по команде, которые так же, как они, попытали счастья, но не поймали его. Больные колени помогли Брюсу с чистой совестью оставить игру или по крайней мере расстаться с мечтой о высшей лиге. У Рона такого оправдания не было. Он был убежден, что все еще может играть, что когда-нибудь все изменится, его рука чудесным образом исцелится и кто-нибудь ему позвонит. Жизнь снова станет прекрасной. Поначалу Брюс лишь пожимал плечами, понимая, что в воспоминаниях об увядающей славе друг находит утешение. Как он успел убедиться на собственном опыте, никакая звезда не закатывается быстрее, чем звезда школьного спортсмена. Кому-то удается с этим справиться, смириться и двигаться дальше. Кто-то питается иллюзиями в течение десятилетий.

Рон почти маниакально продолжал верить, что еще сможет играть. И неудачи его очень расстраивали, буквально глодали изнутри. Он беспрестанно спрашивал Брюса, что говорят о нем в Аде. Разочарованы ли его земляки тем, что он не стал новым Микки Мэнтлом? Судачат ли о нем в кафе и барах? Нет, уверял его Брюс, не судачат.

Но это не имело значения. Рон был убежден, что его родной город считает его неудачником и что единственный способ изменить мнение о себе — это получить еще один, последний контракт и зубами и когтями продраться в высшую лигу.

«Смотри на жизнь проще, приятель, — призывал его Брюс. — Давай забудем об игре. Мечта накрылась».

Родные Рона начали замечать катастрофическую деформацию его личности. Он нередко бывал нервным, возбужденным, неспособным сосредоточиться на чем-то одном, лихорадочно перескакивал с предмета на предмет. Когда семья собиралась вместе, он несколько минут сидел тихо, как немой, потом вклинивался в разговор и неизбежно переводил его на себя. Если он говорил, все обязаны были внимательно слушать, и любая тема должна была иметь отношение к его жизни. Ему было трудно спокойно сидеть на месте, он беспрерывно курил и обзавелся странной привычкой внезапно исчезать из комнаты. В 1977 году на День благодарения вся семья собралась у Аннет, был накрыт традиционный праздничный стол. Как только все уселись, Рон, не говоря ни слова, вдруг выскочил из столовой и через весь город отправился в дом матери. Без каких бы то ни было объяснений.

Впоследствии во время таких же семейных встреч он мог ни с того ни с сего удалиться в спальню, запереть дверь и оставаться там в одиночестве, что, впрочем, позволяло остальным хоть немного расслабиться и поговорить, несмотря на тревогу за Рона. Потом он так же внезапно мог ворваться обратно и разразиться высокопарной тирадой на любую тему, какая в тот момент взбрела ему в голову. Обычно она была никак не связана с тем, о чем говорили за столом до того. Стоя посреди комнаты, он тараторил как сумасшедший, пока не почувствует усталость, после чего снова бросался в спальню и запирал дверь.

Иногда его бурное появление сопровождалось отчаянным бренчанием на гитаре и пением — пел он скверно, но требовал, чтобы все ему подпевали. После нескольких неблагозвучных песен он сдавался и, притопывая, удалялся обратно в спальню. Оставшиеся тяжело вздыхали, закатывали глаза и возвращались к прерванному разговору. Как ни печально, семья привыкла к такому его поведению.

Рон все чаще бывал отрешенным и угрюмым, мог целыми днями дуться без повода или обижаться на все и вся, затем в нем вдруг переключался какой-то рычажок — и к нему возвращалась былая общительность. Крах бейсбольной карьеры угнетал его, он предпочитал об этом не говорить. Позвонив, можно было застать его подавленным и несчастным, а в следующий раз — полным сил и веселым.

Родные знали, что он пьет, доходили до них и весьма определенные слухи о наркотиках. Вероятно, алкоголь в сочетании с химией был причиной его неуравновешенности и способствовал резкой смене настроений. Аннет и Хуанита как можно деликатнее попытались его расспросить, но натолкнулись на враждебность.

Потом у Роя Уильямсона нашли рак, и проблемы Рона отошли на второй план. Опухоль в прямой кишке быстро росла. Хотя Ронни всегда был маминым сынком, отца он любил и уважал. И чувствовал вину перед ним за свое поведение. Он уже давно не посещал церковь и имел серьезные проблемы с верой, но пятидесятнической убежденности в том, что всякий грех бывает наказан, не утратил и теперь не сомневался, что его отец, проживший безупречную жизнь, подвергается наказанию за пороки собственного сына.

Болезнь Роя усугубила приступы депрессии у Рона. Он корил себя за эгоизм, за чрезмерные требования, которые предъявлял родителям, — покупать ему шикарную одежду и дорогой спортивный инвентарь, посылать в бейсбольные лагеря и турне, снимать временное жилье в Ашере. И за все это он «щедро» отплатил им единственным цветным телевизором, приобретенным из денег, полученных за контракт с «Эйз». Он вспоминал, как Рой смиренно покупал себе поношенную одежду, чтобы его избалованный сын мог слыть первым щеголем в школе. Представлял себе отца, устало бредущего от дома к дому по раскаленному от жары тротуару с пухлыми чемоданчиками, набитыми образцами специй... И отца, сидящего на верхних, самых дешевых местах стадиона, но никогда не пропускающего ни одной его игры.

В начале 1978 года Рою сделали операцию в Оклахома-Сити, но опухоль дала метастазы, рак быстро прогрессировал, и хирурги уже ничего не могли сделать. Рой вернулся в Аду, отказался от химиотерапии и начал болезненно угасать. В последние дни его жизни Рон, приехавший из Талсы, не отходил от его постели, он совершенно обезумел от горя, безутешно рыдал и без конца молил отца простить его.

В какой-то момент Рою это надоело. «Пора повзрослеть, сын, — сказал он. — Будь наконец мужчиной. Перестань плакать и закатывать истерики. Делай что-нибудь со своей жизнью».

Рой умер 1 апреля 1978 года.

В 1978 году Рон все еще жил в Талсе и делил квартиру со Стэном Уилкинсом, который был на четыре года младше его и работал на металлургическом заводе. Они оба любили играть на гитаре, обожали популярную музыку и часами могли петь под собственный аккомпанемент. У Рона был сильный, хотя и не поставленный голос и многообещающие способности гитариста, владел он, разумеется, дорогостоящим инструментом фирмы «Фендер».

Дискотеки в Талсе были чрезвычайно популярны, и Рон со Стэном часто их посещали. После работы они немного выпивали и отправлялись по клубам, где Рона хорошо знали. Он любил женщин и обращался с ними бесстрашно, без всякого смущения. Понаблюдав за собравшейся публикой, он выделял самую горячую девушку и приглашал ее на танец. Если она соглашалась, он обычно провожал ее потом домой. Его девизом было «Каждый вечер новая женщина».

Несмотря на любовь к выпивке, в процессе поисков партнерши он был осмотрителен. Чрезмерное количество алкоголя могло испортить всю игру. А вот некоторые химические препараты — нет. Кокаин совершал свой победный марш по стране, и достать его в клубах Талсы не представляло никакого труда. О болезнях, передающихся половым путем, тогда всерьез не задумывались. Самым страшным, что можно было подхватить, считался герпес; СПИД еще не появился. Для людей с определенными наклонностями 1970-е были годами разгула и наслаждений. И Рон Уильямсон сорвался с тормозов.

30 апреля 1978 года в квартиру Лайзы Ленч в Талсе была вызвана полиция. Хозяйка квартиры заявила, что ее изнасиловал Рон Уильямсон. Рона арестовали 5 мая, но отпустили под залог в 10 тысяч долларов.

Рон нанял Джона Тэннера, старейшего адвоката по уголовным делам, и признал, что имел интимные отношения с Ленч, но поклялся, что это случилось по обоюдному согласию. Они повстречались в клубе, и она пригласила его к себе домой, где они в конце концов оказались в постели. Тэннер искренне верил своему клиенту, что случается нечасто.

Для друзей Рона мысль о совершенном им изнасиловании казалась смешной — ведь женщины сами вешались ему на шею. Он мог выбрать любую в любом баре, а за юными девственницами в церквях не охотился. Что же касается женщин, с которыми он знакомился в клубах и на дискотеках, то они сами искали приключений.

Хоть обвинение и унижало Рона, он решил вести себя так, словно ничего не произошло: по-прежнему активно посещал вечерами развлекательные заведения и поднимал на смех тех, кто сокрушался, что он попал в беду. У него хороший адвокат. Он не боится суда!

В глубине души, однако, предстоявший процесс его пугал, и к тому были основания. Уже само по себе обвинение в столь серьезном преступлении действовало весьма отрезвляюще, но перспектива предстать перед присяжными, которые могли отправить его в тюрьму на много лет, ужасала чудовищно.

Большинство подробностей дела он от семьи скрыл — до Ады было два часа езды, — но вскоре родные заметили, что он стал еще более подавлен и что настроение меняется у него еще более резко и непредсказуемо.

Поскольку его мир становился все мрачнее, Рон сопротивлялся единственным известным ему способом: еще больше пил, еще дольше гулял по ночам, еще активнее гонялся за женщинами — и все это ради того, чтобы жить красиво и заслониться от тревог. Но алкоголь лишь усугублял депрессию, а может, депрессия требовала все больше алкоголя. Как бы то ни было, он стал еще сильнее подвержен внезапной перемене настроений, еще более подавлен. И еще менее предсказуем.

9 сентября в полицию Талсы поступил звонок с сообщением о еще одном предполагаемом изнасиловании. Восемнадцатилетняя девушка по имени Эйми Делл Фернихоу вернулась домой около четырех часов утра, проведя ночь в клубе. Она была в ссоре со своим молодым человеком, который спал в ее квартире и не открыл ей дверь. Девушка не смогла найти свой ключ, а поскольку хоть где-то на остаток ночи пристроиться было нужно, она пошла в дежурный магазин, находящийся в квартале от ее дома. Там она столкнулась с Роном Уильямсоном, который, как всегда, наслаждался ночной жизнью. Они не были знакомы, но разговорились, потом отправились вместе куда-то за магазин, на заросший травой пустырь и там вступили в интимную связь.

Согласно версии Фернихоу, Рон ударил ее кулаком, сорвал с нее почти всю одежду и изнасиловал.

Согласно версии Рона, Фернихоу страшно злилась на своего дружка за то, что он не пустил ее домой, и поэтому согласилась на быстрый секс в зарослях.

Второй раз за пять месяцев Рон был отпущен под залог и позвонил Джону Тэннеру. С двумя висящими на нем обвинениями в изнасиловании он наконец завязал с ночной жизнью и сделался затворником — жил один и почти ни с кем не разговаривал. Аннет кое-что знала, потому что деньги на залог посылала ему именно она. Брюс Либа не был в курсе того, что происходило.

В феврале 1979 года первым в суде рассматривалось дело по иску Фернихоу. Давая показания, Рон объяснил присяжным, что да, мол, между ними была близость, но по взаимному согласию. Как ни странно, но им обоим пришло в голову сделать это позади круглосуточного магазина в четыре часа утра. Присяжные обсуждали свое решение в течение часа, поверили ему и вынесли вердикт: невиновен.

В мае другой состав присяжных рассматривал дело по его обвинению в изнасиловании Лайзы Ленч. И снова Рон представил жюри свои подробные разъяснения. Он встретил мисс Ленч в ночном клубе, потанцевал с ней, она ему понравилась, и он совершенно очевидно понравился ей, потому что она пригласила его к себе домой, где они опять же по обоюдному согласию имели сношение. Жертва говорила, что не собиралась спать с Роном и пыталась дать ему это понять задолго до того, как он начал, но она боялась Рона Уильямсона и в конце концов сдалась, чтобы он не причинил ей увечья. И снова присяжные поверили Рону и признали его невиновным.

Когда его впервые назвали насильником, он испытал чувство унижения и уже тогда понял, что этот ярлык приклеится к нему надолго. Но мало найдется людей, на которых его навешивали бы дважды за пять месяцев. Как они посмели его, великого Рона Уильямсона, заклеймить как насильника?! Независимо от решения присяжных, люди будут шептаться, сплетничать и тем самым не дадут замять эту историю. На него будут показывать пальцем.

Большую часть из прожитых двадцати шести лет Рон слыл бейсбольной звездой, самоуверенным спортсменом, шагающим прямиком к вершине славы. Потом — не таким многообещающим, но все же надежным игроком с травмированной рукой, которая должна была просто сама собой исцелиться. В Аде и Ашере его еще не забыли. Он молод, талант по-прежнему при нем. Его имя у всех на слуху.

Из-за обвинений в изнасиловании все сразу переменилось. Рон знал, что его забудут как игрока и будут помнить лишь как насильника, представшего перед судом. Теперь он с каждым днем все больше замыкался в своем мрачном и смутном мире. Он начал прогуливать работу, потом вообще ушел из «Топперз». Последовало банкротство, и, потеряв все, Рон упаковал вещи и тихонько улизнул из Талсы. Он стремительно, как горный поток, скатывался в пучину депрессии, пьянства и наркотиков.

Хуанита выжидала, пребывая в глубокой озабоченности. Ей мало что было известно о неприятностях в Талсе, но они с Аннет и без того знали достаточно, чтобы тревожиться. Жизнь Рона была сплошным кошмаром — пьянство, дикие, шокирующие скачки настроения, поведение, становящееся все более странным. Выглядел он к тому же мерзейше — длинные волосы, небритое лицо, грязная одежда. И это тот самый Рон Уильямсон, который так любил стильно и франтовато одеваться, который торговал шикарной одеждой и всегда мог безошибочно сказать, что этот галстук не совсем подходит к данному пиджаку.

Он угнездился на диване в гостиной матери и впал в спячку. Вскоре он уже спал по двадцать часов в сутки, всегда на одном и том же диване. У него была своя спальня, но он отказывался даже входить в нее после наступления темноты. Ему мерещилось там что-то, что его пугало. Он спал глубоко и спокойно, но иногда, просыпаясь, вскакивал, вопя, что весь пол покрыт змеями, а по стенам ползают пауки.

Он начал слышать голоса, но не рассказывал матери, что они ему нашептывают. Потом он стал им отвечать.

Его все утомляло, еда и прием ванны отнимали столько сил, что для их восполнения требовался долгий сон. Он стал апатичным, и поступки его были лишены всякой логики даже в короткие периоды трезвости. Хуанита никогда не терпела алкоголя в своем доме, она вообще ненавидела пьющих и курящих. Своего рода перемирие было достигнуто, когда Рон переехал в тесную комнатку за кухней. Там он мог курить, пить и бренчать на гитаре, не оскорбляя чувств матери. Когда хотел спать, он прибредал обратно в гостиную и обрушивался на диван, когда бодрствовал, оставался в своей каморке.

Время от времени состояние его менялось, к нему возвращалась былая энергия, и он снова окунался в ночную жизнь: алкоголь и наркотики, а также женщины — правда, здесь он стал чуть более осторожен. Он уходил из дома на много дней, жил у друзей и вытягивал деньги из любого знакомого, на какого случалось наткнуться. Потом ветер менял направление, и Рон снова оказывался на диване, абсолютно безразличный к внешнему миру.

Хуанита безумно волновалась за него и с ужасом ждала... Никто у них в роду душевными расстройствами не страдал, и она не знала, как поступают в подобных ситуациях. Она много молилась и, будучи человеком замкнутым, старалась держать проблемы Рона в секрете от Аннет и Рини. Обе дочери были счастливы замужем, и Ронни должен был оставаться ее бременем, а не их.

Иногда Рон заговаривал о том, чтобы найти работу. Ему было стыдно, что он бездельничает и не может сам себя содержать. Какому-то калифорнийскому приятелю его друга нужны были работники, и Рон, к большому облегчению всей семьи, отправился на запад. Через несколько дней он позвонил матери и, рыдая, сообщил, что живет с какими-то сатанистами, которые запугивают его и не отпускают. Хуанита послала ему билет на самолет, и ему удалось сбежать.

В поисках работы он ездил во Флориду, в Нью-Мексико, потом в Техас, но нигде не задерживался долее месяца. Каждая короткая поездка выматывала его, и, возвращаясь, он с еще большим отчаянием падал на диван.

Наконец Хуанита уговорила его проконсультироваться с психиатром, который и поставил диагноз: маниакально-депрессивный психоз. Ему прописали литий, но он принимал его нерегулярно. Работал временно то там, то тут, нанимаясь на несколько часов в день, и никогда не мог удержаться на работе. Единственное, в чем он проявлял способности, была торговля, но в нынешнем своем состоянии он не мог общаться с покупателями и очаровывать их. Он все еще мнил себя профессиональным бейсболистом, близким другом Реджи Джексона, но к тому времени жители Ады уже знали, что это иллюзия.

В конце 1979 года Аннет побывала на приеме у окружного судьи Роналда Джонса в понтотокском суде, объяснила ему состояние своего брата и спросила, может ли штат или судебная система чем-нибудь помочь. Нет, ответил судья Джонс, не может, до тех пор пока Рон не начнет представлять опасность для себя или для окружающих.

В один из своих светлых дней Рон обратился в реабилитационный медицинский центр в Аде с просьбой принять его. Врача-консультанта его состояние обеспокоило, и он отправил его в Оклахома-Сити, к доктору М.Р. Проссеру в больницу Святого Антония, куда Рона и положили 3 декабря 1979 года.

Неприятности начались, когда Рон стал требовать привилегий, которые больница не могла ему предоставить. Он желал, чтобы ему уделяли гораздо больше внимания и времени и обращались с ним так, словно он был их единственным пациентом. Поскольку больница не могла удовлетворить этих притязаний, он демонстративно выписался из нее, но уже через несколько часов вернулся и попросил принять его обратно.

8 января 1980 года доктор Проссер записал: «Больной демонстрирует весьма эксцентричное, порой психопатическое поведение, хотя страдает ли он маниакальным психозом, как диагностировал консультант в Аде, или является шизоидом с социопатическими отклонениями или, наоборот, социопатом с шизофреническими отклонениями, вероятно, никогда установить не удастся... Больному показано длительное лечение, однако он не считает, что нуждается в лечении от шизофрении».

С ранней юности, со времен своей бейсбольной славы, Рон жил в мире грез и так и не сумел смириться с тем фактом, что его спортивная карьера закончилась. Он все еще верил, что «они» — те, кто обладает влиянием в мире бейсбола, — позовут его, вернут в строй и сделают знаменитым. «Это наиболее показательный шизофренический элемент его душевного расстройства, — писал доктор Проссер. — Ему не нужно ничего, кроме того, чтобы вернуться в спорт, причем желательно — в роли звезды».

Рону предложили пройти длительный курс лечения от шизофрении, но он даже слушать не стал. Полное медицинское обследование так и не было завершено, потому что больной проявил абсолютное нежелание сотрудничать. Тем не менее доктор Проссер характеризовал его как «здорового молодого индивида, активного, самостоятельно передвигающегося мужчину... находящегося в лучшей физической кондиции, чем большинство лиц его возраста».

Когда бывал в состоянии, Рон торговал вразнос от фирмы «Роли» в тех же кварталах, которые некогда обслуживал его отец. Но работа была утомительной, комиссионных приносила мало, вести необходимую отчетность у него не хватало терпения, а кроме всего прочего, он был Роном Уильямсоном, великой бейсбольной звездой, и ему не пристало обивать пороги, впаривая покупателям какие-то специи!

Отказавшийся от лечения, не принимающий лекарств и пьющий, Рон стал завсегдатаем всех забегаловок в Аде. Пьяным он становился слезливо-сентиментален, разговаривал громко, хвастался своей бейсбольной карьерой и приставал к женщинам. Многие его боялись, а бармены и вышибалы хорошо знали. Если Рон Уильямсон появлялся в заведении, чтобы выпить, это никем не оставалось не замеченным. Одним из его любимых клубов был «Каретный фонарь», и тамошние вышибалы всегда зорко следили за ним.

Много времени не понадобилось, чтобы известие о двух обвинениях в изнасиловании в Талсе догнало его в Аде. Полиция стала наблюдать, иногда следуя за ним в его кружениях по городу. Однажды вечером, шатаясь по барам, они с Брюсом Либой подъехали к бензоколонке. После того как, заправив машину, они удалились на несколько кварталов, следовавший за ними полицейский остановил их и обвинил в краже бензина. Хотя это было чистой воды «беспокоящее действие», они с трудом избежали ареста.

Аресты, впрочем, вскоре все же начались. В апреле 1980-го, через два года после смерти отца, Рон первый раз попал в тюрьму за вождение в нетрезвом виде.

В ноябре Хуаните удалось уговорить сына полечиться от алкоголизма. По ее наводке Рон отправился в Службу психического здоровья южной Оклахомы и был осмотрен Дьюэном Логом, консультантом-наркологом. Рон спокойно признал свою проблему, сказал, что пьет уже одиннадцать лет и употребляет наркотики минимум семь и что склонность к алкоголизму катастрофически усилилась после того, как его выгнали из команды «Янки». О двух обвинениях в изнасиловании он не упомянул.

Лог направил его в заведение под названием «Бридж-хаус», располагавшееся в Ардморе, Оклахома, в пятидесяти милях от Ады. На следующий день Рон явился в «Бридж-хаус» и согласился пройти рассчитанный на двадцать восемь дней курс лечения от алкоголизма в условиях полной изоляции. Он очень нервничал и все время повторял доктору, что «совершал ужасные поступки». За два первых дня он стал замкнут и спал часами напролет, пропуская еду. Неделю спустя его застали курящим в палате, что являлось грубым нарушением режима, и сообщили, что досрочно выписывают из клиники. Уехал он с Аннет, которая как раз явилась навестить его, но на следующий день вернулся и попросил принять его обратно. Ему велели возвращаться в Аду и снова подавать заявление через две недели. Страшась материнского гнева, он решил не объявляться дома, а слонялся несколько недель, никому не сообщая о своем местопребывании.

25 ноября Дьюэн Лог послал Рону письмо, в котором назначил встречу на 4 декабря. В частности, мистер Лог писал: «Я обеспокоен вашим состоянием и надеюсь увидеть вас».

4 декабря Хуанита сообщила в Службу психического здоровья, что Рон нашел работу и живет в Ардморе. У него там новые друзья, он ходит в церковь, снова принял Христа и больше не нуждается в помощи психиатров.

Дело было закрыто, но вновь открыто через десять дней Дьюэном Логом. Рону требовалось длительное лечение, но он от него отказывался. Не принимал он также и прописанные лекарства, в первую очередь литий, с должной регулярностью. Иногда он честно признавал, что является алкоголиком и наркоманом, иногда твердо отрицал это. Если спрашивали, сколько он выпивает, отвечал: только несколько кружек пива.

Не умея удержаться на работе, он постоянно был на мели. Когда Хуанита отказывалась «одолжить» ему денег, он прочесывал Аду в поисках другого источника. Неудивительно, что круг его друзей стремительно сужался, большинство знакомых его избегали. Несколько раз он ездил в Ашер, где на бейсбольной площадке всегда мог найти Мерла Боуэна. Они болтали, Рон придумывал очередную историю о своем невезении, и его бывший тренер снова раскошеливался на двадцатку. На клятвенные обещания Рона отдать долг Мерл разражался суровой тирадой о необходимости привести наконец свою жизнь в порядок.

Прибежищем для Рона был Брюс Либа, который снова женился и жил теперь тихо и мирно в собственном доме в нескольких милях от города. Раза два в месяц Рон прибредал к нему на порог пьяный и растрепанный и умолял Брюса приютить его, чтобы отоспаться. Брюс всегда принимал приятеля, приводил в чувство, кормил и обычно давал взаймы десятку.

В феврале 1981 года Рона опять арестовали за езду в нетрезвом виде и признали виновным. Проведя несколько дней в тюрьме, он отправился в Чикасу к Рини и ее мужу Гэри. Они нашли его у себя на заднем дворе в воскресенье, вернувшись из церкви. Он объяснил им, что жил в палатке за их дальним забором, и действительно выглядел как человек, ночевавший в палатке. Якобы он едва сбежал от каких-то военных, которые прятали у себя в домах где-то на дороге в Лоутон оружие и взрывчатку, планируя устроить переворот на своей базе. К счастью, сбежал он вовремя и теперь ему надо где-то пожить.

Рини и Гэри позволили Рону занять комнату их сына. Гэри подыскал ему работу на ферме — ворошить сено. Этот «ангажемент» продлился ровно два дня, после чего Рон покинул их, сказав, что нашел софтбольную команду, которая его берет. Фермер позднее позвонил Гэри и Рини и предупредил, чтобы их родственник больше не возвращался и что вообще, с его точки зрения, у того серьезные проблемы с нервной системой.

Интерес Рона к американским президентам неожиданно разгорелся снова, и он днями напролет ни о чем другом не говорил. Он мог не только быстро перечислить их всех в прямой и обратной последовательности, но и знал о них все: даты и места рождения, сроки полномочий, имена их вице-президентов, жен и детей, основные факты деятельности их администраций и тому подобное. Любой разговор в доме Симмонсов теперь неизбежно сосредоточивался на каком-нибудь американском президенте. Пока Рон находился в комнате, ни о чем ином речи быть не могло.

Он был типичной совой: как бы ни старался заснуть ночью, ничего у него не получалось. Плюс к этому он ночами напролет смотрел телевизор, включив звук на полную мощь. С первыми лучами солнца он становился сонным и засыпал. Симмонсы, усталые, с красными глазами, наконец-то получали возможность хоть позавтракать в тишине, прежде чем отправиться на работу.

Рон часто жаловался на головную боль. Однажды ночью Гэри услышал шум и увидел, что Рон роется в домашней аптечке в поисках обезболивающего.

Когда обстановка накалилась до предела и нервы у хозяев начали сдавать, Гэри усадил Рона перед собой, чтобы поговорить серьезно. Он объяснил, что Рон может оставаться у них, но должен считаться с их жизненным распорядком. Тот не проявил ни малейшего понимания, но спокойно собрался и вернулся к матери, где либо пребывал в коматозном состоянии, лежа на диване, либо запирался в своей каморке. В свои двадцать восемь лет он был не в состоянии признать очевидный факт, заключавшийся в том, что ему требуется врачебная помощь.

Аннет и Рини тревожились о брате, но мало что могли сделать. Он был упрям, как всегда, и, казалось, вполне доволен своей кочевой жизнью. Поведение его становилось еще более странным; почти не оставалось сомнений, что он умственно деградирует. Но это было запретной темой; они совершили ошибку, попытавшись ее с ним обсудить. Хуанита могла уговорить его пойти к врачу или начать лечиться от запоев, но он никогда не выдерживал полного курса терапии. После каждого короткого промежутка трезвости наступали недели неведения, где он и чем занимается.

Для развлечения, если оно ему требовалось, он играл на гитаре, обычно сидя на крыльце материнского дома. Он мог там сидеть, бренчать и петь для птиц часами, а когда крыльцо ему надоедало, переносил выступление на дорогу. Зачастую без машины или без денег, чтобы ее заправить, он слонялся по Аде, и его в любой час дня и ночи можно было видеть в самых разных местах с неизменной гитарой.

Рик Карсон, его друг детства, служил в полиции. Дежуря в ночную смену, он нередко видел Рона далеко за полночь шагающим по тротуару или даже между домами, пощипывающим струны и поющим. Рик, бывало, спрашивал, куда он идет. Так, никуда конкретно, отвечал Рон. Рик предлагал подвезти его домой. Иногда Рон соглашался, иногда предпочитал продолжать пешую прогулку.

4 июля 1981 года его арестовали за неподобающее поведение в общественном месте в пьяном виде и признали виновным. Хуанита была в ярости и настояла, чтобы он обратился за помощью. Его положили в Центральную больницу штата в Нормане, где его наблюдал доктор Самбаджон, штатный психиатр. Единственная вразумительная жалоба Рона состояла в том, что он болен и хочет «получить помощь». Его самооценка и физическая активность оказались исключительно низки, он был угнетен мыслями о собственной никчемности, беспомощности и даже о самоубийстве. «Я не приношу ничего хорошего ни себе, ни окружающим, — сказал он. — Я не в состоянии удержаться на работе, и у меня отрицательная социальная установка». Он поведал доктору Самбаджону о том, что первый серьезный приступ депрессии случился у него четыре года назад, когда оборвалась его бейсбольная карьера и почти в то же время распался брак, признался в злоупотреблении алкоголем и наркотиками, но заявил, что это его проблем не усугубляет.

Доктор Самбаджон нашел его «неряшливым, грязным, неопрятным... безразличным к своему внешнему виду». Хотя суждения пациента были не так уж алогичны и он отдавал себе отчет в нынешнем своем состоянии. Доктор поставил диагноз: дисфункция вилочковой железы, хроническая форма легкой депрессии — и рекомендовал медикаментозное лечение, дальнейшие консультации со специалистами, групповую терапию и психологическую поддержку со стороны семьи.

Проведя в больнице три дня, Рон попросился домой и был отпущен. Через неделю он снова оказался в психиатрической клинике в Аде, где его осмотрел Чарлз Эймос, психолог-ассистент. Рон представился ему бывшим профессиональным бейсболистом, впавшим в депрессию после окончания спортивной карьеры. Винил он в своей депрессии и религию. Эймос направил его к доктору Мэри Сноу, единственному дипломированному психиатру в Аде, и она стала наблюдать его еженедельно. Ему был прописан асендин, широко употребляемый антидепрессант, и у Рона наступило небольшое улучшение. Доктор Сноу пыталась убедить своего пациента, что ему необходим более интенсивный курс психотерапии, но через три месяца у Рона иссякло терпение.

30 сентября 1982 года его снова обвинили в управлении транспортным средством в состоянии алкогольного опьянения. Он был арестован, заключен в тюрьму и позднее признан виновным.

ГЛАВА ЧЕТВЕРТАЯ

Через три месяца после убийства Дебби Картер детективы Деннис Смит и Майк Кисуэттер впервые отправились в дом Уильямсонов и допросили Рона. Хуанита присутствовала при разговоре и принимала в нем участие. Когда Рона спросили, где он был 7 декабря вечером, тот ответил, что не помнит, ведь с тех пор прошло три месяца. Да, он часто бывал в «Каретном фонаре», равно как и в других клубах Ады. Хуанита справилась в своем дневнике, сверила дату и сообщила детективам, что ее сын тем вечером с десяти часов находился дома. Она показала им запись от 7 декабря.

Рона спросили, был ли он знаком с Дебби Картер. Он ответил, что не уверен. Имя ему, конечно, знакомо, так как после убийства в городе только и было разговоров что о ней. Смит показал ему фотографию жертвы, Рон внимательно ее рассмотрел. Возможно, он и видел ее прежде, а может, нет. Позднее он попросил показать ему снимок еще раз. Сказал, что лицо девушки ему смутно знакомо. Он энергично отрицал, что ему хоть что-то известно об убийстве, но высказал мнение, что убийца, вероятно, был психопатом, следовавшим за ней от клуба, вломившимся в дом и сразу после совершения убийства исчезнувшим из города.

После приблизительно получасового разговора полицейские спросили Рона, согласен ли он подвергнуться дактилоскопии и сдать образцы волос на анализ. Он согласился и по окончании допроса поехал вместе с ними в участок.

Три дня спустя, 17 марта, детективы пришли снова, с теми же вопросами. Рон опять заявил, что не имеет к убийству никакого отношения и что вечером 7 декабря находился дома.

Полиция допросила также человека по имени Деннис Фриц. Единственным, что связывало его с расследованием дела об убийстве, было его знакомство с Роном Уильямсоном. Согласно составленному ранее полицейскому протоколу, Фриц являлся «подозреваемым или как минимум знакомым подозреваемого в убийстве Дебби Картер».

Деннис вообще редко бывал в «Каретном фонаре», а в течение нескольких месяцев, предшествовавших убийству, и вовсе его не посещал. Никто из свидетелей не видел его там, до марта 1983 года о нем вообще никто из свидетелей не упоминал. Он переехал в город относительно недавно и не был сколько-нибудь широко известен. Фриц никогда не подвозил Рона Уильямсона в «Каретный фонарь», не знал Дебби Картер, не был уверен, что когда-нибудь видел ее, и понятия не имел, где она жила. Но поскольку теперь следователи шли по следу Рона Уильямсона и, очевидно, действовали исходя из казавшейся им наиболее правдоподобной гипотезы, что убийц было двое, им понадобился второй подозреваемый. Фриц стал для них самой подходящей фигурой.

Деннис Фриц вырос неподалеку от Канзас-Сити, там же окончил школу, а диплом биолога получил в Юго-Восточном университете штата Оклахома в 1971 году. В 1973 году его жена Мэри родила их единственного ребенка, дочь Элизабет. Жили они в то время в Дюранте, штат Оклахома. Мэри работала в расположенном неподалеку колледже, а у Денниса была хорошая работа на железной дороге.

В 1975 году на Рождество, когда Деннис по служебным делам находился за городом, Мэри убил семнадцатилетний сосед — выстрелил ей в голову, когда она сидела в кресле-качалке в собственной гостиной.

В течение двух лет после этого Деннис не мог работать. Он был психически травмирован настолько, что оказался вообще не способен заниматься чем бы то ни было, — только об Элизабет заботился. Когда девочка в 1981 году пошла в школу, он сумел все же взять себя в руки и начал преподавать естественные науки в младших классах средней школы городка Конауа. А еще через несколько месяцев они с дочерью перебрались в Аду и сняли дом неподалеку от Уильямсонов и от дома, в котором вскоре поселилась Дебби Картер. Его мать Ванда переехала к ним, чтобы заботиться об Элизабет.

Деннис нашел еще одну работу — начал вести биологию в девятых классах и тренировать баскетбольную команду города Ноубл, что в часе езды от Ады. Школьная администрация разрешила ему жить в кампусе в небольшом трейлере, и с тех пор он челноком сновал туда-обратно, чтобы проводить выходные с Элизабет и матерью. Ночной жизни в Ноубле не было, так что иногда, приехав в Аду и побыв с родными, Деннис позволял себе пойти выпить стаканчик и, может быть, познакомиться с девушкой.

Однажды вечером, в ноябре 1981 года, Деннис оказался в Аде, ему было скучно и захотелось выпить пива, поэтому он поехал в ближайший круглосуточный магазин. Возле магазина в припаркованном стареньком «бьюике» своей матери сидел Рон Уильямсон, перебирая гитарные струны и наблюдая жизнь за окном. Деннис тоже играл на гитаре, и его инструмент как раз лежал в машине на заднем сиденье. Между мужчинами завязался разговор на музыкальные темы. Рон сказал, что живет в нескольких кварталах от магазина, и пригласил Денниса к себе — помузицировать. Оба искали себе друга.

Комната была тесной и грязной — жалкая каморка, подумал Фриц. Рон объяснил, что живет с матерью, которая не терпит табака и алкоголя в доме, сказал, что нигде не работает, а когда Деннис поинтересовался, чем же он целыми днями занимается, ответил, что обычно спит. Он был дружелюбен, живо реагировал смехом на шутку, с ним было легко разговаривать, но Фриц заметил у него отрешенный взгляд. Рон мог долго смотреть в одну точку, а потом перевести взгляд на Денниса, но казалось, что он его не видит. Странный парень, подумал Деннис.

Тем не менее оба получали удовольствие от совместного музицирования и разговоров о музыке. После нескольких встреч

Фриц стал замечать, что Рон слишком много пьет и у него часто меняется настроение. Рон любил пиво с водкой и обычно начинал пить уже в середине дня, как только просыпался и уходил от матери. Пока не начиналось действие алкоголя, он был безразличен и подавлен, потом оживал. Приятели стали завсегдатаями городских баров и салонов.

Однажды Деннис заглянул к Уильямсонам раньше обычного, прежде чем Рон успел выпить. Он поболтал с Хуанитой, обаятельной, явно исстрадавшейся женщиной, немногословной, но, судя по всему, сытой по горло собственным сыном. Когда она ушла, Деннис нашел Рона в его спальне тупо уставившимся в стену. Эта комната нервировала Рона, и он редко туда заходил.

На стенах висели большие цветные фотографии Пэтти, его бывшей жены, и его собственные — в формах разных бейсбольных команд.

— Она красивая, — заметил Фриц, глядя на снимок Пэтти.

— Когда-то все это было моим, — с тоской и горечью ответил Рон. Ему было двадцать восемь лет, но он уже окончательно сдался.

Шатание по барам всегда сулило приключение. Рон никогда ни в один клуб не входил тихо, а войдя, ожидал, что станет центром всеобщего внимания. Одним из его любимых трюков было надеть шикарный костюм и прикинуться богатым адвокатом из Далласа. К 1981 году он провел в судах достаточно времени, чтобы усвоить соответствующие жаргон и манеры, так что с успехом исполнял номер «Шоу Тэннера» в питейных заведениях Нормана и Оклахома-Сити.

Фриц обычно держался позади и наслаждался представлением, не мешая. Однако он начинал уставать от приключений. Вечер, проведенный в обществе Рона, обычно бывал чреват какими-нибудь конфликтами и неожиданными концовками.

Летом 1982 года они возвращались в Аду после вечерних хождений по барам, когда Рон вдруг решил, что желает ехать в Галвестон. Ранее Фриц имел неосторожность рассказать ему о глубоководной рыбалке неподалеку от Галвестона, и Рон заявил, что всегда мечтал о такой рыбалке. Оба были пьяны, и незапланированная восьмичасовая поездка ни одному не показалась такой уж неуместной затеей. Ехали они в пикапе Денниса. Рон, как всегда, не имел ни машины, ни прав, ни денег на бензин.

В школе были каникулы, а в кармане у Фрица имелась кое-какая наличность — так почему бы и не прокатиться? Купив еще пива, они направились на юг.

Где-то в Техасе Деннису потребовалось немного поспать, и Рон сел за руль. Когда Деннис проснулся, на заднем сиденье сидел странный чернокожий мужчина. «Вот, взял автостопщика», — с гордостью сообщил Рон. Незадолго до рассвета, в Хьюстоне, они остановились у круглосуточного придорожного магазина, чтобы купить пива и еды, а когда вышли из него, машины не было, «автостопщик» угнал ее. Рон признался, что забыл вытащить ключ из замка зажигания, а поразмыслив еще, вспомнил, что не просто забыл ключ, но, кажется, и мотор оставил включенным. Они выпили несколько банок пива, размышляя о своем невезении. Фриц настаивал, что нужно позвонить в полицию, Рон в этом не был уверен. Они поспорили, но Деннис все равно позвонил. Услышав их историю, приехавшие копы рассмеялись им в лицо.

Приятели, как выяснилось, находились в очень опасном районе города, но тем не менее разыскали ближайшую пиццерию, съели пиццу, осушили несколько кружек пива и, совершенно растерянные, пустились бродить по городу. В сумерках наткнулись на питейное заведение, где, совершенно очевидно, собирались только черные, но Рон решительно настроился войти и повеселиться. Идея была безумной, однако вскоре Фриц догадался, что внутри, пожалуй, менее опасно, чем снаружи. Потягивая пиво, он молил Бога, чтобы никто не обратил на них внимания. Не тут-то было. Рон в своей обычной манере начал разговаривать громко, как раз намеренно привлекая к себе внимание. На нем был «концертный» костюм, и он изображал далласского крутого адвоката. Пока приятель травил байки про свою личную тесную дружбу с Реджи Джексоном, Деннис сокрушался о своем автомобиле и втайне надеялся, что их хотя бы не прирежут.

Главным в заведении оказался человек по имени Кортес, и они с Роном быстро подружились. Когда Рон поведал ему историю об украденном пикапе, Кортес громко загоготал. После закрытия пивной он повез Рона и Денниса к себе, его квартира находилась неподалеку, но кроватей на всех в ней не нашлось. Двое белых парней спали на полу. Фриц проснулся с головной болью, сердитый из-за пропажи машины и решительно настроенный немедленно возвратиться в Аду. Он выдернул Рона из его комы, и вместе они уговорили Кортеса за небольшую плату довезти их до банка, где Деннис мог бы снять со счета немного денег. Кортес ждал в машине, пока Рон с Деннисом ходили в банк. Деннис уже получил наличные, но когда они выходили, около дюжины налетевших со всех сторон полицейских автомобилей окружили Кортеса. Вооруженные до зубов полицейские вытащили его из его машины и затолкали на заднее сиденье одной из своих.

Рон с Деннисом быстро оценили обстановку, нырнули обратно в банк и поспешно выскочили через черный ход на автомобильную стоянку. Обратный путь домой на автобусе оказался долгим и мучительным. Фриц был сыт Роном по горло и злился за то, что из-за него лишился машины. Он поклялся себе больше не иметь с ним дела, во всяком случае, очень долго.

Спустя месяц Рон позвонил Деннису и снова пригласил его прошвырнуться по барам. Со времени хьюстонского приключения их дружба сильно остыла, но теперь Фриц уже не возражал против того, чтобы выпить несколько кружек пива и потанцевать, правда, держал ситуацию под контролем. Пока они пили и играли на гитарах дома, за Рона можно было не беспокоиться, но стоило тому оказаться в баре, как могло случиться всякое.

Деннис заехал за ним, и они отправились выпить. Фриц предупредил, что вылазка будет недолгой, потому что на более поздний час у него запланировано свидание с некой молодой особой. Он как раз активно старался завести любовную связь. С момента смерти жены прошло семь лет, и он мечтал о постоянных отношениях с женщиной. В отличие от Рона. Тому женщины были нужны только для секса, больше ни для чего.

Однако тем вечером от приятеля было трудно отделаться, и когда Деннис отправился к подруге, Рон увязался за ним. Осознав наконец, что его присутствие нежелательно, и разозлившись, он отстал от них, но удалился не пешком. Рон взял машину Денниса и отправился на ней к Брюсу. Проснувшись на следующее утро и увидев, что его машина исчезла, Деннис позвонил в полицию, оставил заявление об угоне и только потом связался с Брюсом Либой, чтобы узнать, не видел ли он Рона. Брюс согласился привезти того и украденную машину обратно в Аду, но при въезде в город их остановила полиция. Обвинение, правда, было снято, однако Деннис и Рон не разговаривали несколько месяцев.

* * *

Фриц находился дома, в Аде, когда позвонил детектив Деннис Смит. Фрица просили приехать в полицейский участок, чтобы ответить на несколько вопросов.

— Что за вопросы? — поинтересовался Фриц.

— Узнаете, когда приедете, — ответил Смит.

Фриц нехотя отправился в участок. Ему нечего было скрывать, но любая встреча с полицией нервировала. Смит и Гэри Роджерс стали расспрашивать его об отношениях с Роном Уильямсоном, бывшим другом, с которым они не виделись несколько месяцев. Поначалу вопросы были сугубо деловые, но постепенно приобрели обвинительный характер. «Где вы были вечером седьмого декабря?» Деннис не мог ответить с ходу, ему требовалось подумать. «Вы знали Дебби Картер?» Нет. И так далее. Через час Деннис покинул участок, сожалея, что согласился подвергнуться допросу.

Деннис Смит позвонил снова и спросил, готов ли Фриц пройти проверку на детекторе лжи. Имея естественнонаучное образование, Фриц знал, что полагаться на полиграф нельзя, и не желал проходить никаких испытаний. Однако он никогда не был знаком с Дебби Картер и хотел доказать это Смиту и Роджерсу, поэтому нехотя согласился. Испытание должно было состояться в местном отделении ФБР в Оклахома-Сити. По мере приближения назначенной даты Фриц все больше нервничал и, чтобы успокоиться, непосредственно перед испытанием принял валиум.

Проверку проводил агент Оклахомского отделения ФБР Расти Физерстоун в присутствии Денниса Смита и Гэри Роджерса. Когда тесты закончились, все трое склонились над графиком, угрюмо покачивая головами: плохи, мол, ваши дела.

Фрицу сообщили, что он категорически «завалил экзамен». Первой реакцией Фрица было: «Этого не может быть!»

«Вы что-то скрываете», — сказали ему. Фриц признался, что нервничал и потому принял валиум. Это разозлило копов, и они настояли, чтобы он вторично прошел проверку. Фриц чувствовал, что у него нет иного выхода.

Спустя неделю Физерстоун привез свой аппарат в Аду и установил его в цокольном этаже полицейского управления. Фриц нервничал еще больше, чем в прошлый раз, но отвечал на вопросы честно и спокойно.

Он снова «категорически провалил» испытание, только на этот раз дело, по словам Физерстоуна, Смита и Роджерса, обстояло еще хуже. Допрос, последовавший за тестами на полиграфе, начался гневно. Роджерс, изображавший злого полицейского, беспрерывно ругался и угрожал, повторяя снова и снова: «Вы что-то скрываете, Фриц». Смит пытался играть роль истинного друга, но представление оказалось никудышным, к тому же сам трюк был стар как мир.

Стиль поведения Роджерса, одетого по-ковбойски — сапоги и все такое прочее, — состоял в том, чтобы с важным видом ходить по комнате, курить, ругаться, угрожать, напоминать о смертной казни посредством инъекций, а потом внезапно броситься к Фрицу, схватить его за грудки и заявить, что он все равно во всем признается. Процедура была весьма устрашающая, но не слишком эффективная. Фриц только повторял: «Отодвиньте от меня лицо».

В конце концов Роджерс обвинил его в изнасиловании и убийстве. При этом полицейский страшно разозлился, и словарь его сделался еще более оскорбительным, когда он стал описывать, как Фриц и его дружок Уильямсон ворвались в квартиру девушки, изнасиловали ее и убили, и теперь он, Роджерс, требует от него чистосердечного признания.

Полагая, что даже без реальных улик признание обвиняемого могло бы решить дело, полицейские были категорически настроены выжать его из Фрица. Но тот не поддавался. Ему не в чем было признаваться, однако после двух часов изматывающего допроса хотелось кинуть им хоть какую-то кость, чтобы от него отстали. Он поведал им историю о путешествии в Норман, которое они с Роном предприняли прошлым летом, о буйном вечере, проведенном в барах, где они искали девушек. Одна из них сама запрыгнула на заднее сиденье машины Денниса, но устроила истерику, когда он отказался выпустить ее. В конце концов она вырвалась, убежала, позвонила в полицию, и Рон с Деннисом провели ночь в машине на стоянке, прячась от патруля. Никаких обвинений им предъявлено не было.

Эта история, похоже, удовлетворила копов, по крайней мере на несколько минут. Их основной целью, совершенно очевидно, был Уильямсон, и теперь они получили больше доказательств, что Рон и Фриц были друзьями и собутыльниками. Какое это имело отношение к убийству Картер, Фриц не понимал, но, в конце концов, большая часть того, что говорили копы, была лишена всякого смысла. Фриц знал, что невиновен, но если Смит и Роджерс нацелились на него, то истинный убийца может спать спокойно.

После трех часов беспрерывной работы копы наконец закончили допрос. Они были убеждены, что Фриц имел отношение к делу, но одного его признания все же недостаточно. Требовалась четкая профессиональная работа, поэтому они начали следить за Фрицем, следуя за ним по городу и часто останавливая без всякого повода. Часто, просыпаясь по ночам, он видел полицейскую машину, припаркованную возле его дома.

Фриц добровольно сдал образцы волос, слюну и кровь на анализ. Почему бы и нет? Ему нечего бояться. Иногда ему в голову закрадывалась мысль об адвокате, но... «К чему мне адвокат? — возражал он мысленно самому себе. — Я ни в чем не виновен, и копы скоро вынуждены будут это признать».

Детектив Смит покопался в прошлом Фрица и выяснил, что в 1973 году его обвиняли в выращивании марихуаны в городе Дюранте. Вооруженный этой информацией, полицейский позвонил в среднюю школу городка Ноубл, где преподавал Деннис, и поставил ее администрацию в известность, что тот не только находится под следствием по делу об убийстве, но также обвинялся в распространении наркотика, о чем не счел нужным сообщить при поступлении на работу. Фрица немедленно уволили.

17 марта Сьюзан Ленд из лаборатории Оклахомского отделения ФБР получила от Денниса Смита «доподлинные образцы волос с головы и лобка Фрица и Уильямсона».

21 марта Рон пришел в полицейский участок и добровольно подвергся испытанию на полиграфе, проведенному Б. Дж. Джонсом, еще одним экспертом местного отделения ФБР. Джонс заявил, что результат неопределенный. Рон также сдал слюну на анализ. Неделю спустя образец был передан в лабораторию вместе со слюной Денниса Фрица.

28 марта эксперт Джерри Питерс завершил дактилоскопическое исследование и в отчете без всяких оговорок и сомнений написал, что отпечаток ладони на куске штукатурки не принадлежит ни Дебби Картер, ни Деннису Фрицу, ни Рону Уильямсону. Казалось бы, хорошая новость для полиции: найди, кому принадлежит отпечаток, — и убийца у тебя в кармане.

***

Вместо этого полиция спокойно уведомила Картеров, что Рон Уильямсон является главным подозреваемым по делу. Хотя доказательств у них было явно недостаточно, они упорно двигались по всем направлениям и медленно, методично выстраивали дело именно против него. Разумеется, он казался подозрительным: вел себя странно, бодрствовал в неурочные часы, жил с матерью, не работал, был известен своими домогательствами по отношению к женщинам, являлся завсегдатаем пивных и — самое изобличающее — жил рядом с местом преступления. Пройдя задворками, он мог оказаться в квартире Дебби Картер за несколько минут!

Плюс к тому за ним уже числились те два дела в Талсе. Этот человек наверняка насильник, независимо от того, что там решили присяжные.

Вскоре после убийства тетке Дебби Гленне Лукас позвонил не назвавший себя мужчина, который сказал: «Дебби мертва, ты будешь следующей». Гленна в ужасе вспомнила слова, написанные лаком для ногтей: «Джим Смит умрет следующим». Сходство выражений ввергло ее в панику, но вместо того, чтобы уведомить полицию, она позвонила окружному прокурору.

Билл Питерсон, коренастый молодой человек из почтенной семьи, в течение трех лет исполнял обязанности обвинителя. В сферу его ответственности входило три округа — Понтоток, Семинол и Хьюз, а офис располагался в Понтотокском окружном суде. Он знал семью Картеров и, как всякий прокурор из маленького городка, горел желанием найти подозреваемого и раскрыть преступление. Деннис Смит и Гэри Роджерс, согласно процедуре, информировали Питерсона о ходе расследования.

Гленна описала Биллу Питерсону анонимный звонок во всех подробностях, и они пришли к общему мнению, что звонившим, вероятно, был Рон Уильямсон, убийца. Выйдя из своей каморки в переулок позади дома, он мог видеть дом Дебби, а пройдя всего несколько шагов по дорожке, ведущей к дому матери, — дом Гленны. Он жил как раз между ними, этот странный человек, не имевший работы, бодрствовавший в таинственные ночные часы и имевший возможность наблюдать за домами соседей.

Билл Питерсон распорядился поставить телефон Гленны на прослушивание, но больше ей никто не позвонил.

Ее восьмилетняя дочь Кристи прекрасно понимала, какое горе случилось в семье. Гленна не отпускала ее от себя ни на шаг, не оставляла одну, не позволяла пользоваться телефоном и позаботилась о том, чтобы в школе за ней тщательно присматривали.

Соседи шептались об их семье, об Уильямсоне: почему он убил Дебби? Чего ждет полиция?

Сплетни не утихали, страх расползался по окрестностям и дальше — по всему городу. Убийца гулял на свободе, все могли его видеть, все знали его имя. Почему полиция не очистит от него городские улицы?!

Спустя полтора года после незаконченного курса лечения у доктора Сноу Рона действительно нужно было убрать с улицы и поместить в стационар на длительное лечение. В июне 1983-го, опять же по настоянию матери, он проделал пешком уже знакомый путь до психиатрической клиники и попросил о помощи, сказав, что опять страдает депрессиями и не в состоянии нормально функционировать. Его направили в другую клинику, в Кашинг, где его состояние оценил Эл Робертс, консультант-реабилитолог. Робертс определил IQ Рона — 114, «уровень интеллектуальной деятельности на верхней границе нормы», но отметил, что пациент, вероятно, страдает некоторым ухудшением мозговой деятельности из-за злоупотребления алкоголем.

«Этот человек, возможно, действует так, чтобы окружающие заметили, что он нуждается в помощи», — записал мистер Робертс. Рон чувствовал себя беззащитным, был напряжен, подавлен, нервничал и испытывал страхи.

> Это человек, в высшей степени склонный к экстравагантным поступкам и не признающий авторитетов. Его поведение может быть эксцентричным и непредсказуемым. У него реальные проблемы с самоконтролем. Он очень подозрителен и недоверчив к окружающим. Ему явно недостает навыков общения, и он чувствует себя чрезвычайно некомфортно в социальной среде. Данный индивид, безусловно, один из тех, кто слабо отвечает за свое поведение; в ситуации, когда испытывает гнев или враждебность, он скорее всего в целях самозащиты не задумываясь первым нанесет удар, чтобы не пострадать самому. Мир представляется ему полным угроз, опасным местом, и он защищается тем, что либо проявляет враждебность, либо замыкается в себе. Рон Уильямсон является очень незрелой личностью и в определенных ситуациях может вести себя весьма безответственно.

* * *

Рон подал заявление на участие в программе профессионального обучения Восточного центрального университета, отметив, что желает получить степень либо по химии, либо по физической культуре, чтобы иметь возможность работать тренером. Он согласился пройти серию тестов на углубленную оценку его психического состояния. Экспертом был Мелвин Брукинг, ассистент-психолог из Центра восстановления трудоспособности.

Брукинг хорошо, может, слишком хорошо, знал Рона и всю семью Уильямсонов. Свои наблюдения он сопровождал известными ему историями и фактами и называл Рона «Ронни».

Относительно его спортивной карьеры Брукинг написал: «Не знаю, каким учеником был Ронни в школе, но не сомневаюсь, что он был выдающимся спортсменом. Однако ему наверняка мешали эмоциональная неуравновешенность, как на площадке, так и вне ее, а равно и грубое, незрелое поведение в целом и в высшей степени эгоцентричная, высокомерная жизненная установка. Его представление о себе как о звезде, его неспособность ладить с людьми и неуважение к общепринятым правилам и нормам не давали ему возможности влиться в команду, где бы он ни играл».

В отношении семьи он отметил: «Мать Ронни тяжко трудилась всю жизнь. В течение многих лет она была хозяйкой и управляющей салоном красоты в центре города. Как мать, так и отец Ронни всегда были рядом с ним в периоды его многочисленных кризисов; мать, совершенно очевидно, и по сей день поддерживает его, хотя она почти полностью истощена эмоционально, физически и материально».

О неудачном браке: «Он женился на очень красивой девушке, в свое время завоевывавшей титул «Мисс Ада», но она в конце концов не смогла выдержать внезапные перемены настроения Ронни, его неспособность обеспечить семью материально и развелась с ним».

Очевидно, Рон не скрывал, что был алкоголиком и наркоманом, потому что Брукинг записал: «В прошлом у Ронни были серьезные проблемы с алкоголем и наркотиками... Он принимал таблетки в больших количествах. В основном это было попыткой излечить себя от тяжелых депрессий. Он говорит, что больше не пьет и наркотиков не употребляет».

Начал же Брукинг описание диагноза с биполярного расстройства психической деятельности.

> Биполярное расстройство означает, что молодой человек страдает чудовищно резкими сменами настроения: от эйфорических взлетов до депрессий, переходящих в ступор. Я бы назвал его тип расстройства депрессивным, поскольку большую часть времени он пребывает именно в депрессии. Эйфорические подъемы обычно обусловлены приемом наркотиков и являются кратковременными. В течение последних трех или четырех лет Ронни был глубоко подавлен, жил в задней комнате материнского дома, спал большую часть суток, работал очень мало и материально полностью зависел от окружающих. Три или четыре раза он уезжал из дома на довольно далекие расстояния, видимо, желая самостоятельно восстановиться, однако это ни разу не сработало.

Брукинг диагностировал также параноидальное расстройство личности, выражающееся в «извращенной и необоснованной подозрительности и недоверии к людям, сверхчувствительности и определенной аффектации».

И для полноты картины он добавил алкоголизм и наркозависимость. Его прогноз был «осторожным», в заключение он написал: «Этот молодой человек так и не сумел наладить свою жизнь с тех пор, как покинул дом более десяти лет назад. Его жизнь превратилась в череду проблем и разрушительных кризисов. Он продолжает предпринимать попытки твердо встать на ноги, но пока ему это не удалось».

Задачей Брукинга было лишь оценить состояние Рона, а не предлагать лечение. К концу лета 1983 года душевное состояние Рона продолжало ухудшаться, и он не получал требовавшейся ему помощи. Ему был необходим долгосрочный курс терапии в условиях стационара, но семье это было не по карману, штат тоже не мог обеспечить бесплатное лечение, а кроме всего прочего, Рон все равно на него не согласился бы.

Его заявка в Восточный центральный университет предполагала также и просьбу о финансовой помощи. Она была удовлетворена, и его уведомили, что чек ждет его в канцелярии колледжа. Рон пришел за чеком в своем обычном непрезентабельном виде — с длинными волосами и усами — в сопровождении двух сомнительных личностей, которые проявляли явный интерес к перспективе наличия у Рона денег. Чек мог быть обналичен либо Роном, либо официальным представителем учебного заведения, поэтому требовались обе подписи. Рон спешил, но ему велели встать в довольно длинную очередь. Он считал, что деньги принадлежат ему по праву, и не был расположен ждать. Двум его приятелям тоже не терпелось получить наличные, поэтому Рон быстренько подделал подпись представителя учебного заведения.

И ушел, унося в кармане 300 долларов.

Всему этому была свидетельницей Нэнси Карсон, жена Рика Карсона, полицейского, друга детства Рона. Миссис Карсон работала в канцелярии и знала Рона много лет. Она ужаснулась тому, что увидела, и позвонила мужу.

Чиновник колледжа, который знал семью Уильямсонов, отправился прямиком в салон красоты Хуаниты и рассказал ей о совершенном сыном подлоге. Если она возместит колледжу 300 долларов, обвинение в уголовном преступлении Рону предъявлено не будет. Хуанита быстро выписала чек и пошла искать сына.

На следующий день Рона арестовали за получение денег по подложному документу, преступление, предусматривающее максимальное наказание — восемь лет тюремного заключения. Его поместили в окружную понтотокскую тюрьму. На сей раз не только он сам не мог внести залог, но и семья не имела возможности ему помочь.

Расследование убийства продвигалось медленно. Из лаборатории Оклахомского отделения ФБР все еще не поступило результатов исследования волос, слюны и отпечатков пальцев тридцати одного жителя Ады, включая Рона Уильямсона и Денниса Фрица. У Глена Гора образцы еще даже не были взяты.

К сентябрю 1983-го все образцы волос находились в портфеле заказов Мелвина Хетта, эксперта по волосам.

9 ноября Рон, пребывавший в тюрьме, подвергся повторной проверке на детекторе лжи, которую проводил агент ФБР Расти Физерстоун. Их встреча длилась два часа. Прежде чем подключить к полиграфу, Физерстоун задал Рону массу вопросов. Рон упорно и горячо отрицал какое бы то ни было свое касательство к убийству и утверждал, что ему ничего о нем не известно. Результаты тестов опять оказались сомнительными и неопределенными. Предварительную беседу засняли на видеопленку.

Рон приспособился к жизни за решеткой. Он вынужденно перестал пить и принимать «винт» и умудрился сохранить привычку спать по двадцать часов в сутки. Но без лекарств и какой бы то ни было иной терапии продолжал постепенно деградировать умственно.

Тогда же, в ноябре, еще одна заключенная, Вики Мишель Оуэнс Смит, поведала детективу Деннису Смиту странную историю о Роне. Вот как он изложил ее в своем рапорте:

> В три или четыре часа утра в субботу Рон Уильямсон выглянул из-за двери-решетки своей камеры и увидел Вики. Уильямсон закричал, что она — ведьма, что именно она привезла его домой к Дебби Картер, а теперь запустила к нему в камеру дух Дебби, который терзает его, доводя до безумия. Уильямсон также звал мать, умоляя ее простить его.

В декабре, через год после убийства, Глена Гора попросили заехать в полицейский участок, чтобы сделать заявление. Он отрицал свою причастность к убийству Дебби Картер, сказал, что видел ее в «Каретном фонаре» за несколько часов до того, как ее убили, и добавил новую деталь: она попросила его потанцевать с ней, потому что чувствовала себя неуютно в присутствии Рона Уильямсона. То, что никто больше не видел Рона в тот вечер в «Каретном фонаре», было словно бы и не важно.

И все же, как ни горели копы желанием сфабриковать дело против Уильямсона, улик было недостаточно. Ни один отпечаток, найденный в квартире жертвы, не принадлежал ни Рону, ни Деннису Фрицу; эта дыра зияла в гипотезе о том, будто эти двое находились там во время долгих и мучительных истязаний Дебби Картер. Свидетелей не было, никто в ту ночь не слышал ни звука. Анализ волос, в принципе весьма ненадежный, все еще не был проведен, образцы покоились в пробирках в шкафу у Мелвина Хетта.

Все дело против Рона базировалось на двух неубедительных результатах проверки на полиграфе, дурной репутации Рона, том факте, что он жил рядом с жертвой, и предъявленном с опозданием полуапокрифическом «свидетельстве» Глена Гора.

Дело против Денниса Фрица держалось на еще более шатких основаниях. Через год после убийства единственным реальным результатом расследования было увольнение учителя биологии с работы.

* * *

В январе 1984 года Рон признал себя виновным в фальсификации подписи и был приговорен к трем годам заключения. Его перевели в исправительное учреждение неподалеку от Талсы, где его странное поведение вскоре привлекло внимание и тамошнего персонала. Он был помещен во вспомогательный психиатрический блок тюремной больницы для наблюдения. Доктор Роберт Брайоди, который беседовал с ним утром 13 февраля, вскоре после прибытия заключенного, записал: «В целом он подавлен, но, судя по всему, контролирует свои действия». Однако во время повторной беседы с Роном доктор Брайоди словно бы увидел совсем другого человека. У Рона наблюдалась «легкая форма маниакального состояния (гипомания), он был раздражителен, легко возбудим, говорил неестественно громко, его ассоциативное мышление было бессвязным, мышление в целом иррациональным, воображение параноидальным». Требовалось дальнейшее обследование.

Охрана в психиатрическом блоке была не строгой. Рон обнаружил поблизости бейсбольную площадку и по ночам сбегал туда, чтобы побыть в одиночестве. Однажды полицейский нашел его спящим на этой площадке и препроводил обратно в больницу. Его пожурили и заставили написать объяснение. Он написал:

> В ту ночь я был подавлен, мне было нужно время, чтобы все обдумать. На игровой площадке я всегда успокаиваюсь. Я вышел, прошел до южного угла поля и там, как старый шелудивый пес, свернулся калачиком под раскидистым деревом. Через несколько минут полицейский попросил меня пройти обратно в здание больницы. Идя через поле, я на полпути встретил Брентса, и мы вместе вошли через главный вход. Он сказал, что, поскольку я ничего дурного сделать не хотел, он забудет об этом. Как подтверждает это письмо, я получил высокую оценку.

С главным подозреваемым, пребывающим за решеткой, расследование убийства Дебби Картер практически застопорилось. Целыми неделями ничего не происходило. Деннис Фриц, поработав недолго в доме престарелых, поступил на фабрику. Полиция время от времени тревожила его, но в конце концов утратила к нему интерес. Глен Гор все еще находился в городе, но для полицейских тоже особого интереса почему-то не представлял.

В полиции царило разочарование и чувствовалась напряженность, вскоре ей предстояло многократно усилиться вследствие новых драматических событий.

В апреле 1984 года в Аде была убита еще одна молодая женщина, и хотя ее смерть никак не была связана со смертью Дебби Картер, в конце концов именно она оказала огромное влияние на жизни Рона Уильямсона и Денниса Фрица.

Дениз Харауэй была двадцатичетырехлетней студенткой Восточного центрального университета и подрабатывала в свободное время в работавшем допоздна магазине «Макэналли», что на восточной окраине Ады. За восемь месяцев до описываемых событий она вышла замуж за Стива Харауэя, студента того же университета и сына знаменитого в городе дантиста. Молодожены жили в маленькой квартирке, принадлежавшей доктору Харауэю, и усердно учились в колледже.

Субботним вечером 28 апреля, около восьми тридцати, покупатель, направлявшийся в «Макэналли», столкнулся в дверях с привлекательной молодой женщиной, которая выходила из магазина. Ее сопровождал молодой человек, тоже лет двадцати с небольшим. Он обнимал ее за талию, и можно было подумать, что они влюбленная пара. Вместе они дошли до пикапа, женщина первой села на переднее пассажирское сиденье. Потом молодой человек залез на водительское место и хлопнул дверцей, через несколько секунд заработал мотор. Они поехали на восток, в сторону от города. Пикап был старым полугрузовым «шевроле», серым в крапинку.

Войдя в магазин, покупатель никого там не обнаружил. Ящик кассового аппарата был выдвинут и пуст. В пепельнице еще дымилась сигарета. Рядом стояла початая банка пива, а за прилавком лежали коричневая дамская сумочка и открытый учебник. Покупатель попытался найти продавца, но в магазине никого не было. Тогда он решил, что, возможно, здесь имело место ограбление, и позвонил в полицию.

Приехавший офицер обнаружил в коричневой сумочке водительское удостоверение на имя Дениз Харауэй. Покупатель, взглянув на фото, безоговорочно опознал молодую женщину, которая повстречалась ему, когда он входил в магазин менее получаса назад. Да, он не сомневался, что это была Дениз Харауэй, потому что он часто бывал в «Макэналли» и знал ее в лицо.

Детектив Деннис Смит был уже в постели, когда ему позвонили. «Рассматривайте магазин как место преступления», — сказал он и заснул. Его приказ, однако, не был выполнен. Управляющий магазином жил неподалеку и вскоре приехал проверить сейф. Тот вскрыт не был. Под прилавком он нашел 400 долларов наличными, которые еще не успели переложить в сейф, и в глубине ящика кассового аппарата — еще 150 долларов. Пока ждали детектива, управляющий все прибрал: вытряхнул пепельницу, в которой лежал окурок, и выбросил банку из-под пива. Полицейские ему не препятствовали. Если там и были какие-то отпечатки пальцев, их уничтожили.

Стив Харауэй занимался дома, ожидая возвращения жены в начале двенадцатого, после закрытия магазина. Звонок из полиции ошеломил его, вскоре он уже был в магазине и подтвердил, что оставшаяся на стоянке машина, учебник и сумочка принадлежат его жене. По просьбе полицейских он попытался сообразить, во что она была одета, — синие джинсы, теннисные туфли, какая блузка на ней была, он не помнил.

Рано утром в воскресенье все полицейские силы Ады в составе тридцати трех человек были вызваны на дежурство. Из близлежащих округов прибыло подкрепление из резервов штата. Десятки групп местных граждан, в том числе друзья Стива по студенческому землячеству, добровольно вышли помогать в поисках. Агенту Оклахомского отделения ФБР Гэри Роджерсу было поручено возглавить расследование от штата, полицейскими силами Ады снова командовал Деннис Смит. Они поделили округ на секторы и распределили по ним группы поисковиков, чтобы обшарить каждую улицу, каждый участок шоссе, каждую канаву, все дороги, поля, реку.

Продавщица из «Джи-пи», еще одного дежурного магазина, находившегося в полумиле от «Макэналли», приехала, чтобы рассказать полиции о двух странных молодых людях, которые заходили в ее магазин и страшно напугали ее незадолго до того, как исчезла Дениз. Обоим было лет по двадцать с небольшим, у обоих длинные волосы, и оба вели себя очень странно. Прежде чем уехать на своем стареньком пикапе, они сыграли быструю партию в пул.

Покупатель из «Макэналли» видел только одного мужчину, выходившего вместе с Дениз, и ему вовсе не показалось, что та была запугана. В общих чертах описание его внешности совпадало с описанием внешности двух молодых людей из «Джи-пи», так что полиция получила кое-какой след. Она искала двух белых мужчин двадцати двух — двадцати четырех лет, одного ростом пять футов восемь — десять дюймов, со светлыми волосами, спускавшимися ниже ушей, и светлой кожей; другого — со светло-каштановыми волосами до плеч, худощавого.

Напряженная воскресная охота на людей не дала никаких результатов и не подбросила ни одного ключика к разгадке. После наступления темноты Деннис Смит и Гэри Роджерс скомандовали отбой и запланировали новый тур на следующее утро.

В понедельник они получили студенческую фотографию Дениз, напечатали плакаты с ее милым лицом и сопроводили их подробным описанием ее внешности: рост пять футов пять дюймов, вес сто десять фунтов, карие глаза, темно-русые волосы, светлая кожа. На плакатах имелось также описание внешности двух молодых людей, замеченных в «Джи-пи», и их старенького полугрузового пикапа. Плакаты были развешаны полицейскими и их добровольными помощниками в витринах всех магазинов города и окрестностей.

Полицейский художник поработал с продавщицей из «Джи-пи» и составил фотороботы молодых людей. Когда их показали покупателю из «Макэналли», тот сказал, что один из портретов был «приблизительно похож». Обе композиции передали на местное телевидение, и стоило портретам предполагаемых подозреваемых появиться на экране в первый раз, как в полицейский участок посыпались звонки.

В тот момент в Аде работали четыре детектива — Деннис Смит, Майк Баскин, Д.В. Баррет, Джеймс Фокс, — и скоро они даже все вместе не справлялись с потоком звонков, количество которых перевалило за сотню. Было названо двадцать пять имен потенциальных подозреваемых.

Два имени обращали на себя особое внимание и стояли особняком. Билли Чарли назвали около тридцати человек, поэтому его вызвали на допрос. Он приехал в участок вместе с родителями, которые подтвердили, что он провел дома, с ними, весь субботний вечер.

Другим человеком, названным тоже почти тридцатью бдительными гражданами, был Томми Уорд, местный парень, хорошо известный полиции. Томми несколько раз арестовывали за незначительные правонарушения — пьянство в публичном месте, мелкие кражи, — но насильственных преступлений за ним не числилось. У него была масса родственников по всему городу, причем Уордов знали как добропорядочных людей, которые усердно трудились и занимались своим делом. Двадцатичетырехлетний Томми был предпоследним из восьмерых детей, в свое время его исключили из школы.

Он добровольно явился на допрос. Детективы Смит и Баскин спросили его, где он был в субботу вечером. Он рыбачил с другом, Карлом Фонтено, потом они отправились на вечеринку, где пробыли до четырех часов утра, после чего разошлись по домам. Машины Томми не имел. Детективы отметили, что белокурые волосы Томми были острижены коротко и неумело, неровно. Они сфотографировали «Полароидом» его затылок и проставили дату — 1 мая.

У обоих подозреваемых на фотороботах были длинные светлые волосы.

Детектив Баскин разыскал Карла Фонтено, которого прежде не знал, и попросил его приехать в участок, чтобы ответить на несколько вопросов. Фонтено согласился, но так и не приехал. Баскин больше уговаривать его не стал. У Фонтено были длинные темные волосы.

Пока поиски Дениз Харауэй энергично продолжались в округе Понтоток и прилегающих к нему районах, описание ее внешности было передано по радиосвязи правоохранительным органам всей страны. Звонки поступали отовсюду, но ни один из них не дал результата. Дениз просто исчезла, не оставив по себе ни единого следа.

Если Стив Харауэй не раздавал плакаты с фотографией жены и не объезжал самые заброшенные дороги, он сидел взаперти дома с несколькими друзьями. Телефон звонил беспрерывно, и каждый звонок приносил мгновение надежды.

У Дениз не было никаких причин для побега. Они были женаты меньше года и все еще страстно влюблены друг в друга. Оба учились на старших курсах университета, готовились к выпуску, собирались уехать из Ады, чтобы начать новую жизнь в каком-нибудь другом месте. Ее увезли против воли, в этом Стив не сомневался.

С каждым днем вероятность того, что Дениз удастся найти живой, становилась все более призрачной. Если бы ее увез насильник, то он, сделав свое черное дело, уже бы ее отпустил. Если бы ее похитили, то кто-нибудь уже потребовал бы выкуп. Ходили слухи о ее бывшем любовнике из Техаса, но они вскоре прекратились. Поговаривали и о наркоторговцах, впрочем, эти бывают замешаны в большинстве самых причудливых преступлений.

Ада снова была шокирована преступлением. Дебби Картер убили за год и пять месяцев до того, и город только-только начинал приходить в себя после кошмара. Теперь двери снова запирали на несколько замков, «комендантский час» для подростков еще больше ужесточили, и было зафиксировано оживление торговли оружием в местных закладных магазинах. Что же случилось с милым маленьким студенческим городком, где на каждом углу — по две церкви?

Шли недели, для большинства жителей Ады жизнь мало-помалу возвращалась в привычное русло. Наступил летний сезон, школьников распустили на каникулы. Слухи постепенно стихали, но не замирали совсем. Некий подозреваемый в Техасе похвастался, будто убил десять женщин, — полицейские из Ады ринулись туда, чтобы поговорить с ним. В Миссури нашли неопознанный труп женщины с татуировкой на ногах. У Дениз никаких татуировок не было.

Так продолжалось все лето и начало осени. Ни малейшего просвета, ни единой улики, которая могла бы навести полицию на труп Дениз Харауэй.

И никакого прогресса в расследовании убийства Картер. Атмосфера вокруг местной полиции, имеющей на счету два громких нераскрытых убийства, оставалась тяжелой и наэлектризованной. Хотя полицейские трудились, не жалея времени, предъявить им пока было нечего. Старые версии были многажды проверены и перепроверены — с тем же результатом. Эти два убийства полностью поглотили жизни Денниса Смита и Гэри Роджерса.

Положение Роджерса было даже более тяжелым, чем у Смита. За год до исчезновения Дениз Харауэй похожее преступление было совершено в округе Семинол, в тридцати милях от Ады. Восемнадцатилетняя девушка по имени Пэтти Хамилтон в момент своего исчезновения работала в круглосуточном магазине. Некий покупатель, войдя в магазин, нашел его пустым, деньги из кассового аппарата исчезли, на прилавке стояли две банки из-под безалкогольных напитков — никаких следов борьбы. Запертую машину Пэтти Хамилтон обнаружили перед входом. Девушка исчезла без следа, и в течение года полиция считала, что ее похитили и убили.

Агентом Оклахомского отделения ФБР, отвечающим за дело Пэтти Хамилтон, был Гэри Роджерс. Дебби Картер, Дениз Хараузй, Пэтти Хамилтон — на рабочем столе агента Роджерса теперь скопились дела о нераскрытых убийствах уже трех женщин.

Когда Оклахома была еще территорией*, Ада имела громкую и абсолютно заслуженную славу убежища, всегда открытого для вооруженных бандитов и лиц, объявленных вне закона. Споры решались здесь с помощью шестизарядных револьверов, и тот, кто выхватывал револьвер первым, не боялся наказания со стороны гражданских властей. Грабители банков и угонщики скота стекались в Аду, потому что это все еще была индейская территория, а не часть Соединенных Штатов. Шерифы, если их удавалось сыскать, ничего не могли поделать с профессиональными преступниками, обосновавшимися в Аде и вокруг нее.

Репутация города как беззаконного места решительно изменилась в 1909 году, когда местным жителям до смерти надоело жить в страхе. Уважаемый фермер по имени Гас Боббитт был убит профессиональным киллером, нанятым конкурирующим землевладельцем. Убийцу и трех заговорщиков арестовали, и по городу покатилась эпидемия «висельной лихорадки». Под предводительством масонов ранним утром 19 апреля 1909 года честные граждане города Ада собрались в толпу линчевателей. Сорок человек торжественно вышли из Дома масонов, что располагался в центре города, на пересечении Двенадцатой улицы и Бродвея, и через несколько минут прибыли в тюрьму. Они вынудили шерифа к повиновению, выволокли из камер четырех бандитов и, скрутив им руки и ноги проволокой, перетащили на другую сторону улицы, на извозчичий двор, выбранный местом экзекуции. Там всех четверых церемониально повесили.

На следующий день рано утром фотограф установил в конюшне камеру и сделал несколько снимков. Один из них сохранился — выцветшая черно-белая фотография, на которой изображены все четверо, висящие на веревочных петлях, неподвижные, почти уми-

---

* Имеется в виду административная единица в США, Канаде и Австралии, не имеющая прав штата или провинции.

ротворенные и безоговорочно мертвые. Спустя годы этот снимок был воспроизведен на открытках, которые раздавали в здании Торговой палаты.

Десятилетиями тот суд Линча оставался самым славным эпизодом истории Ады.

ГЛАВА ПЯТАЯ

Что касается дела Картер, Деннис Смит и Гэри Роджерс имели результаты не только вскрытия, но и обследования «подозреваемых» на детекторе лжи и образцы волос, и были к тому же абсолютно уверены, что знают убийц. Рон Уильямсон в настоящее время отбывал тюремный срок, но когда-нибудь должен был вернуться, так что рано или поздно они его прищучат.

А вот по делу Харауэй у них ничего не было — ни тела, ни свидетелей, ни одного реального ключика. Портреты, составленные полицейским художником, по правде говоря, соответствовали внешности доброй половины молодых людей Ады. Копам был необходим прорыв.

Он случился совершенно неожиданно в начале октября 1984 года, когда молодой человек по имени Джефф Миллер вошел в Полицейское управление Ады и сказал, что хочет поговорить с детективом Деннисом Смитом. Он заявил, что располагает информацией по делу Харауэй.

Миллер был местным жителем и не имел криминального прошлого, но полиции он был известен как один из множества городских бездельников, которые шатались по вечерам и постоянно скакали с одной работы на другую — главным образом на местных фабриках. Миллер подвинул стул, уселся на него и начал рассказывать свою историю.

В тот вечер, когда пропала Дениз Харауэй, на берегу Голубой реки, милях в двадцати пяти к югу от Ады, собралась компания. Сам Миллер там не был, но знает двух девушек, которые были. Эти две девушки — Миллер сообщил Смиту их имена — позднее рассказали ему, что с ними был Томми Уорд и что где-то в самом начале веселья компании не хватило выпивки. Уорд, не имевший машины, вызвался съездить за пивом и одолжил грузовой пикап у

Джанет Робертс. Уорд уехал один, отсутствовал несколько часов, а когда вернулся — без пива, — был расстроен и плакал. Его спросили, почему он плачет, и он ответил, что совершил нечто ужасное. Все, конечно, захотели узнать, что именно. Уорд рассказал, что почему-то, минуя на пути множество пивных магазинов, поехал в Аду и остановился на ее восточной окраине возле магазина «Макэналли», где набросился на молодую продавщицу, изнасиловал ее, убил, избавился от тела и теперь пребывает в ужасе.

То, что Уорд признался во всем этом случайной компании алкоголиков и наркоманов, видимо, казалось Миллеру вполне логичным.

Ответить на вопрос, почему эти две женщины рассказали обо всем ему, а не полиции, и почему ждали пять месяцев, он не смог.

Какой бы абсурдной ни была эта история, Деннис Смит не оставил ее без внимания. Он попытался разыскать тех двух женщин, но они к тому времени уже уехали из Ады. (Когда ему спустя месяц все же удалось напасть на их след, они горячо отрицали, что когда-либо слышали историю о похищении и убийстве продавщицы или какой бы то ни было другой девушки, и решительно открестились от всего, что наплел Джефф Миллер.)

Деннис Смит установил местонахождение Джанет Робертс. Она жила в Нормане, в семи милях от Ады, с мужем Майком Робертсом. 12 октября Смит и детектив Майк Баскин поехали в Норман и без предупреждения явились к Джанет. Они попросили ее проследовать с ними в полицейский участок, чтобы ответить на несколько вопросов, что она нехотя и сделала.

Во время беседы Джанет подтвердила, что она, Майк, Томми Уорд и Карл Фонтено вместе со многими другими часто устраивали пикники на берегу Голубой реки, но категорически утверждала, что в тот вечер, когда исчезла эта Харауэй, их там не было. Она часто одалживала Томми Уорду свой пикап, но он никогда не уезжал на нем с пикника на берегу реки (или в каком-либо ином месте), и никогда она не видела его плачущим и расстроенным, а также не слышала, чтобы он болтал о каком-то изнасиловании и убийстве молодой женщины. Нет, сэр, такого никогда не было. Она совершенно в этом уверена.

Для детективов стало приятной неожиданностью, что Томми Уорд жил у Робертсов и работал вместе с Майком. Обоих нанял какой-то строительный подрядчик, и они проводили на работе все время, обычно с рассвета до заката. Смит и Баскин решили дождаться в Нормане, пока Уорд вернется с работы, и задать ему свои вопросы.

По дороге домой Томми и Майк остановились, чтобы купить упаковку пива, и необходимость немедленно выпить его была одной из причин, по которой Томми не желал разговаривать с копами. Другой, более важной причиной явилось то, что они ему просто не нравились. Он отказывался ехать в полицейский участок Нормана. За несколько месяцев до того легавые из Ады уже пытали его по поводу этого убийства, и он считал, что вопрос закрыт. А одной из причин, почему он уехал из Ады, явилось то, что там слишком много народу судачило о том, как он похож на одного из подозреваемых на полицейских рисунках, — ему это надоело. Он много раз видел эти рисунки и не находит никакого сходства с собой. В конце концов, это всего лишь рисунок, сделанный полицейским художником, который никогда в глаза не видел и не увидит подозреваемого, и распространенный среди горожан, жаждущих связать это лицо хоть с кем-нибудь живущим в Аде. Все горели желанием помочь полиции раскрыть преступление. Это же маленький город, исчезновение человека в нем — сенсация. Время от времени все знакомые Томми выдвигали предположения относительно того, кто мог быть этим подозреваемым.

В последние годы у Томми было несколько столкновений с полицией Ады — ничего серьезного, никакого насилия, но они знали его и он знал их, поэтому-то и предпочитал всеми правдами и неправдами избежать разговора с Деннисом Смитом и Майком Баскином. Томми не имел никакого отношения к делу Харауэй, но не доверял полицейским. Однако, промучившись около часа, он все же попросил Майка отвезти его в Полицейское управление Нормана.

Смит и Баскин отвели его вниз, в комнату, оборудованную для видеозаписи, и объяснили, что хотят снять беседу с ним на пленку. Томми нервничал, но согласился. Включили камеру, ему зачитали его права, и он подписал отказ от претензий.

Детективы начали весьма вежливо: это всего лишь рутинный опрос свидетеля, ничего более. Они спросили Томми, помнит ли он их предыдущую беседу, состоявшуюся пятью месяцами ранее.

Разумеется, он помнил. Сказал ли он им тогда правду? Да. Говорит ли он правду сейчас? Да.

Буквально за несколько минут Смит и Баскин, гоняя свои вопросы туда-сюда, запутали Томми относительно дней и недель того апреля. В день, когда исчезла Дениз Харауэй, Томми чинил водопровод в доме матери, потом принял душ и пошел на вечеринку к Робертсам, тогда жившим в Аде. Ушел он оттуда в четыре часа утра и направился домой. Пять месяцев назад он сказал копам, что это было накануне исчезновения. «Я просто спутал дни», — попытался объяснить Томми, но полицейских это не убедило, они забросали его вопросами: «Когда вы осознали, что сказали нам неправду? Сейчас вы говорите правду? Понимаете ли вы, что навлекаете на себя более серьезные неприятности?»

Их тон становился резким и обвиняющим. Смит и Баскин солгали, сообщив ему, что имеют свидетелей, готовых подтвердить, что Томми был на берегу Голубой реки в ту субботу, что он одолжил пикап и надолго уезжал куда-то.

«Вы путаете дни», — настаивал на своей версии Томми. Он ездил на рыбалку в пятницу, был на вечеринке у Робертсов в субботу, а на пикнике у реки — в воскресенье.

«Почему полицейские лгут?» — спрашивал он себя. Ответ был известен.

Ложь продолжалась. «Правда ли, что вы собирались ограбить магазин «Макэналли»? У нас есть люди, которые могут это подтвердить».

Томми тряс головой и оставался тверд, но глубоко встревожен. Если полицейские способны так легко врать, то чего еще можно от них ожидать?

Потом Деннис Смит достал большую фотографию Дениз Харауэй и поднес ее к глазам Томми.

— Вы знаете эту девушку?

— Я ее не знаю. Я ее видел.

— Вы убили эту девушку?

— Нет, я ее не убивал. Я вообще никого никогда не убивал.

— Кто ее убил?

— Я не знаю.

Спрашивая, красивой ли кажется ему девушка, Смит продолжал держать фотографию перед глазами Томми.

— Родные хотели бы похоронить ее по-человечески. Им нужно знать, где тело, чтобы захоронить его.

— Я не знаю, где она, — твердил Томми, глядя на фотографию и удивляясь, почему обвиняют именно его.

— Пожалуйста, скажите, где она, чтобы семья могла ее похоронить, — бесконечно повторял Смит.

— Я не знаю.

— Включите воображение, — советовал Смит. — Двое парней схватили ее, затолкали в пикап и увезли. Как вы думаете, что они сделали с телом?

— Кто знает...

— Постарайтесь догадаться. Что вы думаете?

— Насколько известно мне и вам тоже, да и всем, она вообще может быть жива.

Смит ни на секунду не убирал снимок от лица Томми. Все ответы Томми игнорировались, словно они были априори ложными или детективы их не слышали. Они все время спрашивали, красива ли девушка, по его мнению, как он думает, кричала ли она, когда на нее напали, верит ли он, что родные получат возможность ее похоронить.

— Томми, вы молитесь об этом? — даже спросил Смит.

Наконец он отложил фотографию и стал задавать Томми вопросы о его душевном здоровье, о составленных портретах подозреваемых, о его образовании. Потом снова взял фотографию, поднес ее к лицу Томми и опять начал мучить его вопросами об убийстве девушки, ее похоронах и о том, была ли она хороша собой.

Майк Баскин попытался бить на жалость, рассказывая о горе родных Дениз.

— И единственное, что нужно, чтобы положить конец страданиям этих людей, — это сказать, где искать ее тело, — взывал он.

Томми согласился с этим, но повторил, что понятия не имеет, где девушка.

Камеру в конце концов выключили. Беседа продолжалась час сорок пять минут, но Томми Уорд ни разу не отступил от своего первоначального заявления: он ничего не знает об исчезновении Дениз Харауэй. Допрос его совершенно вымотал и выбил из колеи, но он согласился через несколько дней пройти проверку на детекторе лжи.

Робертсы жили всего в нескольких кварталах от полицейского участка, и Томми решил идти домой пешком. Дуновение свежего ветра было приятным, но он страшно сердился на копов за то, как они с ним обращались. Обвиняли его в убийстве девушки и постоянно лгали, чтобы обманом выудить у него признание.

Смит и Баскин же, возвращаясь в Аду, были уверены, что преступник у них в руках. Томми Уорд был похож на одного из странных парней, которые заезжали в «Джи-пи» тем субботним вечером. Он путался в показаниях о том, где был в ночь исчезновения Дениз, и нервничал во время беседы, которую они только что закончили.

Поначалу Томми почувствовал облегчение: его проверят на полиграфе, он скажет правду, тесты это подтвердят, и копы наконец перестанут его изводить. Потом он начал видеть кошмарные сны об убийстве, об обвинениях, предъявляемых ему полицией, о собственной схожести с одним из мужчин на портрете, ему снились милое лицо Дениз Хараузй и ее убитая горем семья. Почему обвиняют именно его?

Полицейские верили, что он виновен? Нет, они хотели, чтобы он оказался виновным! Так почему он должен верить, что они не сфальсифицируют результаты испытания на детекторе лжи? Может, поговорить с адвокатом?

Он позвонил матери и сказал, что страшится полиции и полиграфа.

— Я боюсь, что они заставят меня сказать что-нибудь, чего мне говорить не следует, — признался он ей.

— Говори правду, — посоветовала мать, — и все будет хорошо.

Утром в четверг, 18 октября, Майк Робертс привез Томми в Оклахома-Сити, в здание местного отделения ФБР, дорога заняла всего двадцать минут. Испытание должно было продолжаться около часа. Майк собирался подождать в машине на стоянке, после чего они вдвоем намеревались отправиться на работу. Начальник отпустил их на два часа.

Наблюдая, как Томми входит в здание, Майк Робертс и представить себе не мог, что тот делает свои последние шаги на воле и остаток жизни проведет за решеткой.

Деннис Смит встретил Томми с широкой улыбкой и крепко пожал ему руку, потом отвел в кабинет и оставил одного. Ожидание длилось полчаса — любимый полицейский трюк, чтобы заставить подозреваемого нервничать еще больше. В 10.30 Томми проводили в другую комнату, где его поджидал агент Расти Физерстоун со своим надежным полиграфом.

Смит исчез. Физерстоун, оплетая Томми электродами, объяснял, как действует аппарат, вернее, как он должен действовать. К тому времени, когда ему начали задавать вопросы, Томми весь покрылся испариной. Первые вопросы были легкими: о семье, образовании, работе; ответы на них были известны, и машина подтвердила их правдивость. Томми даже начал думать, что это испытание — пара пустяков.

В 11.05 Физерстоун зачитал Томми его права и начал внедряться в дело Харауэй. После двух с половиной часов мучительного допроса Томми храбро держался правды: ему ничего не известно о деле Дениз Харауэй.

Без единого перерыва экзамен длился до 13.30, когда Физерстоун, отключив все электроды, вышел из кабинета. Томми испытал облегчение и даже гордость: его мучения наконец закончились, и он выдержал испытание! Наконец-то копы оставят его в покое.

Физерстоун вернулся через пять минут, развернул диаграммы и начал их изучать. Он спросил Томми, что тот сам думает. Томми сказал, что, безусловно, выдержал экзамен, все кончено и ему давно пора на работу.

— Не спешите, — возразил Физерстоун. — Вы провалили экзамен.

Томми не поверил своим ушам, но Физерстоун сказал:

— Совершенно очевидно, что вы лгали, и, следовательно, ясно, что вы замешаны в похищении Харауэй. Желаете ли что-нибудь сказать по этому поводу?

— Сказать? Что?!

Полиграф не лжет, заявил Физерстоун, тыча пальцем в какие-то ломаные линии на бумаге. «Вам что-то известно об убийстве», — бесконечно повторял он. Будет гораздо лучше для самого Томми, если он начистоту расскажет, что случилось, — только правду. Физерстоун — «добрый полицейский» — желал помочь Томми, но если Томми не убедит его доброта, то придется передать его в руки Смита и Роджерса, «злых полицейских», которые только и ждут, чтобы наброситься на него.

— Давайте лучше мы с вами сами все обсудим, — убеждал его Физерстоун.

— Но мне нечего обсуждать, — не сдавался Томми, он снова и снова говорил, что полиграф, должно быть, ошибся или произошло что-то еще, потому что он, Томми, говорил правду, но Физерстоун ему не верил.

Томми признал, что волновался перед испытанием и нервничал во время процедуры, потому что опаздывал на работу. Он признал также, что состоявшаяся за шесть дней до того беседа со Смитом и Роджерсом сильно расстроила его — ему даже начали сниться кошмары.

— Какого рода кошмары? — пожелал узнать Физерстоун.

Томми описал свои сны: он на каком-то пикнике, потом он же сидит в пикапе с двумя другими мужчинами и девушкой где-то возле старой трансформаторной станции в пригороде Ады, где он вырос. Один из мужчин пытается поцеловать девушку, та отказывается, и Томми говорит мужчине, чтобы он оставил ее в покое. Потом говорит, что хочет домой. «Ты уже дома», — отвечает один из мужчин. Томми смотрит в окно — и вдруг действительно оказывается дома. А перед тем как проснуться, он видит себя склонившимся над умывальником и тщетно пытающимся смыть с рук какую-то черную жидкость. Ни девушка, ни мужчины ему не знакомы.

— Какой-то бессмысленный сон, — сказал Физерстоун.

— Таково большинство снов, — парировал Томми.

Физерстоун не терял самообладания, но настойчиво склонял Томми очистить свою совесть, рассказать все о преступлении и — особенно — сказать, где находится тело. И снова угрожал отдать Томми в руки «тех двух полицейских», которые ждут не дождутся в соседней комнате, как если бы длительная мука общения с ними еще не закончилась.

Томми был ошарашен, смущен и очень напуган. Поскольку он отказался сделать признание «доброму полицейскому», Физерстоун передал его Смиту и Роджерсу, которые явились уже злыми и, похоже, сдерживаться не собирались. Физерстоун тоже остался в комнате. Как только закрылась дверь, Смит устремился к Томми, вопя:

— Вы, Карл Фонтено и Оделл Титсуорт напали на эту девушку, увезли ее на трансформаторную станцию, изнасиловали и убили, разве не так?

— Нет, — отвечал Томми, стараясь мыслить четко и не впадать в панику.

— Расскажи нам все, ты, лживый сукин сын! — орал Смит. — Полиграф тебя разоблачил, мы знаем, что ты лжешь, и мы знаем, что это ты убил девушку!

Томми старался понять, при чем тут Оделл Титсуорт. Имя это он слышал, но человека никогда не видел. Оделл жил где-то в пригороде, вспомнил он, и имел дурную репутацию, но Томми не припоминал, чтобы когда-либо встречался с ним. Может, и видел раз-другой, но в тот момент не мог ничего вспомнить, потому что Смит орал, тыкал в него пальцем и, казалось, готов был ударить.

Смит повторил свою гипотезу о троих мужчинах, умыкнувших девушку, Томми твердо ответил:

— Нет. Нет, я не имею к этому никакого отношения. Я даже не знаком с Оделлом Титсуортом.

— Нет, ты знаком с ним, — возразил Смит, — прекрати лгать!

Присутствие в их гипотезе Карла Фонтено было легче понять, потому что в течение нескольких последних лет они с Томми приятельствовали и время от времени ходили куда-нибудь вместе. Но Томми был ошеломлен напористостью и напуган бесцеремонной уверенностью Смита и Роджерса. Они на все лады повторяли свои обвинения и оскорбления. Их речь становилась все грубее и вскоре включала уже все известные нецензурные выражения.

Томми потел, у него кружилась голова, но он изо всех сил пытался мыслить трезво и отвечать коротко: «Нет, я этого не делал. Нет, я не имею к этому отношения». Несколько раз ему хотелось вставить саркастическое замечание, но он побоялся. Смит и Роджерс были разъярены, вооружены, а Томми — заперт с ними и Физерстоуном в комнате, и конца допросу не видно.

После того как он три часа потел с Физерстоуном и в течение часа терпел издевательства со стороны Смита и Роджерса, Томми требовался перерыв. Ему хотелось найти тихую комнату, выкурить сигарету и прочистить мозги. Ему была необходима помощь, нужно было поговорить с кем-нибудь, кто объяснил бы, что происходит.

— Можно сделать перерыв? — спросил он.

— Через несколько минут, — ответили ему.

Томми заметил видеокамеру на ближайшем столе, но она была отключена и не фиксировала словесную битву, которая здесь происходила. Конечно, это не может быть обычной полицейской процедурой, подумал он.

Смит и Роджерс неустанно напоминали ему, что в Оклахоме смертная казнь не запрещена и здесь используют инъекции яда, чтобы уничтожать убийц. Значит, он — перед лицом смерти, верной смерти, но должен быть способ избежать ее. «Облегчи свою совесть, — советовали ему, расскажи, что произошло, покажи, где труп, — и мы используем все свое влияние, чтобы заключить сделку с судом».

— Но я этого не делал, — не поддаваясь, твердил Томми.

— Он видел сон, — сообщил коллегам Физерстоун.

Томми снова пересказал свой сон, и ему снова не поверили. Все трое полицейских согласно решили, что сон бессмыслен, на что Томми опять сказал:

— Большинство снов таковы.

Однако сон дал полицейским пищу для размышлений, и они принялись добавлять к нему детали. Двое других мужчин в машине были Оделл Титсуорт и Карл Фонтено, правильно?

— Нет, — возражал Томми. Мужчины в его сне были неизвестными. У них нет имен.

— Чушь! А девушкой была Дениз Харауэй, так?

— Нет, девушка тоже была незнакомой.

— Чушь!

Еще час копы добавляли необходимые подробности и уточнения в сон Томми, но он все их отрицал. Это был всего лишь сон, повторял он снова, снова и снова.

Только сон.

— Чушь! — твердили в ответ копы.

После двух часов беспрерывной атаки Томми в конце концов дрогнул. Все это время он испытывал гнетущий страх — Смит и Роджерс были озлоблены и, казалось, вполне могли — и были готовы — избить его, если не застрелить на месте; но более всего он боялся того, что медленно приближается к камере смертника, за которой — только казнь.

Томми стало очевидно, что его не выпустят отсюда, пока он не даст копам хоть какую-нибудь зацепку. Проведя в страшной комнате пять часов кряду, он был вконец измотан, сбит с толку и почти парализован страхом.

И он совершил ошибку, из-за которой в конце концов навсегда лишился свободы, а мог лишиться и жизни.

Томми решил подыграть им. Поскольку он совершенно невиновен и подозревает, что так же невиновны Карл Фонтено и Оделл Титсуорт, почему бы не дать копам то, чего они хотят? Не поиграть с их выдумкой? Правда все равно скоро вскроется. Завтра или послезавтра копы поймут, что придуманная ими история не выдерживает никакой проверки. Они поговорят с Карлом, и тот скажет им правду. Потом найдут Оделла Титсуорта — и тот лишь посмеется над ними.

Итак — подыграть. Отличная, мол, полицейская работа — и вот она, истина.

Если его «признание», основанное на бредовом сне, будет достаточно абсурдным, то кто же в него поверит?

— Кто первым вошел в магазин? Оделл?

— Ну да, пусть будет Оделл, — ответил Томми, — это же всего лишь сон.

Копы почувствовали, что дело сдвинулось с мертвой точки, — благодаря их умелой тактике парень наконец раскололся.

— Вашей целью было ограбление?

— Пусть будет ограбление или что угодно другое — все равно это только сон.

Большую часть дня Смит и Роджерс добавляли все новые и новые придуманные детали в его сон, а Томми лишь иронически им поддакивал.

Почему бы и нет? Ведь это не более чем сон.

Даже в процессе абсурдных «признаний» Томми полицейские сознавали, что у них серьезные проблемы. Детектив Майк Баскин ждал в Аде, сидя у телефона в полицейском управлении и сожалея, что не находится в центре событий. Около трех часов дня позвонил Гэри Роджерс и сообщил потрясающую новость — Томми Уорд заговорил! «Садись-ка ты в машину, поезжай на заброшенную трансформаторную станцию и поищи там тело». Баскин тут же помчался в указанное место, уверенный, что расследование подходит к концу.

Однако ничего не нашел и понял, что ему нужны несколько помощников, чтобы прочесать местность более тщательно. Он вернулся в участок. Там снова звонил телефон. Картина менялась. На подъезде к трансформаторной станции по правую руку есть сгоревший дом. Вот там-то и находится тело!

Баскин поехал снова, нашел дом, перевернул там каждый камень, опять ничего не нашел и вернулся в город.

Охота за химерой продолжилась и после третьего звонка Роджерса. Условия опять менялись: где-то по соседству с трансформаторной станцией и сгоревшим домом находится бетонированный бункер. Вот где преступники на самом деле бросили тело.

Прихватив еще двух офицеров и несколько прожекторных фонарей, Баскин снова отправился к трансформаторной станции. Они нашли бункер и продолжали обшаривать его даже после наступления темноты.

И снова — ничего.

Каждый раз, получая неутешительный звонок от Баскина, Смит и Роджерс корректировали сон Томми. Время тянулось бесконечно, подозреваемый постепенно лишался последних сил. Полицейские не ослабляли хватку, слаженно действуя в паре: хороший коп — плохой коп; речь то тихая, почти сочувственная, то вдруг срывающаяся на крик, пересыпаемая ругательствами и угрозами. Наиболее часто повторялась фраза: «Ты врешь, подлый сукин сын!» Ее тысячу раз бросали Томми в лицо.

— Радуйся еще, что Майка Баскина здесь нет, — говорил Смит. — Уж он-то выбил бы из твоей башки все мозги.

Томми не удивился бы, даже получив пулю в лоб.

После наступления темноты, когда стало ясно, что в тот день тело уже не найдут, Смит и Роджерс решили закругляться. Пока не включая камеру, они прорепетировали с Томми сочиненное ими для него признание, начиная с того, как трое убийц в пикапе Оделла Титсуорта подъехали к магазину, чтобы его ограбить, и кончая тем, как, поняв, что Дениз сможет их опознать, увезли ее с собой, а потом изнасиловали и убили. Местонахождение тела было слабым звеном их версии, но детективы не сомневались, что труп спрятан где-то вблизи трансформаторной станции.

Томми уже ничего не соображал и едва ворочал языком. Он пытался пересказать их историю, но факты путались у него в голове. Смит и Роджерс останавливали его, повторяли свою страшную сказку и заставляли начинать все сначала. Наконец после четвертой репетиции, произведя необходимую корректировку сценария и спеша сыграть спектакль, пока их «звезда» не угасла совсем, они решились включить камеру.

— Ну давай, — сказали они Томми, — скажи все как нужно, и смотри — никакой чуши о каких-то там снах.

— Но эта история не имеет ничего общего с действительностью, — возразил Томми.

— Не важно, — настаивали копы, — потом мы поможем тебе доказать, что это неправда. Так что никакой ерунды насчет снов!

В 6.58 Томми Уорд, глядя прямо в объектив, назвал свое имя. К тому времени его допрашивали уже восемь с половиной часов, и он совершенно выдохся физически и эмоционально.

Он курил сигарету — первую за весь день, — и на столе перед ним стояла банка с газированной водой, словно у него только что закончилась самая что ни на есть дружеская беседа с полицейскими и все шло вполне цивилизованно и даже мило.

Он рассказал «свою» историю. Они с Карлом Фонтено и Оделлом Титсуортом похитили Дениз Харауэй из магазина, вывезли на старую трансформаторную станцию, изнасиловали, убили и бросили тело где-то неподалеку от бетонированного бункера у Песчаного ручья. Орудием убийства был складной нож Титсуорта.

«Все это я видел во сне», — добавил Томми. Или хотел добавить. Или думал, что добавил.

Несколько раз вместо «Титсуорт»он произнес «Титсдейл». Детективы останавливали его и услужливо подсказывали правильное имя. Томми поправлялся и продолжал свой рассказ. Он попрежнему думал: «Даже самому тупому копу видно, что я лгу».

Через тридцать одну минуту запись прекратили. На Томми надели наручники, отвезли его обратно в Аду и бросили в камеру. Майк Робертс все еще ждал на автомобильной стоянке возле Оклахомского отделения ФБР. К тому времени он просидел в ней девять с половиной часов.

На следующее утро Смит и Роджерс созвали пресс-конференцию и объявили, что раскрыли дело Харауэй. Томми Уорд, двадцати четырех лет, житель Ады, сознался в убийстве и назвал двух других участников преступления, которые пока не задержаны. Полицейские попросили журналистов подождать с публикацией еще дня два, пока они не заключат под стражу двух других подозреваемых. Представители газет согласились, телевидение — нет. Новость была тут же распространена по всей юго-восточной Оклахоме.

Спустя несколько часов Карл Фонтено был задержан неподалеку от Талсы и привезен обратно в Аду. Смит и Роджерс, окрыленные победой над Томми Уордом, приступили к допросу. Хотя кинокамера была наготове, допрос поначалу записывать не стали.

Карлу было двадцать лет, самостоятельно он жил с шестнадцати. Вырос в Аде в крайней нищете — его отец был алкоголиком, мать погибла под колесами автомобиля на глазах у Карла. Он был впечатлительным ребенком, имел очень мало друзей и практически никаких родственников.

Он утверждал, что невиновен и ничего не знает об исчезновении Харауэй.

Сломить Карла оказалось куда проще, чем Томми, — не прошло и двух часов, как у Смита и Роджерса было еще одно зафиксированное на пленке «признание», подозрительно буквально повторявшее рассказ Уорда.

Карл отрекся от своих показаний, как только его посадили в камеру, и позднее заявил: «Я никогда не был в тюрьме и не имел приводов в полицию, никто прежде не бросал мне в лицо обвинения в том, что я якобы убил хорошенькую женщину, и не грозил смертной казнью, поэтому я и наплел им всякую ерунду, чтобы они оставили меня в покое, что они и сделали после того, как засняли допрос на пленку. Они сказали, что у меня есть выбор — писать от руки или говорить перед камерой. До того как они сообщили мне, что я «сделал признание», я даже полицейского смысла слов «признание» и «заявление» не знал. Вот почему получилось так, что я дал им ложное заявление, — просто чтобы меня оставили в покое».

Полиция позаботилась о том, чтобы новость попала в прессу: Уорд и Фонтено полностью изобличены и признали свою вину. Тайна исчезновения Харауэй раскрыта, во всяком случае, в общих чертах. Сейчас они работают с Титсуортом и надеются предъявить обвинение всем троим в течение ближайших нескольких дней.

В сожженном доме был найден фрагмент костей, напоминавший человеческую челюсть. Об этом тоже немедленно сообщили в «Ада ивнинг ньюз».

Несмотря на точные наставления, данные Карлу, его признательное заявление было крайне неубедительным. Между его версией преступления и версией Томми существовали огромные разночтения. Подозреваемые прямо противоречили друг другу в таких подробностях, как порядок, в котором они насиловали Дениз, была ли она заколота в момент изнасилования или после, в описании количества и местоположения ножевых ран, в том, удалось ли ей вырваться и пробежать несколько шагов, прежде чем ее поймали снова, и когда именно она умерла. Самыми существенными противоречиями были противоречия в показаниях о способе убийства и местонахождении тела.

Томми Уорд утверждал, что она получила несколько ножевых ран, когда во время коллективного изнасилования лежала на спине в пикапе Оделла Титсуорта. Умерла она там же, и они выбросили тело в яму возле бетонированного бункера. Фонтено «помнил» все иначе. По его версии, они привезли девушку в заброшенный дом, где Оделл Титсуорт ее заколол, запихал в подпол, а потом облил бензином и сжег вместе с домом.

Но в чем они были совершенно едины, так это в отношении к Титсуорту. Оба утверждали, что тот был организатором, мозговым центром, что это он заставил их сесть в свой пикап, напоил пивом, вынудил выкурить травку и — в какой-то момент — согласиться ограбить «Макэналли». Как только банда решила ограбить магазин, Оделл вошел в него, взял деньги, сгреб в охапку девушку и сказал своим приятелям, что им придется ее убить, чтобы она не смогла их опознать, после чего повел машину к трансформаторной станции. Это он руководил изнасилованием и сам первым надругался над девушкой. Он же достал нож — складной нож с выкидным шестидюймовым лезвием. Он ударил ее этим ножом, убил и то ли сжег, то ли нет, здесь версии расходились.

Хотя они и признавали свое соучастие, основную вину валили на Титсуорта, или Титсдейла, или как там его звали.

К концу дня в пятницу, 19 октября, полиция арестовала Титсуорта и допросила его. Он был четырежды судимым уголовником, ненавидел полицию и имел гораздо более богатый опыт в области тактики допросов. Его не удавалось сдвинуть с места ни на йоту. Он ничего не знает о деле Харауэй, ему наплевать на то, что наплели Уорд и Фонтено под запись или без оной. Он ни разу в жизни не видел в глаза этих двух типов.

Его допрос на пленку не записывали. Титсуорта посадили в камеру, где он вскоре вспомнил, что 26 апреля сломал руку в потасовке с полицией. Так что спустя два дня после того, как пропала Дениз Харауэй, он пребывал дома у своей подруги с толстым гипсом на руке, страдая от чудовищной боли.

В своих показаниях оба подозреваемые сообщили, что на Титсуорте была футболка с короткими рукавами и обе его руки покрывали татуировки. На самом деле левая рука у него была в то время закрыта гипсом и он даже близко не подходил к «Макэналли». Деннис Смит связался с больницей, сверился с полицейскими протоколами, и показания Оделла полностью подтвердились. Смит поговорил с врачом, тот сообщил, что у Оделла действительно был спиралевидный, очень болезненный перелом плеча повыше локтя, и заверил, что спустя всего два дня после такого перелома больной не в состоянии нести труп или участвовать в нападении. Его рука была загипсована и подвязана. Нет, его участие в преступлении исключено.

Показания продолжали разваливаться. Когда полиция тщательно осматривала сгоревший дом, появился его хозяин и спросил, что они тут делают. Ему ответили, что ищут останки девушки по фамилии Харауэй, которую, по словам одного из подозреваемых, сожгли вместе с этим домом. Хозяин возразил: этого не может быть, поскольку он сам спалил дом в июне 1983 года, то есть за десять месяцев до исчезновения девушки.

Медэксперт штата исследовал челюсть, найденную на пепелище, и сделал заключение, что она принадлежала опоссуму. Это сообщили прессе.

Однако прессе не сообщили ни о сгоревшем доме, ни о сломанной руке Оделла, ни о том факте, что Уорд и Фонтено сразу же отреклись от своих показаний.

В тюрьме Уорд и Фонтено были непреклонны относительно своей невиновности и рассказывали всем, кто соглашался слушать, что показания у них вырвали путем угроз и обещаний. Семья Уорда наскребла денег, наняла хорошего адвоката, и Томми рассказал ему во всех подробностях о трюках, которые использовали Смит и Роджерс во время допроса. Он тысячу раз повторил: речь шла всего-навсего о сне.

У Карла Фонтено семьи не было.

Труп Дениз Харауэй продолжали искать со всей добросовестностью. Вопрос, который у многих вертелся на языке, состоял в следующем: если эти двое сознались, то почему полиция не знает, где спрятано тело?

Пятая поправка к Конституции США защищает подсудимого от самооговора, а поскольку самый легкий способ раскрыть преступление — это добиться признания обвиняемого, то существует множество разнообразных законов, которые ограничивают действия полиции во время ведения допроса. Большая часть этих законов была принята до 1984 года.

За столетие до того в деле «Хопт против штата Юта» Верховный суд постановил, что признание не принимается во внимание, если оно добыто путем манипулирования страхами и надеждами обвиняемого, поскольку лишает его свободы воли и самоконтроля, необходимых для того, чтобы сделать добровольное признание.

В 1897 году, в деле «Брэм против Соединенных Штатов», суд постановил, что заявление подсудимого должно быть сделано по его доброй воле, без принуждения, а не добыто путем разного рода угроз, насилия или ложных обещаний, сколь незначительным ни было бы давление. Признание, полученное от обвиняемого путем угроз, не является действительным.

В 1987 году в деле «Блэкберн против штата Алабама» суд констатировал: «Принуждение может быть моральным так же, как и физическим». Чтобы определить, было ли признание добыто полицией путем психологического принуждения, существенно важны следующие факторы: 1) длительность допроса; 2) был ли он проведен по существу; 3) когда он имел место — днем или ночью, причем показания, добытые в ночное время, вызывают серьезное недоверие; и 4) каков психологический тип подозреваемого — уровень его умственного развития, искушенность, образование.

В деле «Миранда против штата Аризона», самом известном деле, основанном на самооговоре, Верховный суд определил процессуальные гарантии для защиты прав обвиняемого. Подозреваемый имеет конституционное право отказаться говорить, и никакое заявление, сделанное им во время допроса, не может быть использовано в суде, если полиция и обвинитель не сумеют доказать, что подозреваемый ясно сознавал, что 1) у него есть право не отвечать на вопросы; 2) все им сказанное может быть использовано в суде против него; и 3) он имеет право на адвоката, независимо от того, может он себе позволить нанять его или нет. Если во время допроса обвиняемый потребует присутствия адвоката, допрос должен быть немедленно прекращен*.

Дело Миранды рассматривалось в 1966 году, и этот свод правил сразу же стал знаменит. Правда, многие полицейские управ-

* Этот свод правил получил название «Miranda rights» («Права Миранды») и зачитывается подозреваемому при задержании.

ления поначалу игнорировали его, во всяком случае, до тех пор, пока преступников не стали освобождать из-под стражи лишь потому, что в момент задержания они не были ознакомлены со своими правами. Свод «Прав Миранды» сурово критиковался «адептами законности и правопорядка», обвинявшими Верховный суд в потакании плохим парням. Но он проложил-таки себе путь в правовую культуру после того, как каждый полицейский на телеэкране, проводя задержание, начал непременно выстреливать эти слова: «Вы имеете право хранить молчание...»

Роджерс, Смит и Физерстоун отдавали себе отчет в важности соблюдения процедуры, поэтому позаботились о том, чтобы в отношении Томми она была полностью соблюдена и зафиксирована на пленке. Что не было зафиксировано на пленке, так это предыдущие пять с половиной часов беспрерывных угроз и оскорблений.

Методы, коими были добыты «признания» Томми Уорда и Карла Фонтено, являлись прямым нарушением конституции, но в то время, в октябре 1984 года, полицейские еще верили, что удастся найти тело и таким образом получить достоверные улики. До суда в любом случае оставалось несколько месяцев. У них была масса времени, чтобы выстроить солидное дело против Уорда и Фонтено, во всяком случае, так они думали.

Однако Дениз так и не нашли. Томми и Карл понятия не имели, где она могла быть, о чем и твердили беспрерывно полицейским. Месяц проходил за месяцем, но ни крохи улик не появлялось. Признания подозреваемых делались все более и более важными, ведь им предстояло стать единственным доказательством, которое штат мог предъявить в суде.

ГЛАВА ШЕСТАЯ

Рон Уильямсон был прекрасно осведомлен о деле Харауэй. Он находился в самом безопасном для него в тот момент месте — в понтотокской окружной тюрьме. Но, отсидев десять месяцев из своего трехлетнего срока, он был освобожден условно-досрочно, отправлен обратно в Аду и помещен под домашний арест, который, несмотря на весьма вольные условия, строго ограничивал его передвижения. Неудивительно, что Рон не работал.

Он не принимал лекарств и был не в состоянии адекватно оценивать время, даты или что-либо иное.

В ноябре, когда он пребывал под домашним арестом, ему предъявили обвинение в том, что он, «будучи переведен под домашний арест исправительным учреждением, в котором отбывал наказание за фальсификацию официального документа, намеренно и незаконно нарушил условия пребывания под домашним арестом и покинул дом во время, не согласованное с Департаментом исправительных учреждений».

Версия Рона состояла в том, что он вышел на улицу, чтобы купить пачку сигарет, и вернулся минут на тридцать позже, чем ожидалось. Его снова арестовали, препроводили в тюрьму и четыре дня спустя предъявили обвинение в преступном нарушении условий отбывания наказания, выразившемся в попытке побега. Он поклялся, что не собирался совершать побег, и потребовал, чтобы суд назначил ему адвоката.

Тюрьма гудела слухами о деле Харауэй. Томми Уорд и Карл Фонтено были уже там. Совершенно не имея чем заняться, сокамерники только и делали, что судачили. Уорд и Фонтено занимали авансцену, поскольку их преступление было самым «свежим» по времени и, разумеется, самым сенсационным. Томми описывал свои «признания» в том, что ему приснилось, и тактику, которую применяли по отношению к нему Смит, Роджерс и Физерстоун. Его слушателям эти сыщики были хорошо известны.

Он вновь и вновь повторял, что не имеет ни малейшего отношения к Дениз Харауэй. Истинные убийцы остаются на свободе, неустанно твердил он, и смеются над двумя простаками, которые сознались в не совершенном ими преступлении, и над копами, которые обманом заставили их это сделать.

Поскольку тело Дениз Харауэй найдено не было, перед Биллом Питерсоном стояли большие проблемы юридического характера. Все дело состояло из двух записанных на пленку признаний, не основанных ни на каких физических уликах. К тому же реальное положение вещей противоречило буквально всему, что содержалось в этих признаниях, и сами признания противоречили друг другу. Питерсон располагал дзумя рисованными портретами подозреваемых, но даже они вызывали сомнения. Один из них весьма условно соответствовал внешности Томми Уорда, но никому и в голову не могло прийти, что второй хоть отдаленно напоминает Карла Фонтено.

Прошел уже и День благодарения, а труп так и не был найден. Минуло Рождество. В январе 1985 года Билл Питерсон убедил все же судью, что доказательств смерти Дениз Харауэй достаточно. Во время предварительных слушаний набитому до отказа залу продемонстрировали записи признаний подозреваемых. Большинство присутствовавших были в шоке, хотя многие обратили внимание на зияющие несоответствия между показаниями Уорда и Фонтено. Тем не менее пора было назначать суд, независимо от того, найден труп или нет.

Но дело затягивали процедурные споры. Двое судей взяли самоотвод. Энтузиазм в поисках тела постепенно иссякал, и наконец, через год после исчезновения Дениз, поиски были прекращены. Большинство жителей Ады не сомневались, что Уорд и Фонтено виновны, — иначе зачем им было признаваться? — но разговоры о недостаточности улик не смолкали. И почему так долго не назначают суд?

В апреле 1985-го, спустя год после похищения Дениз Харауэй, в «Ада ивнинг ньюз» была помещена статья Дороти Хог, пафос которой сводился к тому, что город разочарован низкой эффективностью следствия. Называлась статья «Нераскрытые насильственные преступления преследуют Аду». Автор проводила параллель между двумя убийствами. Относительно дела Харауэй она писала: «Хотя представители властей обыскали множество мест в округе, как до, так и после ареста Уорда и Фонтено, никаких следов Харауэй не найдено. Тем не менее детектив Деннис Смит утверждает, будто дело раскрыто». Якобы полученные признания в статье не упоминались.

По поводу дела Картер Хог писала: «На месте преступления обнаружены улики. Улики, которые должны помочь установить личность подозреваемого, без малого два года назад были направлены в криминалистическую лабораторию Оклахомского отделения ФБР, но в полиции говорят, что до сих пор не получили результатов. Переполненность портфеля заказов лаборатории отделения ФБР очевидна. Деннис Смит сообщил: «Полиция сузила поиск до одного подозреваемого в этом деле, но никто так и не был пока арестован в связи с этим преступлением»».

* * *

В феврале 1985 года Рон предстал перед судом в связи с обвинением в попытке побега. Суд назначил его адвокатом Дэвида Морриса, человека, который прекрасно знал семью Уильямсонов. Рон был признан виновным и приговорен к двум годам лишения свободы. Приговор должен был оставаться условным, если Рон будет: 1) выполнять медицинские рекомендации, связанные с его душевным здоровьем; 2) избегать каких бы то ни было правонарушений; 3) оставаться в пределах округа Понтоток и 4) воздерживаться от употребления алкоголя.

Спустя несколько месяцев его снова арестовали за пьянство в публичном месте в округе Поттаватоми. Билл Питерсон подал иск об отмене условного приговора и замене домашнего ареста содержанием в тюрьме. Дэвида Морриса суд снова назначил защищать интересы Рона. Слушания по делу о замене домашнего ареста на содержание под стражей состоялись 26 июля, судьей был Джон Дэвид Миллер, окружной судья по особым делам. Вернее, слушания должны были состояться. Рон, забросивший лечение, не умолкал ни на минуту. Он спорил с Моррисом, судьей Миллером, их помощниками, и в конце концов речь его стала настолько бессвязной, что слушания пришлось перенести.

Через три дня была предпринята повторная попытка. Судья Миллер заранее попросил тюремные власти и своих помощников предупредить Рона насчет поведения в суде, но тот уже при входе в зал начал кричать и ругаться. Судья неоднократно делал ему предупреждения, Рон каждый раз огрызался, потребовал другого адвоката, но когда судья попросил его аргументировать свою просьбу, ничего сказать не смог.

Его поведение было импульсивным, и всем стало очевидно, что он нуждается в психиатрической медицинской помощи. Время от времени казалось, будто он осознает, что происходит, но уже через минуту его напыщенная речь снова становилась бессвязной. Он злобствовал на весь мир и бичевал его пороки.

После многократных предупреждений судья Миллер приказал отвести его обратно в камеру, и слушания опять были отложены. На следующий день Дэвид Миллер внес в суд официальную просьбу назначить обследование Рона на предмет установления его психической дееспособности. Одновременно он подал прошение об освобождении его от обязанностей адвоката Рона.

В своем искаженном мире Рон казался себе абсолютно нормальным. Он был оскорблен тем, что его же собственный адвокат решил подвергнуть его психиатрической экспертизе, поэтому он перестал с ним разговаривать. Моррис был сыт по горло.

Суд удовлетворил просьбу о психиатрическом обследовании, но отклонил прошение об освобождении Морриса от адвокатских обязанностей.

Две недели спустя слушания возобновили, но сразу же и закрыли. Рон казался еще более невменяемым, чем прежде. Судья Миллер приказал провести полное психиатрическое обследование.

В начале 1985 года у Хуаниты Уильямсон диагностировали рак яичников, болезнь быстро прогрессировала. Два с половиной года она жила среди постоянных слухов о том, что ее сын убил Дебби Картер, и хотела уладить это дело до своей смерти.

Хуанита очень скрупулезно относилась ко всякого рода бумагам. Десятилетиями она ежедневно вела подробный дневник. Ее деловые записи содержались в идеальном порядке; она за одну минуту могла сообщить любой клиентке точные даты пяти ее последних посещений салона и никогда ничего не выбрасывала — ни оплаченных счетов, ни аннулированных чеков, ни квитанций, ни табелей успеваемости своих детей, ни иных памятных бумаг.

Сто раз для верности сверившись со своим дневником, она еще раз убедилась, что вечером 7 декабря 1982 года Рон находился с ней дома, о чем она уже неоднократно ставила в известность полицейских. Их возражение состояло в том, что он мог легко улизнуть, быстро пробежать по переулку позади дома, совершить преступление и незаметно вернуться домой. И ни слова о мотиве. Ни слова о том, что Глен Гор солгал, когда говорил, будто видел Рона в «Каретном фонаре» в вечер убийства Дебби Картер. Все это не имеет значения, если копы уверены, что преступник у них в руках.

Однако полицейские знали и то, что Хуаниту Уильямсон очень уважают в городе. Она была благочестивой христианкой, хорошо известной во всех пятидесятнических церквах. К сотням клиенток своего салона красоты она относилась как к близким друзьям. Если Хуанита, оказавшись на свидетельском месте, заявит, что Ронни в ночь убийства был дома, присяжные скорее всего ей поверят. Да, возможно, у ее сына и есть проблемы, но воспитание не позволило бы ему стать убийцей.

Теперь Хуанита припомнила еще кое-что. В 1982 году стало популярным брать напрокат видеокассеты. В магазине, расположенном в конце улицы, открыли пункт проката. 7 декабря Хуанита взяла там кассетный плейер и пять своих любимых фильмов, которые они с Роном и смотрели чуть ли не до утра. Так что ее сын весь вечер находился дома, в гостиной, сидел на диване и наслаждался старыми фильмами вместе с матерью. У Хуаниты сохранилась квитанция из пункта проката.

Дэвид Моррис всегда имел склонность к несложным делам — такого адвоката и добивалась Хуанита. Он восхищался ею и в качестве одолжения время от времени представлял интересы Рона, когда тот попадал в неприятные ситуации из-за своих эскапад, хотя клиентом тот был отнюдь не идеальным. Моррис выслушал рассказ Хуаниты, проверил квитанцию и не усомнился ни на миг, что она говорила правду. Он испытал облегчение, поскольку, как большинство жителей Ады, постоянно слышал разговоры о причастности Рона к убийству Картер.

Работа Морриса в основном состояла в защите клиентов по уголовным делам, и он не слишком уважал полицию Ады, но прекрасно знал всех полицейских и устроил встречу Денниса Смита с Хуанитой. Он даже сам отвез ее в полицейский участок и сидел рядом, пока она излагала свои объяснения Деннису Смиту. Детектив выслушал ее внимательно, посмотрел квитанцию и спросил, согласна ли она сделать заявление под видеозапись. Разумеется, согласна.

Дэвид Моррис через стекло наблюдал, как Хуаниту посадили на стул лицом к камере и как она отвечала на вопросы Смита. По дороге домой она была умиротворена и уверена, что теперь дело против ее сына будет закрыто.

Если в видеокамере и была пленка, ее никто никогда так и не увидел. И если детектив Смит и составил отчет о беседе с Хуанитой Уильямсон, тот никогда не был предъявлен ни на одном из последовавших слушаний.

Убивая в камере день за днем, неделю за неделей, Рон беспокоился о матери. К началу августа она уже умирала в больнице, и ему не разрешили ее навестить.

В том же месяце он, по постановлению суда, был еще раз обследован доктором Чарлзом Эймосом, который планировал провести кое-какие тесты. Однако во время первого же сеанса он заметил, что Рон просто ставит слово «да» напротив всех вопросов. Когда Эймос поинтересовался, почему он это делает, тот ответил: «Что важнее: эти тесты — или моя мать?» Обследование прекратили, но Эймос записал в отчете: «Следует отметить, что нынешнее собеседование с мистером Уильямсоном выявило значительное ухудшение его эмоционального состояния по сравнению с нашей последней встречей в 1982 году».

Рон умолял тюремные власти разрешить ему увидеться с матерью, пока она еще жива. Аннет тоже просила. За последние годы она успела познакомиться со всей тюремной администрацией. Передавая Ронни домашнее печенье и шоколадные пирожные с орехами, она заботилась о том, чтобы угощения хватило всем его сокамерникам и надзирателям. Она даже готовила для них полные обеды в тюремной кухне.

Больница находится рядом с тюрьмой, убеждала она. Город маленький, все знают Ронни и его семью. Едва ли он сможет где-нибудь раздобыть оружие и кого-то поранить. В конце концов соглашение было достигнуто, Рона вывели из тюрьмы вскоре после полуночи, в наручниках и кандалах, в окружении до зубов вооруженных охранников, и отвезли в больницу, где посадили в инвалидное кресло-каталку и повезли по коридору.

Хуанита категорически заявила, что не желает видеть сына в наручниках. Аннет умоляла полицейских пойти ей навстречу, и они нехотя согласились. Но на полпути договор был забыт, наручники и ножные цепи так и не сняли. Рон слезно просил, чтобы наручники расстегнули хоть на несколько минут, пока он будет в последний раз прощаться с матерью, но ему отказали и велели оставаться в инвалидном кресле.

Тогда Рон попросил дать ему какое-нибудь одеяло, чтобы прикрыть наручники и цепи. Охранники колебались — это могло быть рискованно с точки зрения безопасности, — но потом смилостивились. Они вкатили кресло в палату Хуаниты и потребовали, чтобы Аннет и Рини удалились. Те просили разрешить им остаться, чтобы семья в последний раз могла побыть вместе. «Слишком рискованно, — ответили копы. — Подождите в коридоре».

Рон сказал матери, как сильно он любит ее, как сожалеет о том, что превратил собственную жизнь в сплошной кошмар, попросил прощения за все свои поступки, коими так ее разочаровал. Он плакал, умолял простить его, и, разумеется, она простила. Он даже процитировал несколько стихов из Священного Писания. Однако интимную атмосферу создать было трудно, поскольку копы нависали над Роном, видимо, опасаясь, что он выпрыгнет в окно или ранит кого-нибудь.

Прощание получилось кратким. Через несколько минут охранники прервали его, сказав, что пора возвращаться в тюрьму. Аннет и Рини слышали, как рыдал их брат, когда его увозили в инвалидной коляске.

Хуанита умерла 31 августа 1985 года. Сначала полиция отклонила просьбу семьи позволить Рону присутствовать на погребении и смилостивилась лишь тогда, когда муж Аннет предложил оплатить услуги двух бывших полицейских, своих кузенов, чтобы те помогли охранять Рона во время службы.

Для большего драматизма полицейские обставили его присутствие на похоронах как событие, требующее особых мер безопасности. Они настояли, чтобы преступника ввели в церковь только после того, как все займут свои места. И отказались освободить его от цепей.

Кто бы сомневался, что подобные меры предосторожности совершенно необходимы для преступника, виновного в подделке чека на триста долларов!..

Храм был полон. Открытый гроб установили перед алтарем, чтобы всем был виден изможденный профиль Хуаниты. Открылась задняя дверь, и по центральному проходу в сопровождении охраны повели ее сына. Его щиколотки и запястья были скованы цепями, эти цепи крепились к третьей, опоясывавшей талию. Когда он, шаркая, мелкими шажками шел по проходу, от лязга и звона этих цепей у присутствующих окончательно сдали нервы. Увидев мать в открытом гробу, Рон, всхлипывая, стал без конца причитать: «Прости меня, мама! Прости меня!» По мере приближения к гробу всхлипывания перерастали в завывания.

Рона усадили на стул, охранники стали по обе стороны от него, при каждом его движении цепи гремели. Он нервничал, был совершенно выбит из колеи, лишен душевного равновесия и не способен сидеть смирно и тихо.

Рон находился в Первой пятидесятнической церкви святости, в храме, где молился мальчиком, где Аннет и теперь продолжала играть на органе каждое воскресное утро, где его мать присутствовала на всех церковных бдениях за редкими исключениями, и плакал, глядя на ее поблекшее лицо.

Поминальный стол был накрыт в церковном зале собраний. После службы Рон вместе со всеми зашаркал туда, охранники не выпускали его из пределов досягаемости. Больше года он не ел ничего, кроме тюремной бурды, и скромный стол показался ему роскошным пиршеством. Аннет попросила начальника охраны снять с него наручники, чтобы он мог поесть, но получила отказ. Она смиренно умоляла стража, но ответ был «нет».

Родственники и друзья с жалостью наблюдали, как сестры, Аннет и Рини, по очереди кормили брата.

У могилы, после того как были прочитаны отрывки из Священного Писания и заупокойная молитва, пришедшие попрощаться с Хуанитой один за другим подходили к Аннет, Рини и Рону, выражая им свои соболезнования и самые добрые чувства. Их вежливо обнимали и дружески тесно прижимали к груди, сестры отвечали тем же, но не Рон. Он не мог поднять руки и был вынужден отвечать женщинам, неловко тычась носом в щеку, мужчинам — рукопожатиями, сопровождавшимися звоном цепей. Стоял сентябрь, было все еще очень жарко, пот градом катился по его лбу и стекал на щеки. Он был не в состоянии сам вытереть лицо, Аннет и Рини делали это за него.

Доктор Чарлз Эймос представил суду доклад, в котором констатировал, что Рон Уильямсон, по законам штата Оклахома, является психически больным человеком, не в состоянии осознать смысл выдвинутых против него обвинений, не может оказать должного сотрудничества своему адвокату в защите собственных интересов и обрести адекватное психическое состояние сумеет лишь после соответствующего лечения. Доктор также констатировал, что, если отпустить Рона под домашний арест, он может представлять собой угрозу как для себя, так и для окружающих.

Судья Миллер принял к сведению доклад доктора Эймоса и вынес постановление о том, что Рон является недееспособным по причине психического заболевания. Уильямсона отвезли в Виниту, в Восточную больницу штата, для дальнейшего обследования и лечения. Там его наблюдал доктор Р.Д. Гарсия, он прописал больному далмейн и ресторил от бессонницы, мелларил от галлюцинаций и маний, торазин от шизофрении, гиперактивности и агрессивности на период обострения маниакально-депрессивного психоза. Лекарства начали действовать через несколько дней, Рон успокоился и пошел на поправку.

Спустя пару недель доктор Гарсия констатировал: «Больной является социопатом и страдает алкоголизмом. Ему необходимо продолжать принимать торазин — по 100 мг 4 раза в день. Он еще не избежал опасности и продолжает оставаться в зоне риска».

Звучало несколько иронично, поскольку маячивший впереди, но отложенный пока приговор ожидал Рона как раз за побег.

Отвечая на письменные вопросы суда, доктор Гарсия писал: «1) В настоящий момент он в состоянии осознать суть предъявленных ему обвинений; 2) Способен консультироваться со своим адвокатом и здраво помогать ему в подготовке защиты; 3) Более не является психически больным человеком; 4) Даже если отпустить его сейчас без медикаментозного лечения, постоянной терапии и наблюдения врача, вероятно, он не будет представлять существенной угрозы собственной жизни и безопасности, а также безопасности окружающих, во всяком случае, пока его склонность к социопатии не усугубится вновь вследствие чрезмерного употребления алкоголя, что потенциально может снова сделать его весьма опасным».

Рона вернули в Аду, где отложенный процесс над ним возобновился. Однако вместо того, чтобы провести основанные на медицинском заключении юридические процедуры в пределах своей компетенции, судья Миллер просто принял к сведению суждения доктора Гарсии. Судебное постановление о признании Рона недееспособным официально так и не было отменено.

На основании заключения доктора Гарсии отложенный приговор вновь вступил в силу, и Рона отправили в тюрьму досиживать остаток двухгодичного срока. При выписке из больницы его снабдили двухнедельным запасом торазина.

В сентябре Томми Уорд и Карл Фонтено предстали перед судом в Аде. Адвокаты энергично боролись за то, чтобы дела их клиентов были разделены и — что еще более важно — чтобы их рассмотрение было перенесено за пределы округа Понтоток. Дениз Харауэй в отсутствие трупа по-прежнему считалась пропавшей без вести, о ней не забывали в округе, и сотни местных жителей помогали искать тело, тем более что ее свекор, местный дантист, был в городе человеком очень уважаемым. Уорд и Фонтено уже одиннадцать месяцев сидели в тюрьме. Их признания оставались предметом горячих обсуждений в кафе и салонах красоты с октября, с того самого момента, когда о них впервые написали в газетах.

Как в подобных обстоятельствах эти двое могли рассчитывать на объективное жюри присяжных в своем округе? Подобные процессы сплошь и рядом переносятся для рассмотрения в другие регионы.

В данном случае прошение о переносе места суда было отклонено.

Другим камнем преткновения между судом и адвокатами сторон были «признания» обвиняемых. Защитники Уорда и Фонтено камня на камне не оставляли от этих «признаний», а особенно критиковали методы, коими детективы Смит и Роджерс добыли их. Истории, рассказанные их подзащитными, совершенно очевидно, были сфабрикованы; не существовало ни грана физических улик, которые подтверждали бы хоть что-нибудь, содержавшееся в этих «признаниях».

Тем не менее Питерсон с удвоенной силой отбивался от нападок, поскольку не располагал ничем иным, кроме признаний обвиняемых. После долгих горячих споров сторон судья решил, что признания все же могут быть представлены на рассмотрение присяжных.

Штат опросил пятьдесят одного свидетеля, из которых ни один не сказал ничего существенного. Многие из них были друзьями Дениз Харауэй, и в суд их вызвали для того лишь, чтобы они помогли доказать факт ее исчезновения и предполагаемой гибели. Во время процесса случился только один сюрприз. Уголовница-рецидивистка по имени Терри Холланд предстала перед судом в роли свидетельницы. Она сообщила присяжным, что в октябре, когда в тюрьму привезли Карла Фонтено, она отбывала там заключение. Они случайно разговорились, и Карл якобы признался ей, что он, Томми Уорд и Оделл Титсуорт похитили, изнасиловали и убили девушку.

Фонтено отрицал даже сам факт знакомства с этой женщиной.

Терри Холланд была не единственной тюремной осведомительницей, вызванной в качестве свидетельницы. Мелкий уголовник Леонард Мартин также отбывал свой срок за решеткой. Обвинение вызвало и его, и во время судебного заседания тот поведал присяжным, будто однажды подслушал, как Карл, разговаривая в камере сам с собой, повторял: «Я знал, что нас поймают. Я знал, что нас поймают».

Таково было качество доказательств обвинения — доказательств, которые должны были безоговорочно убедить присяжных в виновности подсудимых.

В отсутствие физических улик записанные на пленку признания обвиняемых становились более чем важны, но они изобиловали противоречиями и явной ложью. Обвинение невольно попало в весьма сомнительное положение: признавая, что Уорд и Фонтено лгут, оно тем не менее просило присяжных им поверить.

Пожалуйста, мол, не обращайте внимания на всю эту чушь насчет Титсуорта, потому что он совершенно ни при чем.

Пожалуйста, пропустите мимо ушей пустяки относительно сгоревшего дома и якобы сгоревшего в нем тела, потому что дом сгорел за десять месяцев до того.

Вкатили мониторы. Погасили свет. Включили запись. С экранов полились омерзительные подробности, и Уорд с Фонтено отправились в камеру смертников.

В своем заключительном слове обвинитель Крис Росс, впервые выступавший по делу об убийстве, говорил о чудовищности случившейся драмы. В красочных выражениях он живописал кровавые подробности, уже известные из «видеопризнаний», — ножевые раны, кровь, вывороченные наружу внутренности, жестокое изнасилование и убийство такой милой и красивой девушки и последующее сожжение ее тела — и сумел достаточно разгневать присяжных.

После недолгого обсуждения они вернулись в зал суда с вердиктом «виновны» и приговором: «Смертная казнь».

Истина, однако, состояла в том, что девушка не была ни заколота, ни сожжена, независимо от того, что рассказывали Уорд и Фонтено в своих фальшивых признаниях, и независимо от того, что Билл Питерсон и Крис Росс внушали жюри.

Дениз Харауэй была убита единственным выстрелом в голову. Ее останки в январе следующего года некий охотник обнаружил в лесной чаще неподалеку от поселка Герти, в округе Хьюдж, в двадцати семи милях от Ады, — очень далеко от того места, где ее так усердно искали.

Подлинная причина ее смерти должна была бы убедить любого в том, что Уорду и Фонтено действительно разве что во сне примерещились их смехотворные «признания» и что сделаны они были явно по принуждению. Должна была, но не убедила.

Подлинная причина ее смерти должна была бы подвигнуть органы правопорядка и судебные власти признать свою ошибку и начать поиск настоящего убийцы. Должна была, но не подвигла.

После окончания суда, но до того, как было найдено тело, Томми Уорд ждал перевода в блок смертников тюрьмы Макалестер, находившейся в пятидесяти пяти милях к востоку от Ады. Все еще ошеломленный событиями, которые поставили его перед лицом казни посредством смертельной инъекции, он был напуган, совершенно сбит с толку и пребывал в глубокой депрессии. Еще год назад он был обычным жителем Ады двадцати с чем-то лет от роду, мечтавшим лишь о хорошей работе, веселых вечеринках и порядочной девушке.

«Настоящие убийцы ходят на свободе, — беспрестанно вертелось у него в голове, — и смеются над нами. И над копами смеются. Интересно, — думал он, — им, убийцам, хватило наглости прийти на суд? Почему бы и нет? Они ведь были в полной безопасности».

Однажды к нему явились посетители — те самые двое полицейских из Ады. Теперь они были его друзьями, приятелями, в высшей степени озабоченными тем, что станется с ним, когда его переведут в Макалестер. Они были задумчивы, тихи и взвешивали каждое слово — никаких угроз, никакого ора, никаких ругательств, никаких напоминаний о смертельном уколе. Они на самом деле хотели найти тело Дениз Харауэй, поэтому предложили сделку. Если Томми скажет им, где оно находится, они походатайствуют перед конторой Питерсона, чтобы смертную казнь заменили пожизненным заключением. Полицейские делали вид, что это в их силах, хотя в действительности это было не так. Дело уже давно вышло из-под их контроля.

Томми так же, как и они, не знал, где искать труп. Он повторял то, что твердил им уже целый год: он не имеет к этому преступлению никакого отношения. Даже теперь, на пороге смерти, Томми Уорд по-прежнему не мог дать полицейским того, чего они от него требовали.

Вскоре после ареста Уорда и Фонтено их история привлекла внимание уважаемого нью-йоркского журналиста Роберта Мейера, жившего тогда на юго-западе страны. Ее поведала ему женщина, с которой он в то время встречался; ее брат был женат на одной из сестер Томми Уорда.

Мейера заинтриговали эти «сонные признания» и то, к какой катастрофе они в конце концов привели. Зачем, недоумевал он, кому-то потребовалось признаваться в страшном преступлении, но при этом строить «признание» на явной лжи? Он отправился в Аду и начал собственное расследование странной истории. Пока тянулись долгие процедурные споры, а затем шел сам процесс, Мейер дотошно изучал город, его жителей, само преступление, полицию, обвинителей и особенно — Уорда и Фонтено.

Ада настороженно наблюдала за ним. Ее жителям было внове видеть в своей среде настоящего писателя, копающего, присматривающегося, готовящегося написать бог знает что. Правда, со временем Мейер завоевал доверие большинства «игроков». Он взял большое интервью у Билла Питерсона. Он присутствовал на совещаниях команд адвокатов. Проводил часы в обществе полицейских. Во время одного из совещаний Деннис Смит упомянул о том, какое давление испытывает полиция в таком маленьком городе, имея на своем счету два нераскрытых убийства. Он достал из стола фотографию Дебби Картер и показал ее Мейеру. «Мы знаем, что ее убил Рон Уильямсон, — сказал он, — просто пока не смогли это доказать».

Затевая свое предприятие, Мейер полагал, что вероятность виновности двух парней — пятьдесят на пятьдесят. Однако очень скоро методы Смита и Роджерса, равно как и суд над Уордом и Фонтено, возмутили его. Никаких улик, кроме «признаний» подсудимых, не существовало, и те, какими бы шокирующими они ни были, настолько изобиловали несоответствиями, что в них просто невозможно было поверить.

Тем не менее Мейер постарался дать сбалансированную картину преступления и суда. Его книга «Сны Ады» была выпущена издательством «Викинг» в апреле 1987 года и в городе встречена в высшей степени враждебно.

Реакция была мгновенной и предсказуемой. Некоторые не приняли книгу из-за дружеского расположения автора к семье Уильямсонов. Другие были уверены в виновности парней, потому что те «сами признались», и ничто не могло поколебать их в этой уверенности.

Широко было распространено, однако, и мнение, что полиция и обвинение состряпали дело, послали в тюрьму невинных людей, а настоящих убийц оставили на свободе.

* * *

Уязвленный критикой — прокурору из маленького городка редко выпадает «честь» стать героем книги, посвященной одному из его дел, притом весьма нелицеприятной книги, — Билл Питерсон с бешеной активностью принялся за дело Дебби Картер. Ему были необходимы доказательства.

Материалы следствия давно устарели — бедная девушка была мертва уже более четырех лет, — но в свете последних событий стало необходимо кого-нибудь по этому делу «прижать».

Все эти годы Питерсон и полиция были уверены, что убийца — Рон Уильямсон. Вероятно, причастен и Деннис Фриц, а может, и нет, но в том, что Уильямсон в ту ночь был в квартире Дебби Картер, они не сомневались. Доказательств у них не было — просто интуиция.

Рон вышел из тюрьмы и вернулся в Аду. Когда в 1985 году умирала его мать, он находился в тюрьме, ожидая постановления о недееспособности и имея впереди еще два года заключения. Аннет и Рини вынуждены были продать маленький домик, в котором они все трое выросли, поэтому, когда Рона отпустили из тюрьмы отбывать срок условно, жить ему было негде, он поселился у Аннет, имевшей мужа и сына, и несколько дней добросовестно старался приспособиться к их домашнему укладу. Но старые привычки дали о себе знать: он ел по ночам, с грохотом готовя себе еду, все ночи напролет смотрел телевизор, включив звук на полную мощность, беспрерывно курил, пил, а днем беспробудно спал на диване. Спустя месяц или около того нервы у Аннет сдали, у остальных членов ее семьи тоже иссякало последнее терпение, и она попросила брата съехать.

Два года заключения ничуть не способствовали укреплению душевного здоровья Рона. Он кочевал из одной государственной больницы в другую, где разные доктора испытывали на нем разные сочетания препаратов. Зачастую случались периоды, когда он вовсе не принимал никаких лекарств. Некоторое время он жил в гуще тюремного народца, потом кто-нибудь замечал-таки странности его поведения, и его в очередной раз направляли в психиатрическое отделение.

Накануне освобождения Департамент исправительных учреждений организовал его встречу с социальным работником городской Службы психического здоровья. 15 октября Рон впервые был на приеме у Нормы Уокер, которая отметила в своих записях, что он принимает литий, наван и артан. Она нашла его вполне приятным в общении, способным контролировать себя, хотя и немного странным, «порой не менее минуты молча глядящим в одну точку отсутствующим взглядом». Рон собирался поступить в Библейский колледж и, возможно, стать священником. Или основать собственную строительную компанию. Большие планы, пожалуй, чересчур грандиозные, подумала Уокер.

В течение двух недель, продолжая курс медикаментозной терапии, он приходил на такие встречи в очень приличном состоянии. Следующие две недели пропустил, а когда объявился 9 декабря, потребовал консультации с доктором Мэри Сноу. Он прекратил принимать лекарства, потому что познакомился с девушкой, которая в них не верила. Доктор Сноу пыталась убедить его вернуться к приему таблеток, но он заявил, что Бог велел ему завязать и с выпивкой, и с любыми таблетками.

18 декабря и 14 января он прием пропустил. 16 февраля Аннет позвонила Норме Уокер и сообщила, что брат стал неуправляем. Она описала его поведение как «психически ненормальное» и сказала, что он время от времени грозит застрелиться из пистолета. На следующий день он явился очень нервный, но с проблесками здравого смысла, и потребовал, чтобы ему изменили курс лечения. Еще три дня спустя Уокер позвонили из часовни Макколла: Рон устроил там дикую сцену — громко кричал, требуя, чтобы ему предоставили работу. Уокер посоветовала быть с ним предельно осторожными, а в случае необходимости вызвать полицию. В тот вечер Аннет с мужем все же удалось доставить его к ней на прием. Они были страшно расстроены и отчаянно молили о помощи.

Уокер отметила, что Рон, не находясь под защитой медикаментов, дезориентирован, подвержен маниям, оторван от реальности и совершенно не способен позаботиться о себе. Она сомневалась, что он сможет жить один, даже если снова начнет принимать лекарства, и рекомендовала «длительное пребывание в стационаре, необходимость чего вызвана снижением его интеллектуальных способностей и неуправляемостью поведения».

Вся троица вышла из кабинета, не имея ни плана действий, ни лекарств. Рон слонялся по Аде и наконец пропал. Однажды вечером, когда Гэри Симмонс сидел у себя дома, в Чикасе, с двумя друзьями, в дверь позвонили. Он открыл — в дом ворвался его зять и рухнул на пол в гостиной.

— Мне нужна помощь, — без конца повторял Рон. — Я сумасшедший, и мне нужна помощь. — Небритый, грязный, со спутанными волосами, он даже не понимал толком, где находится. — Я больше так не могу, — жаловался он.

Гости Гэри не знали Рона и были шокированы его появлением и его отчаянием. Один тут же ушел, другой остался. В конце концов Рон затих и впал в подобие летаргии. Гэри пообещал Рону, что придумает, как ему помочь, и они с другом посадили его в машину. Первую остановку Гэри сделал возле ближайшей больницы, откуда их направили в Центр психического здоровья. Оттуда их послали в Норман, в Центральную клинику штата. По дороге Рон почти впал в ступор, в какой-то момент он лишь выдавил из себя, что умирает от голода. Гэри знал местечко, славившееся тем, что там подавали огромные порции свиных ребрышек, но когда они подъехали к нему и остановились, Рон спросил:

— Где мы?

— Мы собираемся здесь поесть, — ответил Гэри. Рон поклялся, что совершенно не голоден, поэтому они поехали дальше, в Норман.

— Зачем мы там останавливались? — спросил Рон.

— Затем, что ты сказал, будто очень голоден.

— Я этого не говорил. — Видно было, что действия Гэри его раздражают.

За несколько миль до Нормана Рон снова объявил, что хочет есть. Гэри увидел «Макдоналдс» и остановился.

— Где мы? — спросил Рон.

— Мы собираемся здесь перекусить, — терпеливо объяснил Гэри.

— Почему?

— Потому что ты сказал, что голоден.

— Я не голоден. Нельзя ли поскорее ехать в больницу?

Они снова тронулись в путь. При въезде в Норман Рон опять заявил, что проголодался. Гэри терпеливо отыскал другой «Макдоналдс», но Рон, что уже никого не удивило, опять спросил, зачем они все время останавливаются.

Последняя перед больницей остановка была на заправочной станции «Викерс», что на Мэйн-стрит. Гэри вышел и вернулся с двумя шоколадными батончиками, которые Рон тут же схватил и проглотил, почти не жуя. Гэри и его друг поразились тому, как мгновенно он их слопал.

В Центральной больнице Рон то выходил из ступора, то снова впадал в него. Врач, который его осматривал, ничего не смог сделать — Рон был не способен к общению. Как только доктор вышел из кабинета, Гэри принялся отчитывать шурина.

Рон стоял напротив него, застыв с согнутыми руками, в нелепой позе культуриста, и слушал с безучастным выражением лица. Гэри пытался достучаться до него, но Рон словно бы отсутствовал. Прошло десять минут, Рон не шелохнулся. Вперив взор в потолок, он не издавал ни звука, ни один мускул не дрогнул на его лице. Минуло двадцать минут, Гэри едва сдерживался, чтобы не взорваться. Полчаса спустя Рон сменил позу, но по-прежнему молчал.

К счастью, вскоре появились санитары и увели его в палату. Врачу Рон сказал: «Я захотел приехать сюда, потому что мне сейчас нужно какое-то пристанище». Ему начали давать литий от депрессии и наван — средство, которое используют для выведения шизофреников из психопатических состояний. Но он, как только немного пришел в себя, тут же выписался из больницы вопреки советам врачей и через несколько дней вернулся в Аду.

В следующий раз зять повез Рона в Даллас, в христианскую миссию, специализировавшуюся на реабилитации бывших заключенных и наркоманов. Там его принял духовник Гэри, исполненный желания помочь. Поговорив с Роном, он конфиденциально сообщил Гэри: «Свет в доме его души еще горит, но дома никого нет».

Рону предоставили комнату в миссии. Прощаясь, Гэри сунул ему пятьдесят долларов, что являлось нарушением правил, чего он, впрочем, не знал, и вернулся в Оклахому. Вслед за ним — и Рон. Через несколько часов после того, как поселился в предоставленной комнате, он купил на эти деньги билет на автобус и прибыл в Аду вскоре после Гэри.

Затем его положили в Центральную больницу штата принудительно. 21 марта, через девять дней после выписки оттуда, Рон предпринял попытку самоубийства, проглотив разом двадцать таблеток навана. Как он объяснил потом медсестре, причиной послужило то, что он находился в состоянии депрессии из-за невозможности найти работу. Его привели в стабильное состояние и назначили правильный курс лечения, который он самовольно прервал на третий день. Врачи пришли к выводу, что он представляет угрозу для себя самого и для окружающих, и рекомендовали четырехнедельный курс лечения в стационаре Центральной больницы. 24 марта он выписался оттуда.

По возвращении в Аду Рон нашел комнатенку в маленьком доме на Двенадцатой улице, в западном секторе города. Там не было ни кухни, ни водопровода. Чтобы помыться, он поливал себя из шланга на заднем дворе. Аннет носила ему еду и пыталась заботиться о нем. Однажды, придя к брату, она обнаружила, что у того кровоточат запястья. Рон признался, что сделал надрезы бритвой, чтобы испытать такие же страдания, какие причинил другим. Сказал, что хотел умереть и воссоединиться с родителями, которым принес столько горя. Аннет умоляла его поехать к врачу, но он отказался. Отказался он также отправиться в очередной раз в Центр психического здоровья.

Никаких лекарств он тогда не принимал.

Старик — хозяин дома неплохо относился к Рону: арендная плата была чисто символической, а порой Рон жил и вовсе бесплатно. В гараже стояла допотопная газонокосилка без одного колеса. Рон таскал ее по улицам, стриг газоны за пять долларов и отдавал деньги владельцу дома.

4 апреля в полицию Ады поступил звонок из дома на западном конце Десятой улицы. Хозяин дома сообщил дежурному, что должен уехать из города, но опасается за безопасность семьи, поскольку Рон Уильямсон ошивается по ночам неподалеку. Этот человек явно знал Рона и внимательно за ним наблюдал. Он заявил, что Рон четыре раза подходил к ночному магазину «Серкл кей» и два или три — к «Давз», и все это за одну ночь.

Полицейский отнесся сочувственно — все знали о странностях поведения Рона, — но напомнил, что не существует закона, запрещающего ходить по улицам после полуночи. Однако пообещал внимательно присматривать за округой.

10 апреля, в три часа утра, в участок позвонила продавщица из «Серкл кей». Рон Уильямсон несколько раз заходил в магазин и вел себя чрезвычайно странно. Пока приехавший офицер Джефф Смит составлял на месте протокол, Рон появился в магазине снова. Смит попросил Ронни уйти, тот безропотно повиновался.

Через час Рон явился в тюрьму, позвонил у ворот и заявил, что желает сознаться в нескольких совершенных им в прошлом преступлениях, а именно: в краже кошелька четырьмя годами раньше в «Каретном фонаре», в краже ружья из дома, в том, что трогал девушек за интимные места, а также в избиении и попытке изнасилования девушки в Ашере. Однако в следующую минуту он от своих «признаний» отказался и покинул тюрьму. Как-то ночью патрульный офицер Рик Карсон нагнал его в нескольких кварталах от дома. Рон попытался объяснить, что он делает на улице в столь поздний час, но не сумел, путался в словах. Наконец заявил, что искал, не требуется ли кому-нибудь подстричь газон. Карсон предложил Рону вернуться домой, поскольку такую работу легче найти в дневное время суток.

13 апреля Рон сам отправился в психиатрическую клинику и перепугал там всех служащих, один из которых впоследствии охарактеризовал его как «перевозбужденного». Рон требовал встречи с доктором Сноу и рвался по коридору в ее кабинет. Когда ему сказали, что доктора там нет, он опять же безропотно ушел.

Еще три дня спустя вышла книга «Сны Ады».

Как бы ни хотелось полиции повесить на Рона Уильямсона убийство Дебби Картер, не хватало доказательств. К концу весны 1987 года улик у нее было не намного больше, чем летом 1983-го. Анализ образцов волос был наконец — через два года после убийства — закончен в лаборатории Оклахомского отделения ФБР. Некоторые образцы, взятые у Рона и Денниса, оказались «структурно сопоставимы» под микроскопом с кое-какими волосками, найденными на месте преступления, но лабораторное сравнение волос не считалось сколько-нибудь надежным доказательством.

Перед обвинением стояла одна существенная преграда: кровавый отпечаток ладони на куске штукатурки «Шитрок», вырезанном из стены в спальне Дебби Картер. В начале 1983 года Джерри Питерс из Оклахомского отделения ФБР тщательно исследовал его и пришел к заключению, что он не принадлежал ни Деннису Фрицу, ни Рону Уильямсону. Не принадлежал он и Дебби Картер. Это был отпечаток, оставленный убийцей.

Но что, если Джерри Питерс ошибся или, быть может, в спешке что-нибудь упустил? Если бы оказалось, что отпечаток на самом деле принадлежал Дебби Картер, то Фрица и Уильямсона нельзя было бы исключать из списка подозреваемых.

Питерсон ухватился за идею эксгумации тела и нового изучения отпечатка ладоней жертвы. При везении ее руки окажутся не слишком разложившимися, и новый отпечаток, исследованный, возможно, в ином ракурсе, сможет дать информацию, которая окажет огромную помощь следствию и позволит наконец предать убийц в руки правосудия.

Деннис Смит позвонил Пегги Стиллуэлл и попросил зайти в полицейский участок, отказавшись, однако, сообщить зачем. Она привычно подумала, что в деле, вероятно, наконец наметился сдвиг. Когда она пришла, за столом сидел Билл Питерсон, перед ним лежал лист бумаги. Агент объяснил, что они хотят эксгумировать тело Дебби, для чего нужно официально подписанное согласие Пегги. Чарли Картер уже, мол, заезжал и свою подпись поставил.

Пегги пришла в ужас. Идея о том, чтобы потревожить прах дочери, шокировала ее. Она сказала «нет», но Питерсон был к этому готов. Он продолжал давить, методично атакуя вопросом: неужели Пегги не хочет, чтобы дело было раскрыто? Разумеется, хочет, но разве нет иных способов? Нет. Если она желает, чтобы убийцу Дебби нашли и отдали под суд, она должна согласиться на эксгумацию. Несколько минут спустя Пегги нацарапала свою подпись, поспешно покинула участок и поехала к сестре, Гленне Лукас.

Она рассказала сестре о своем разговоре с Биллом Питерсоном и планах эксгумации тела. Пегги была взволнованна и теперь почти мечтала снова увидеть тело дочери. «Я смогу прикоснуться к ней и еще раз увидеть ее», — повторяла она.

Гленна не разделяла ее энтузиазма и не была уверена, что желание подобным образом вновь воссоединиться с дочерью можно назвать здоровым. К тому же у нее были большие сомнения относительно людей, ведущих расследование. За четыре с половиной года, минувших со дня убийства, ей довелось несколько раз беседовать с Биллом Питерсоном.

Пегги все еще оставалась в смятенном душевном состоянии, она так и не смогла смириться со смертью дочери, поэтому Гленна неоднократно просила Питерсона и полицейских фильтровать любую информацию о ходе расследования через нее, Гленну, или других членов семьи, потому что Пегги сама не могла эмоционально справиться с внезапными поворотами в деле и нуждалась в помощи сестры.

Гленна немедленно позвонила Биллу Питерсону и потребовала рассказать, что он задумал. Тот объяснил, что эксгумация необходима, если семья хочет, чтобы Рон Уильямсон и Деннис Фриц предстали перед судом. До сих пор кровавый отпечаток ладони мешал этому, но если удастся доказать, что он принадлежит Дебби, расследование дела против Фрица и Уильямсона можно будет ускорить.

Гленна недоумевала: откуда Питерсон заранее знает, каков будет результат повторного исследования отпечатка, если тело еще даже не эксгумировали? И как он может быть совершенно уверен, что эксгумация даст улики, достаточные, чтобы обвинить именно Фрица и Уильямсона?

Пегги, теперь уже одержимая желанием снова увидеть дочь, как-то сказала сестре: «Я забыла, как звучит ее голос». Билл Питерсон пообещал Гленне, что эксгумация будет проведена быстро и закончится прежде, чем кто бы то ни было узнает о ней.

Пегги выходила на своей остановке «Брокуэй глас», когда к ней подошел коллега и спросил, не знает ли она, что происходит на Роуздейлском кладбище неподалеку от могилы Дебби. Она тут же повернула обратно и вместо того, чтобы идти на фабрику, помчалась на другой конец города, но нашла лишь пустую могилу. Ее дочь уже увезли.

Первый комплект отпечатков ладоней был взят агентом Оклахомского отделения ФБР Джерри Питерсом 9 декабря 1982 года во время вскрытия. В то время руки Дебби находились в идеальном состоянии, и Питерс не сомневался, что сделал полные и четкие отпечатки. Составляя заключение три месяца спустя, он был совершенно уверен, что кровавый след ладони на стене не был оставлен ни Фрицем, ни Уильямсоном, ни жертвой.

Однако теперь, спустя четыре с половиной года, поскольку убийство так и не было раскрыто, а власти ожидали решительного прорыва в расследовании, он вдруг начал «сомневаться» в собственных прошлых выводах. Через три дня после эксгумации он написал новое заключение, в котором утверждал, что кровавый отпечаток на стене соответствует ладони Дебби Картер. Впервые за всю свою двадцатичетырехлетнюю карьеру Джерри Питерс изменил собственное мнение.

Пересмотренное заключение было именно таким, какое требовалось Биллу Питерсону. Вооруженный доказательством, что отпечаток ладони не принадлежит какому-то безвестному убийце, а оставлен Дебби в процессе борьбы за жизнь, он имел теперь полное право открыть охоту на своих изначальных подозреваемых. И здесь было очень важно подогреть ненависть горожан — потенциальных присяжных.

Несмотря на обещание не разглашать как сам факт эксгумации, так и связанные с ним подробности, Питерсон дал интервью «Ада ивнинг ньюз». «То, что мы обнаружили, подтвердило наши подозрения», — процитировала его слова газета.

Что именно было обнаружено, Питерсон уточнить отказался, зато некий «источник» с готовностью рассказал все: «Тело эксгумировали, чтобы повторно снять отпечаток ладони убитой и сравнить его с кровавым следом, оставленным на стене в ее квартире. Исключить вероятность того, что этот след принадлежит кому-то иному, а не жертве, чрезвычайно важно для следствия».

«Теперь я с большим энтузиазмом смотрю на перспективу раскрытия этого дела», — сказал Питерсон.

И получил ордера на арест Рона Уильямсона и Денниса Фрица.

8 мая, в пятницу утром, Рик Карсон увидел Рона, катившего свою газонокосилку о трех колесах по улице в западной части города. Они перекинулись несколькими словами. Рон, с длинными нечесаными волосами, без рубашки, в рваных джинсах и кроссовках, выглядел, по обыкновению, затрапезно. Он хотел, чтобы город дал ему какую-нибудь работу, и Рик пообещал заехать к нему и принять заявку. Рон сказал, что будет ждать его вечером дома.

Карсон сообщил своему лейтенанту, что подозреваемый наверняка будет у себя в квартире на Западной Двенадцатой улице попозже вечером. Предстояло задержание, и Рик попросил разрешить ему в нем участвовать. Если Рон станет буйствовать, он как приятель Ронни хотел сам аккуратно обеспечить всем безопасность. Но вместо этого арестовывать Рона послали четырех других полицейских, включая Майка Баскина.

Рона доставили в тюрьму без осложнений. На нем были те же джинсы и кроссовки и по-прежнему не было рубашки. Уже в тюрьме Майк Баскин зачитал ему его права и спросил, готов ли он говорить. Конечно, почему бы нет? В допросе принял участие детектив Джеймс Фокс.

Рон упорно повторял, что никогда не был знаком с Дебби Картер, ни разу не был в ее квартире и, насколько помнит, никогда даже не видел эту девушку. Он ни разу не дрогнул, несмотря на то что полицейские орали на него и запугивали, утверждая, будто знают наверняка, что он виновен.

Рона поместили в окружную тюрьму. К тому времени он уже минимум месяц не принимал никаких лекарств.

Деннис Фриц жил с матерью и теткой в Канзас-Сити и занимался покраской домов. Из Ады он давно уехал. Его дружба с Роном Уильямсоном осталась далеко позади. За последние четыре года он не разговаривал ни с одним детективом и почти забыл об убийстве Картер.

Поздно вечером 8 мая он в одиночестве смотрел телевизор. После долгого рабочего дня он даже не успел еще снять грязную спецодежду. Вечер выдался теплым, все окна были открыты. Зазвонил телефон, и неизвестный женский голос спросил:

— Деннис Фриц дома?

— Это я, — ответил он, но женщина повесила трубку. Вероятно, ошиблась номером, или это фортели его бывшей жены. Он вернулся к телевизору. Мать и тетка уже спали в дальних комнатах. Было около половины двенадцатого.

Спустя четверть часа Фриц услышал, как где-то неподалеку хлопнули дверцы сразу нескольких машин, встал, босиком подошел к входной двери и увидел через стекло двигавшуюся через газон небольшую армию в полной боевой готовности, вооруженную до зубов, в черном обмундировании. «Какого черта?» — подумал он. На миг ему пришло в голову: «Не позвонить ли в полицию?»

Раздался звонок, и, когда он открыл, двое полицейских в штатском схватили его, выволокли наружу и спросили:

— Вы Деннис Фриц?

— Да, я.

— Тогда вы арестованы по подозрению в убийстве первой степени! — прорычал один из них, в то время как другой защелкнул у него на запястьях наручники.

— О каком убийстве вы толкуете? — спросил Деннис, и в голове у него пронеслось: «Интересно, сколько Деннисов Фрицев живет в Канзас-Сити? Разумеется, они схватили не того».

В дверях появилась его тетка, увидела надвигавшуюся на Денниса группу захвата с автоматами, и с ней случилась истерика. Мать Денниса выскочила из своей комнаты, когда полицейские вошли в квартиру, чтобы «обеспечить безопасность», хотя на ее вопрос, чью, собственно, безопасность собирались обеспечивать, вразумительного ответа дать не смогли. Никакого огнестрельного оружия у Фрица не имелось, никаких других известных или предполагаемых убийц в доме не было, но спецподразделение действовало в соответствии с предписанной процедурой.

Уверенный, что его тут же, перед входной дверью, расстреляют, Деннис поднял голову и увидел плывшую ему навстречу белую ковбойскую шляпу. По подъездной аллее приближались две фигуры из его былого кошмара — Деннис Смит и Гэри Роджерс, довольные, с мерзопакостными улыбками до ушей. Они с удовольствием присоединились к шумному действу.

«Ах, так это снова из-за того убийства!» — сообразил Деннис. Два ковбоя из крохотного городка переживали свой звездный час: по их указанию летучая группа захвата из Канзас-Сити проводила драматическое, но бессмысленное задержание.

— Можно мне надеть туфли? — спросил Деннис. Копы неохотно разрешили.

Фрица посадили на заднее сиденье полицейской машины, рядом разместился экстатически возбужденный Деннис Смит. За рулем сидел один из канзасских детективов. Когда машина тронулась, Деннис Фриц посмотрел в окно на обвешанных оружием парней из группы захвата и подумал: «Как глупо, ведь любой вольнонаемный сотрудник полиции мог без труда арестовать меня в ближайшей продуктовой лавке!» Как ни был он ошеломлен своим арестом, но не мог не усмехнуться, увидев, сколь обескураженно выглядели канзасские спецназовцы.

Последним, что запечатлелось в памяти, была его мать, стоявшая на крыльце и обеими ладонями закрывавшая рот, чтобы не дать вырваться крику отчаяния.

Его отвезли в один из полицейских участков Канзас-Сити и препроводили в маленький кабинет для допросов. Смит и Роджерс исполнили процедуру «Права Миранды», после чего объявили, что ждут от него признания. Помня об Уорде и Фонтено, Деннис был решительно настроен ничего им не говорить. Смит вел себя исключительно доброжелательно, словно приятель, которому действительно нужна лишь помощь. Роджерс был намеренно груб — ругался и угрожал, постоянно толкая Денниса в грудь.

Со времени серии их последних встреч прошло четыре года. В июне 1983-го, когда Деннис «с треском провалил» второе испытание на полиграфе, Смит, Роджерс и Физерстоун промурыжили его в полуподвале полицейского управления Ады еще три часа, пытаясь вырвать признание. Они ничего не добились тогда, не добьются и теперь.

Роджерс ярился. Все эти годы копы знали, что Фриц и Уильямсон изнасиловали и убили Дебби Картер, теперь преступление можно считать раскрытым, и единственное, что еще требовалось, так это признание обвиняемого.

— Мне не в чем признаваться, — твердил Фриц. — Какие у вас доказательства? Покажите мне ваши улики.

Роджерс любил повторять: «Ты оскорбляешь мой разум», — и каждый раз Фрица подмывало спросить: «Какой такой разум?» — но он не хотел схлопотать в челюсть.

После двух часов измывательств Фриц наконец сказал:

— Ладно, я признаюсь.

Копы вздохнули с облегчением: доказательств нет никаких, но, получив признание, они закроют это дело. Смит метнулся искать диктофон. Роджерс поспешно приготовил блокнот и запасся несколькими ручками — на всякий случай.

Когда все расселись по местам, Фриц, уставившись в диктофон, произнес:

— Ну, вот вам правда. Я не убивал Дебби Картер и ничего не знаю о ее убийстве.

Смит и Роджерс взорвались — снова посыпались угрозы и оскорбления. Фриц был ошеломлен и напуган, но держался твердо. Он утверждал, что невиновен, и в конце концов полицейским пришлось прервать допрос. Фриц отказался от экстрадиции в Оклахому и остался в канзасской тюрьме ждать дальнейшего развития событий.

В ту же субботу, попозже, Рона привезли из тюрьмы в полицейский участок и учинили новый допрос. Смит и Роджерс, вернувшиеся после театрального ареста Фрица, уже ждали его. Главная задача состояла в том, чтобы разговорить Уильямсона.

Тактику допроса определили еще до ареста. Поскольку незадолго до того вышла книга «Сны Ады», в которой критиковались методы Смита и Роджерса, было решено, что Смита, жителя Ады, заменит Расти Физерстоун, живший в Оклахома-Сити, а также что видеозапись делать не следует.

Деннис Смит находился в здании, но держался поодаль от комнаты допросов. Более четырех лет ведя расследование и большую часть этого времени будучи уверен, что Уильямсон виновен, он тем не менее счел за благо не участвовать в решающем допросе.

Полицейский департамент Ады был отлично оснащен аудио- и видеозаписывающей аппаратурой и часто ею пользовался. Допросы, а особенно признания почти всегда фиксировались на пленке. Полиции было хорошо известно, какое сильное впечатление записи признаний производят на присяжных. Достаточно спросить об этом у Уорда и Фонтено. Четырехлетней давности проверка Рона на полиграфе тоже была записана Физерстоуном здесь же, в Полицейском управлении Ады.

Если признательные показания не снимались на видеопленку, они почти всегда записывались на магнитофон, которых у полиции было предостаточно.

А когда не использовалась ни аудио-, ни видеотехника, подозреваемого, если он умел читать и писать, обычно просили лично изложить свою версию событий на бумаге. Если же подозреваемый оказывался неграмотным, детектив записывал показания с его слов, зачитывал их ему и просил подписать.

9 мая не был применен ни один из этих методов. Уильямсон, который был не только грамотен, но и обладал словарным запасом, куда более богатым, чем у любого из двух допрашивавших его полицейских, видел, что Физерстоун делал заметки. Он сказал, что понял свои права, и согласился говорить.

Полицейская версия выглядела следующим образом:

> Уильямсон: «Хорошо, 8 декабря 1982 года... Я часто слонялся возле «Каретного фонаря» и был там как-то вечером — ждал девушку, хорошенькую девушку, хотел пойти за ней, когда она отправится домой».
>
> Уильямсон сделал паузу, потом вроде бы хотел сказать что-то, начинающееся с буквы «Ф», но снова замолчал, потом продолжил: «Я подумал: «А что, если этим вечером случится что-то плохое?» — и проводил ее».
>
> Потом Уильямсон опять помолчал и стал рассказывать о том, как он украл стереопроигрыватель. Потом Уильямсон сказал: «Я был с Деннисом, и мы поехали в «Холидей инн» и сказали девушке, что у нас в машине есть бар, и она села к нам в машину».

Уильямсон говорил отрывочными бессвязными фразами, уходил в сторону, и агент Роджерс попросил Уильямсона сосредоточиться и вернуться к делу Дебби Картер.

Уильямсон сказал: «Хорошо, мне снилось, что я убил ДЕББИ, сидел на ней, обматывал ей шею проводом, вонзал в нее нож, много раз, затягивал веревку у нее на шее».

И далее добавил: «Меня тревожит, как это скажется на моей семье. — А потом сказал: — Моя мать уже мертва».

Агент Роджерс спросил Уильямсона, были ли они с Деннисом в тот вечер в «Каретном фонаре», и Уильямсон ответил: «Да». Агент Физерстоун спросил Уильямсона: «Вы пошли туда с намерением убить ее?» Уильямсон ответил: «Возможно».

Агент Физерстоун спросил: «Почему?»

Уильямсон ответил: «Она меня бесила».

Агент Физерстоун спросил: «Что вы имеете в виду? Она плохо с вами обращалась? Доставляла вам неприятности?»

Уильямсон ответил: «Нет».

Потом Уильямсон помолчал и добавил: «О Господи, вы не должны заставлять меня признаваться! У меня же семья, я должен защитить своих племянников. Моя сестра, это ее убьет. Я не могу причинить боль своей матери теперь, когда она мертва. Я думаю об этом с того дня, как это случилось».

Приблизительно в 19.38 Уильямсон сказал: «Если вы собираетесь пытать меня на этот счет, мне нужен Теннер из Талсы. Нет, мне нужен Дэвид Моррис».

Упоминание об адвокате испугало детективов, и они, приостановив допрос, позвонили Дэвиду Моррису. Тот велел немедленно прекратить допрашивать Рона.

Показания Роном подписаны не были. Ему их даже не показали.

Оснащенное еще одним «сонным признанием» дело начало потихоньку складываться, на радость полицейским и прокурорам. На примере Уорда и Фонтено они убедились, что недостаток физических улик не является помехой в случае острой необходимости предъявить обвинение. Даже тот факт, что Дебби Картер вовсе не была заколота ножом, особого значения не имел. Присяжные все равно вынесут нужный вердикт, если их должным образом шокировать.

Если одно «сонное признание» помогло арестовать Уильямсона, то второе, вдобавок к нему, уж наверняка обеспечивало ему пожизненное место в тюрьме. Спустя несколько дней надзиратель по имени Джон Кристиан остановился возле камеры Уильямсона. Они с Роном выросли в одном районе. В семье Кристиана было полно мальчишек, один из которых являлся ровесником Рона, и его часто приглашали к Уильямсонам на обед или ужин. Они вместе играли в бейсбол и на улице, и в младшей лиге, вместе ходили в школу в Бинге.

Лишенный врачебного наблюдения, не принимавший лекарств, Рон представлял собой далеко не образцового заключенного. Понтотокская окружная тюрьма — бетонный бункер без окон, по непонятной причине выстроенный на западной лужайке здания суда. Потолки в камерах низкие, атмосфера скученная, вызывающая клаустрофобию, и когда кто-нибудь кричит, это слышно всем. Рон кричал часто. А если не кричал, то пел, плакал, завывал, жаловался или иным, но тоже шумным способом выражал протест против обвинения его в убийстве Дебби Картер или произносил напыщенные речи о своей невиновности. Его поместили в одну из двух одиночек, расположенную как можно дальше от переполненной общей каталажки, но тюрьма была такой маленькой, что Рон нарушал тишину, где бы ни находился.

Только Джон Кристиан мог его успокоить, и остальные обитатели каземата попросили вызвать его. Сразу по прибытии Кристиан отправился в камеру Рона и утихомирил его. Они поговорили о старых деньках, о том, как вместе росли, играли в мяч, о тогдашних общих друзьях. Поговорили они и о деле Картер, о том, как несправедливо обвинять Рона в ее убийстве. Часов восемь Рон вел себя тихо. Его одиночная камера представляла собой крысиную нору, но он умудрялся в ней спать и даже читать. Прежде чем смениться с дежурства, Кристиан наведался к Рону, который обычно мерил шагами камеру, курил и заводил себя, чтобы, как только придет другой охранник, начать новый тур.

Поздно вечером 22 мая Рон проснулся, узнал, что Кристиан уже на выходе из тюрьмы, и попросил вернуть его, потому что хотел поговорить с ним об убийстве. Он сказал, что прочел «Сны Ады» и тоже мог бы сделать свое «сонное признание». По словам Кристиана, Рон сказал ему: «Ты только представь себе: я увидел во сне то, что вроде бы произошло. Только представь: я живу в Талсе, целыми днями пью и глотаю «колеса», и вот поехал я в пивнушку «Каретный фонарь» и, представь себе, выпил там еще и немного захмелел. И вообрази себе, в конце концов каким-то образом оказался под дверью Дебби Картер. Постучал. Она сказала: «Минутку, я говорю по телефону». И я, представь себе, выломал дверь, изнасиловал ее и убил». Потом Уильямсон сказал: «Тебе не кажется, что если бы я действительно был тем, кто ее убил, то занял бы денег у друзей и смылся из города?»

Кристиан не придал никакого значения этому разговору, но пересказал его своему коллеге-офицеру. Тот — кому-то еще, и в конце концов слух дошел до Гэри Роджерса. Детектив увидел шанс получить дополнительную улику. Два месяца спустя он попросил Кристиана повторить то, что поведал ему Рон, отпечатал это на машинке, добавил кавычки, где посчитал нужным, и таким образом полиция и прокуратура обрели второе «сонное признание». В нем не было ни единого слова, касавшегося многочисленных заявлений Рона о том, что он не имеет ни малейшего отношения к преступлению.

Рон не жил в Талсе в момент убийства. У него не было ни машины, ни водительских прав. Но факты, как уже повелось, никого не интересовали.

ГЛАВА СЕДЬМАЯ

Аннет Хадсон и Рини Симмонс ошеломила новость о том, что их брат арестован и ему предъявлено обвинение в убийстве. С момента выхода из тюрьмы в октябре прошлого года его стремительно ухудшавшееся душевное и физическое здоровье чрезвычайно тревожило их, но они и понятия не имели о том, что над ним все еще нависает и обвинение в убийстве. Слухи бродили по городу уже несколько лет, однако прошло столько времени, семья решила, что полиция давно нашла других подозреваемых и занята другими делами. Двумя годами раньше Хуанита, умирая, не сомневалась, что дала Деннису Смиту неопровержимое доказательство того, что Рон не мог иметь к убийству никакого отношения. Аннет и Рини тоже в это верили.

Обе сестры жили скромно — заботились о своих семьях, время от времени работали, исправно платили по счетам и, когда было возможно, понемногу экономили. У них не было денег, чтобы нанять адвоката по уголовным делам. Аннет поговорила с Дэвидом Моррисом, но тот не проявил интереса к делу. Джон Теннер жил в Талсе — слишком далеко и слишком дорого.

Хотя из-за Рона им несколько раз приходилось близко сталкиваться с судебной системой, они оказались не готовы к внезапному аресту и необходимости защиты от обвинения в убийстве. Друзья отдалились от них. За их спинами шушукались, на них глазели. Одна приятельница сказала Аннет:

— Это не твоя вина. Ты ничего не можешь поделать с тем, что натворил твой брат.

— Мой брат невиновен! — выпалила та в ответ.

Они с Ринни повторяли это всем и везде, но мало кто хотел это слышать. Какая уж тут презумпция невиновности! Копы, мол, знают, что делают; зачем бы им арестовывать Рона, если тот невиновен?

Майкл, сын Аннет, в то время пятнадцатилетний недоросль, невыносимо страдал, когда в классе обсуждались местные события, среди которых центральное место занимал, разумеется, арест Рона Уильямсона и Денниса Фрица по обвинению в убийстве. Поскольку его фамилия была Хадсон, никто из одноклассников не знал, что один из арестованных — дядя Майкла, но класс был решительно настроен против «убийц». Аннет на следующее утро отправилась в школу и решила проблему. Учительница принесла ей искренние извинения и пообещала следить, чтобы эта тема в классных дискуссиях больше не возникала.

Рини и Гэри Симмонс жили в Чикасе, в часе езды от Ады, и отдаленность от места событий давала им некоторое преимущество. Аннет же, которая никогда не покидала Аду, но теперь почти мечтала сбежать из нее, была вынуждена оставаться, чтобы поддерживать своего «маленького братишку».

В воскресенье 10 мая «Ада ивнинг ньюз» вышла с первой полосой, полностью посвященной двум последним арестам, и фотографией Дебби Картер. Большую часть подробностей сообщил газете Билл Питерсон. Он подтвердил, что была проведена эксгумация тела, доказавшая, что таинственный отпечаток на самом деле принадлежал жертве. Он утверждал, будто Фриц и Уильямсон уже более года считались подозреваемыми, но не объяснял почему. Относительно самого расследования он сказал: «Мы раскрутили эту ниточку до конца еще полгода назад и только решали, как всем этим распорядиться».

Особый интерес представляла новость о том, что в расследовании участвовало и ФБР. Два года назад полиция Ады обратилась туда с просьбой о содействии. В ФБР изучили улики и снабдили полицию психологическими портретами убийц, хотя об этом Питерсон умолчал.

На следующий день, в понедельник, на первой полосе снова появилась статья, на сей раз обливавшая грязью Рона и Денниса. Но даже независимо от ее содержания на помещенных тут же фотографиях они выглядели такими злодеями, что других доказательств их вины и не требовалось.

В этой статье повторялись основные сведения из предыдущей публикации: оба мужчины арестованы по обвинению в изнасиловании первой степени, изнасиловании с применением разного рода предметов и убийстве первой степени. Странно, но «официальные лица» не сообщили, признали ли арестованные свою вину. Однако местные репортеры, очевидно, так привыкли к признаниям, что те считались само собой разумеющимися.

Хотя полицейские умолчали о первом «сонном признании» Рона, они обнародовали письменное заключение, послужившее основанием для выдачи ордера на арест. В статье приводилась цитата из этого заключения: «...исследование под микроскопом лобковых волос и волос с головы, найденных на теле мисс Картер и в ее постели, показало, что они принадлежат Роналду Киту Уильямсону и Деннису Фрицу».

И оба арестованных имели, разумеется, длинный уголовный «послужной список». На счету Рона пятнадцать мелких правонарушений — вождение в пьяном виде и тому подобное — плюс мошенничество в форме подделки финансового документа, за которое он получил тюремный срок. У Фрица — две отсидки за вождение в нетрезвом состоянии, несколько нарушений дорожных правил плюс давнее дело об употреблении марихуаны.

Билл Питерсон снова подтвердил, что тело подверглось эксгумации, чтобы заново снять отпечаток ладони, который совпал с отпечатком, найденным на стене в квартире жертвы. И добавил, что оба арестованных «являлись подозреваемыми по этому делу уже более года».

Статья заканчивалась напоминанием о том, что «мисс Картер умерла от асфиксии, когда ей во время изнасилования засунули в горло тряпку для мытья посуды».

В тот же понедельник Рона перевели через лужайку из тюрьмы в здание суда — расстояние шагов в пятьдесят, — и он впервые предстал перед Джоном Дэвидом Миллером — полицейским судьей, проводившим предварительные слушания. Рон сказал, что у него нет адвоката и что он вряд ли может себе позволить нанять его, после чего был препровожден обратно в тюрьму.

Несколькими часами позже его сокамерник по имени Микки Уэйн Харрелл якобы слышал, как Рон, рыдая, говорил: «Прости меня, Дебби!» Об этом было немедленно доложено надзирателю. Потом Рон якобы попросил Харрелла сделать ему на руке татуировку «Рон любит Дебби».

С прибавившимся к тюремному реестру новым горяченьким уголовным делом по камерам поползли слухи. Доносы осведомителей — неотъемлемая часть тюремной жизни, поскольку они всегда на руку полиции, — посыпались всерьез. Кратчайший путь к свободе или по крайней мере способ смягчить наказание — это подслушать или придумать якобы подслушанное прямое или косвенное признание «важного» сокамерника и постараться выторговать за него у прокурора какое-нибудь послабление. В большинстве тюрем доносительство подобного рода случается редко, так как информаторы опасаются возмездия со стороны сокамерников. В Аде оно широко практиковалось, потому что отлично срабатывало.

Два дня спустя Рона опять отвели в суд, чтобы выяснить вопрос о защите его прав. Он снова предстал перед судьей Джоном Дэвидом Миллером, но все с самого начала пошло не так. По-прежнему лишенный медикаментозной поддержки, Рон вел себя шумно, агрессивно и сразу же начал кричать: «Я не совершал этого убийства! Я чертовски устал ни за что сидеть в тюрьме! Мне очень жаль мою семью, но...»

Судья Миллер пытался урезонить его, но Рон не желал молчать. «Я ее не убивал. И не знаю, кто ее убил. Моя мать была в то время еще жива, и она знала, где я тогда находился».

Судья Миллер попробовал объяснить Рону, что цель данного слушания состоит не в том, чтобы дать подсудимому высказаться по существу дела, — Рон его не слушал. «Я желаю, чтобы с меня сняли обвинение, — повторял он снова и снова. — Это же смешно».

Судья Миллер спросил, понимает ли он, в чем его обвиняют, на что Рон ответил: «Я невиновен, никогда не был с ней в общей компании и никогда не сидел с ней в одной машине».

После того как ему под протокол зачитали его права, Рон продолжил свою тираду: «Я трижды сидел в тюрьме, и трижды на меня пытались повесить это убийство».

Когда прозвучало имя Денниса Фрица, Рон тут же вмешался: «Этот парень не имеет ко всему этому никакого отношения. Я знавал его в те времена. Его вообще не было в "Каретном фонаре"».

Наконец судья принял к сведению заявление подсудимого о своей невиновности, и Рона, отчаянно ругавшегося, увели. Аннет, наблюдая за всем этим, горько плакала.

Она ходила в тюрьму каждый день, иногда, если позволяли надзиратели, по два раза в день. Она знала большинство из них, и все они знали Ронни, так что порой немного отступали от правил, разрешая более частые визиты.

Рон был не в себе, он не принимал никаких лекарств и нуждался во врачебной помощи. Он злился и негодовал из-за того, что его арестовали по обвинению в преступлении, к которому он не имел ни малейшего отношения. И еще он испытывал унижение. Четыре с половиной года он жил под подозрением, будто совершил неслыханное по своей жестокости убийство. Это само по себе было достаточно тяжело. Ада — его родной город, здесь кругом — его знакомые, его нынешние или бывшие друзья, люди, на чьих глазах он вырос, исправно посещая церковь, болельщики, которые помнят его как великолепного спортсмена. Шепот за спиной, косые взгляды — все это было чрезвычайно для него болезненно, но он терпел все эти годы. Он невиновен, и истина, если полиция когда-нибудь до нее докопается, очистит его имя. Но внезапно быть арестованным, брошенным в тюрьму и облитым грязью на первой странице городской газеты — это уже совершенно невыносимо.

Между тем он даже не был уверен, что когда-нибудь видел Дебби Картер.

Пока Деннис Фриц сидел в канзасской тюрьме в ожидании завершения формальностей, требовавшихся, чтобы отправить его обратно в Аду, его внезапно поразила мысль об иронии случившегося с ним. Убийство? Ему долгие годы приходилось иметь дело с катастрофическими последствиями своего брака, и много раз он сам чувствовал себя жертвой бывшей жены.

Убийство? Да он за всю свою жизнь никому не причинил ни малейшего физического вреда. Он был мал ростом, тщедушен, любое насилие, драка были ему ненавистны. Конечно, он часто посещал бары и кое-какие сомнительные заведения, но всегда успевал улизнуть, когда там начиналась какая-нибудь заварушка. Рон Уильямсон если не сам начинал драку, то уж точно оставался и заканчивал любую из них. Он же, Деннис, — никогда. И подозреваемым он стал лишь потому, что водил дружбу с Роном.

Фриц написал длинное письмо в «Ада ивнинг ньюз», в котором объяснял, почему он противится экстрадиции в Оклахому. Он отказался вернуться туда со Смитом и Роджерсом, потому что не верит в объективность тамошней полиции. Он невиновен, не имеет к этому преступлению никакого отношения, и ему нужно время, чтобы собраться с мыслями. Он пытается найти хорошего адвоката, а его семья где может собирает деньги, чтобы нанять его.

О своем согласии участвовать в расследовании он писал: поскольку скрывать ему было нечего, он добровольно сотрудничал со следствием и делал все, чего от него требовала полиция, — сдал на анализ образцы слюны и волос (в том числе даже из усов), отпечатки пальцев, предоставил образец почерка; дважды прошел испытание на полиграфе, которое, согласно Деннису Смиту, «с треском провалил», что, как выяснилось позднее, было неправдой.

По поводу методов ведения следствия: «В течение трех с половиной лет в их распоряжении были отпечатки моих пальцев, образец моего почерка и мои волосы. Все это они могли сравнить с уликами, найденными на месте преступления, и любыми иными, если таковые у них имеются, и давным-давно арестовать меня. Но, согласно публикации в вашей газете, еще полгода назад они раскрутили нить своего расследования до конца и им оставалось лишь решить, как «всем этим» распорядиться. Я не настолько глуп, чтобы не понимать, что никакой лабораторный анализ не требует трех с половиной лет, чтобы получить результат исследования добровольно сданных мной образцов».

Деннис, в прошлом учитель естествознания, изучил все, что касалось анализа волос, еще три года назад, когда предоставил полиции свои образцы. Он писал: «Как можно обвинять меня в изнасиловании и убийстве на столь шатком основании, как сравнительное исследование волос, которое может выявить лишь принадлежность их носителя к определенной этнической группе? Сам по себе волос лишен индивидуальных характеристик и не позволяет исследователю утверждать, что он принадлежит какому-то конкретному представителю данной этнической группы. Любой эксперт в этой области подтвердит, что подвергнутый исследованию под микроскопом волос может принадлежать полумиллиону человек, имеющих волосы, идентичные по своим характеристикам».

Он завершал письмо отчаянным утверждением своей невиновности и вопросом: «Так что же, я считаюсь преступником, пока не доказано, что я невиновен, или все же я невиновен, пока не доказано, что я преступник?»

В Понтотокском округе не было постоянного общественного защитника. Те обвиняемые, которые не могли позволить себе нанять адвоката, делали письменное заявление о своей материальной несостоятельности, после чего судья назначал одного из местных адвокатов защитником неимущего.

Поскольку состоятельные люди редко попадали под обвинения в тяжких уголовных преступлениях, в большинстве процессов по таким делам выступали назначенные адвокаты. Грабежи, наркотики и насилие — все это были преступления низших классов, и поскольку большинство обвиняемых оказывались виновными, назначенным судом адвокатам оставалось лишь изучить дело, встретиться с подзащитным, выработать предложение о сделке с судом, проделать необходимую бумажную работу, закрыть дело и получить весьма скромный гонорар.

Гонорары были настолько скромными, что большинство адвокатов всячески старались уклоняться от подобных дел. Несовершенная система защиты неимущих была чревата множеством проблем. Судьи зачастую поручали такие дела адвокатам малоопытным или вовсе не имевшим опыта ведения уголовных дел. Не выделялись деньги на экспертов, выступавших в суде в качестве свидетелей защиты, и на иные нужды.

Ничто не заставляет адвокатуру маленького городка разбегаться быстрее, чем дело об убийстве, грозящее смертным приговором. Здесь все на виду, и адвокат знает, что весь город будет внимательно наблюдать за тем, как он защищает права выходца из низов общества, обвиненного в ужасном преступлении. Время, которое уходит на работу с такими обременительными делами, можно считать потраченным впустую, и небольшую адвокатскую контору их обилие способно просто погубить. Гонорары несопоставимы с затраченным трудом. А апелляции тянутся вечно.

Поэтому всегда существует опасение, что никто не согласится представлять интересы обвиняемого и судья просто откажется от дела. Когда идет рядовое заседание суда, большинство помещений здания обычно кишат адвокатами, но если рассматривается дело неимущего подсудимого об убийстве первой степени, они мгновенно пустеют. Адвокаты разбегаются по своим конторам, запирают двери и выключают телефоны.

Пожалуй, самым колоритным завсегдатаем суда в Аде был Барни Уорд, слепой адвокат, известный своей любовью к модной одежде, твердыми жизненными принципами, хвастливыми историями и желанием быть «причастным» ко всем городским сплетням, имеющим отношение к правосудию. Он знал все, что происходило в здании суда.

Барни потерял зрение еще подростком, во время неудачно проведенного на уроке химии опыта. Он отнесся к трагедии как ко временной задержке и с небольшим запозданием окончил школу. Потом поступил в Восточный центральный университет. На протяжении всего курса обучения мать служила ему чтецом. По окончании университета он отправился в Норман и продолжил обучение на юридическом факультете Оклахомского университета. Мать снова была рядом. Барни окончил и этот университет, сдал экзамен на право выступать в суде, вернулся в Аду и выставил свою кандидатуру на должность окружного прокурора. Победил и в течение нескольких лет исполнял обязанности главного окружного обвинителя. В середине 1950-х он основал частную адвокатскую контору, специализировавшуюся на уголовных преступлениях, и вскоре завоевал репутацию очень сильного адвоката, весьма ценимого клиентами. Проворный, быстрый на подъем, Барни нюхом чуял слабые места в обвинении и умел сыграть на противоречиях свидетелей. Он был мастером жесткого перекрестного допроса и обожал хорошую потасовку.

Во время одного легендарного заседания Барни буквально с кулаками набросился на коллегу. Они с Дэвидом Моррисом обсуждали в суде вопросы, связанные с доказательной базой. Ситуация сложилась напряженная, оба были раздражены, и Моррис допустил бестактность, сказав: «Послушайте, судья, это очевидно даже слепому». Барни бросился к нему — или по крайней мере в его направлении, — размахнулся правой рукой и лишь чуть-чуть промахнулся. Порядок был восстановлен. Моррис принес извинения, но старался держаться от оппонента подальше.

Барни знали все, его очень часто можно было видеть в здании суда в сопровождении верной помощницы Линды, которая была его глазами, читала ему все необходимые бумаги и делала письменные заметки. Время от времени он пользовался услугами собаки-поводыря, но предпочитал молодую даму. Он был дружелюбен со всеми и безошибочно узнавал всех по голосам. Адвокатское сообщество выбрало его председателем коллегии адвокатов, причем вовсе не из сочувствия. Барни так любили, что даже пригласили стать членом клуба любителей покера. Он запасся колодой карт системы Брайля, которыми якобы мог пользоваться только он, и вскоре сгребал все фишки. Остальные игроки решили: пусть Барни играет, но не сдает, после чего его выигрыши несколько уменьшились.

Каждый год коллеги-адвокаты приглашали Барни на неделю в охотничий лагерь на мальчишник с обилием бурбона, покера, скабрезных шуток и жирного мяса. Если же позволяло время, то они еще и немного охотились. Барни мечтал подстрелить оленя. В лесу друзья нашли подходящего самца, осторожно маневрируя, устроили Барни на нужной позиции, вручили ему ружье, приладили по руке, прицелили и шепнули: «Стреляй». Барни нажал на курок, и, хотя он далеко промахнулся, друзья сказали ему, что олень чудом избежал смерти. Барни потом десятилетиями рассказывал эту историю.

Как многим сильно пьющим людям, ему в конце концов пришлось бросить. В то время он ходил в сопровождении собаки-поводыря, но вынужден был собаку заменить, потому что прежняя никак не могла избавиться от привычки водить Барни в пивной магазин. Видимо, он хаживал туда частенько, потому что, стоило ему бросить пить, магазин закрылся.

Барни любил зарабатывать деньги и не слишком утруждал себя, когда работал с клиентами, которые не могли заплатить. Его девизом было: «Невиновен, пока не доказано обратное». К середине восьмидесятых, однако, лучшие годы Барни остались уже позади. Все знали, что порой он упускает кое-какие моменты, поскольку засыпает во время заседания. Он носил темные очки с толстыми стеклами, закрывавшие большую часть лица, так что ни судьи, ни адвокаты никогда не могли точно сказать, слушает он или дремлет в данный момент. Его оппоненты пользовались этим и шепотом — потому что он прекрасно слышал — договаривались намеренно затягивать заседание на послеобеденные часы, зная, что в это время он уж точно захочет вздремнуть. Если удавалось дотянуть до трех часов дня, шансы одержать победу над Барни значительно увеличивались.

За два года до того к нему обратились родственники Томми Уорда, но он отказался от дела. Уверенный в невиновности Уорда и Фонтено, он тем не менее не желал иметь дело с процессом, чреватым для подзащитного смертной казнью. Бумажной работы было бы невпроворот, а это ему не по силам.

Теперь к нему обратились снова. Судья Дэвид Миллер попросил Барни представлять интересы Рона Уильямсона. Барни был самым опытным в округе адвокатом по уголовным делам, а в этом деле его опыт был необходим. После некоторых колебаний он сказал «да». Как честный адвокат, он знал конституцию вдоль и поперек и свято верил, что любой подзащитный, независимо от общественного мнения, имеет право на справедливую защиту.

1 июня 1987 года суд назначил Барни Уорда адвокатом Рона. Это был его первый клиент, которому грозила смертная казнь. Аннет и Рини обрадовались. Они знали Барни, знали, что он пользуется репутацией лучшего в городе адвоката по уголовным делам.

Защитник и его подзащитный энергично принялись за дело. Рон уже устал от тюрьмы, и тюрьма устала от Рона. Встречи происходили в маленькой комнате для посетителей неподалеку от входа, и Барни находил это помещение слишком маленьким, чтобы общаться с таким неуправляемым клиентом, как Ронни. Сделав необходимый звонок, Барни организовал психиатрическое освидетельствование для своего клиента. Рону был прописан новый курс торазина, и, к большому облегчению Барни и всей тюрьмы, лекарство прекрасно на него подействовало. Оно, надо признаться, действовало так хорошо, что надзиратели злоупотребляли им, чтобы поддерживать тишину в своих владениях. Рон снова спал как дитя.

Однако во время одной из встреч адвокат заметил, что Рон едва ворочает языком. Он сделал внушение надзирателям, доза была скорректирована, и Рон возродился к жизни.

Но в целом он плохо сотрудничал со своим адвокатом.

* * *

Глен Гор сидел в тюрьме за похищение человека и хулиганские нападения. Его назначенным адвокатом был Грег Сондерс, молодой юрист, который еще только начинал гражданскую практику в Аде. Во время встречи с клиентом в тюрьме дело чуть не дошло до драки. Тогда Сондерс отправился в суд и попросил судью Миллера освободить его от этого дела. Судья отказался, но Сондерс пообещал, если его избавят от Гора, взять следующее дело об убийстве первой степени. «Договорились, — согласился судья Миллер, — будете представлять интересы Денниса Фрица в деле Дебби Картер».

Хотя Грег Сондерс и опасался вести дело об убийстве первой степени, его весьма привлекала перспектива работать в тесном сотрудничестве с Барни Уордом. Студент последнего курса Восточного центрального университета, он мечтал стать барристером и часто пропускал занятия, если знал, что в это время Барни выступает в суде. Ему доводилось видеть, как Барни рвал в клочья свидетелей и запуганных обвинителей. Судей Барни уважал, но не боялся их и умел разговаривать с присяжными. Он никогда не позволял себе играть на своем увечье, но в критические моменты мог прибегнуть к нему как к средству пробудить сочувствие. Грег Сондерс считал Барни блестящим адвокатом.

Сохраняя независимость, но в то же время работая в паре, они составили полный комплект необходимых ходатайств и вскоре заставили вертеться весь офис окружного прокурора. На 11 июня судья Миллер назначил слушания по процессуальным вопросам. Барни затребовал список всех свидетелей, которых собиралось вызвать в суд обвинение. По закону Оклахомы, он имел на это полное право, но у Билла Питерсона были проблемы со знанием законодательства. Барни доходчиво объяснил ему это. Обвинитель хотел открыть имена только тех свидетелей, которых планировал использовать на предварительных слушаниях. «Отклоняется», — заявил судья Миллер и приказал Питерсону загодя уведомлять защиту обо всех новых свидетелях.

Барни пребывал в сварливом настроении и дотошно добивался своего по каждому пункту. Однако в нем были заметны признаки раздраженности. Однажды он бросил в сторону реплику, смысл которой сводился к тому, что он является назначенным адвокатом и не желает тратить слишком много времени на это дело. Тем не менее он поклялся работать честно, хотя опасался, что первое в его карьере дело об убийстве первой степени «съест» его.

На следующий день он подал прошение о выделении для Рона дополнительного адвоката. Штат не возражал, и 16 июня судья Миллер назначил в помощь Барни Фрэнка Бабера. В ожидании предварительных слушаний продолжались крючкотворское перетягивание каната и бумажные войны.

Денниса Фрица поместили в камеру неподалеку от камеры Рона Уильямсона. Он не мог видеть Рона, но, разумеется, слышал его. Если тот не был оглушен лекарствами, то постоянно горланил. Стоя у решетки своей камеры, он мог часами выкрикивать: «Я невиновен! Я невиновен!» Его низкий хриплый голос эхом прокатывался по набитому до отказа тюремному зданию. Рон напоминал раненого зверя, запертого в клетке и отчаянно взывающего о помощи. Заключенные и без того испытывали постоянный стресс, хриплые же вопли Рона усугубляли их тревогу еще больше.

Кое-кто из арестантов кричал ему в ответ, обидно поддразнивая насчет убийства Дебби Картер. Перебранки и обмен колкостями иногда бывали даже забавны, но чаще сильно действовали на нервы. Надзиратели перевели Рона из одиночки в общую камеру, где уже теснилось с дюжину арестантов, но этот маневр чуть не обернулся катастрофой. В общей каталажке люди ни на минуту не оставались наедине с самими собой, они жили, практически постоянно касаясь друг друга плечами. Рон же не испытывал никакого уважения к частному пространству сокамерников. Те составили петицию, в которой просили тюремное начальство перевести Рона обратно в одиночку. Чтобы предотвратить бунт или, не дай Бог, убийство, просьбу удовлетворили.

Порой наступали периоды затишья, позволявшие всем — и заключенным, и охранникам — немного передохнуть. Вскоре вся тюрьма знала: если Рон молчит, значит, либо дежурит Джон Кристиан, либо надзиратели накачали Рона торазином.

Торазин оглушал его, но порой проявлялись и побочные эффекты, например зуд в ногах или «торазиновое ерзанье», которое стало уже рутинным явлением, — Рон часами, вцепившись в решетку, раскачивался взад-вперед и из стороны в сторону.

Фриц пытался говорить с ним, успокаивать — безрезультатно. Вопли Рона о его невиновности слышать было тяжело, особенно Деннису, лучше всех знавшему Уильямсона. Было очевидно, что Рон нуждался в гораздо большем, нежели просто флакон таблеток.

Нейролептики — то же, что транквилизаторы и антипсихотические средства, их назначают прежде всего шизофреникам. Торазин — нейролептик, имеющий бурную историю. В 1950-х годах он начал заполонять психиатрические больницы. Это сильный препарат, существенно снижающий остроту реакций и притупляющий сознание. Психиатры, выступающие в защиту торазина, утверждают, будто он действительно лечит посредством изменения или корректировки химических процессов головного мозга.

Критики же, число коих значительно превосходит количество защитников, цитируют многочисленные исследования, доказывающие, что препарат вызывает побочные эффекты, список которых длинен и страшен. Замедленность реакции, сонливость, летаргическое состояние, неспособность сосредоточиться, ночные кошмары, эмоциональные проблемы, депрессии, состояние острого отчаяния, утрата интереса к окружающей действительности, притупление или помрачение интеллекта и утрата контроля за моторными реакциями.

Самые суровые критики прозвали торазин «химической лоботомией». Они утверждали, что единственной задачей этого препарата является экономия денег и сил психиатрических учреждений и тюрем, поскольку он легко делал заключенных и пациентов управляемыми. Торазин, назначавшийся Рону, был призван оказывать помощь скорее тюремщикам — иногда под присмотром его адвоката, но чаще совершенно бесконтрольно. Как только Рон становился слишком беспокойным и шумным, ему давали очередную таблетку.

Несмотря на то что Деннис Фриц в течение четырех лет после убийства спокойно жил в Аде, считалось, что он может сбежать. Так же как и Рону, ему назначили непомерный залог. О том, чтобы заплатить его, не могло быть и речи. Как и все подозреваемые, оба, согласно презумпции, считались пока невиновными, однако содержались под стражей — чтобы не дать им возможности скрыться или свободно разгуливать по улицам, продолжая убивать.

Они почти год ждали суда в тюрьме.

* * *

Через несколько дней после того, как Денниса привезли в тюрьму, у решетки его камеры неожиданно появился человек по имени Майк Тенни. Тучный, лысеющий и косноязычный, он обладал, однако, широкой приветливой улыбкой, дружелюбными манерами и обращался с Деннисом как со старым другом. Ему не терпелось поговорить об убийстве Дебби Картер.

Деннис достаточно долго прожил в Аде, чтобы знать, что тамошняя тюрьма — клоака, кишащая осведомителями, лжецами и головорезами, и все сказанное в любом разговоре скорее всего будет повторено в зале суда в совершенно искаженном — разумеется, не в пользу обвиняемого — виде. Каждый сокамерник, охранник, полицейский, попечитель, уборщик, повар был потенциальным доносчиком, жаждущим выведать какие-нибудь подробности, чтобы пересказать их копам.

Тенни сказал, что он новичок-стажер, скоро станет надзирателем, но пока еще в официальных списках не значится. Хотя никто его об этом не просил, Тенни, не имея опыта и не будучи ни в коей мере ни в чем осведомленным, тем не менее принялся давать Деннису массу советов. По его мнению, положение у того было аховое, ему реально грозила смертная казнь и лучшее, что он мог сделать, чтобы спастись, — это все рассказать, признаться, заключить сделку с Питерсоном при посредничестве окружного прокурора и свалить все на Рона Уильямсона. Питерсон условия сделки выполнит честно.

Деннис лишь слушал.

Тенни не отставал. Он приходил каждый день, скорбно качал головой, имея в виду будущее Денниса, болтал о системе и о том, как она, с его точки зрения, работает, давал «мудрые» советы — притом совершенно бесплатно.

Деннис лишь слушал.

Предварительные слушания были назначены на 20 июля под председательством судьи Джона Дэвида Миллера. Как в большинстве судебных округов, в Оклахоме предварительные слушания имели решающее значение, от штата требовалось умно распорядиться своими возможностями: продемонстрировать суду и всем присутствующим, какими он располагает свидетелями и что они могут сообщить. При этом обвинитель должен был показать достаточно улик, чтобы убедить судью, что имеются серьезные основания считать подсудимого виновным, и в то же время не открыть защите все свои карты. Это было игрой с известной долей риска, требовавшей определенного искусства.

Впрочем, обычно обвинитель не сильно рисковал: местные судьи едва ли могли рассчитывать на переизбрание, отпуская на свободу уголовников.

Но с такими шаткими уликами против Фрица и Уильямсона, какими располагал Билл Питерсон, он был вынужден выложить все уже на предварительных слушаниях: ресурсы его были столь скудны, что припрятывать что-либо на будущее он, конечно, не мог. Местная газета, разумеется, будет начеку, готовая моментально обнародовать каждое слово. Даже через три месяца после выхода в свет «Сны Ады» все еще горячо обсуждались в городе. Предварительные слушания должны были стать первым после выхода книги публичным явлением Питерсона на крупном процессе.

В зале собралась приличная толпа. Присутствовали мать Фрица, Аннет Хадсон и Рини Симмонс. Пегги Стиллуэлл, Чарли Картер и две их дочери прибыли заранее. Завсегдатаи — скучающие адвокаты, местные сплетники, праздные клерки, пенсионеры, не знающие, чем себя занять, — готовились внимательно наблюдать за первым серьезным рассмотрением двух нашумевших убийств. До суда оставалось еще несколько месяцев, но свидетелей им предстояло выслушать уже сейчас.

Накануне судебного заседания, чтобы придать остроты будущему зрелищу, полиция Ады сообщила, будто Рон и Деннис наконец полностью признались во вменяемых им изнасиловании и убийстве. Это шокирующее известие привело Рона в страшное возбуждение.

Деннис тихо сидел рядом с Грегом Сондерсом за столом защиты, просматривал какие-то документы и ждал начала слушаний. Рон — неподалеку от него, в наручниках и кандалах, — глазел на Фрица так, словно хотел задушить его. Вдруг, безо всякого предупреждения, он подпрыгнул и стал орать на Фрица, находившегося всего в нескольких футах от него. При этом он перевернул стол, который упал на помощницу Барни Линду. Деннис быстро вскочил и, пока охранники усаживали Рона на скамью, отбежал к свидетельскому месту.

— Деннис! Ты паршивый сукин сын! — вопил Рон. — Давай выясним все прямо сейчас!

Его низкий хриплый голос гудел на весь зал. Падающий стол ударил Барни, и тот упал со стула. Охранники набросились на Рона, пытаясь утихомирить, но он лягался и метался из стороны в сторону как безумный, они едва справлялись с ним. Деннис, Грег Сондерс и весь судебный персонал быстро расступились и, прижавшись к стенам, не веря собственным глазам, в ужасе смотрели на потасовку, происходившую посреди зала суда.

Потребовалось несколько минут, чтобы скрутить Рона, который был крупнее любого из охранников. Пока его волокли к двери, он извергал непрерывный поток ругательств и угроз в адрес Фрица.

Наконец пыль улеглась, столы и стулья были расставлены по местам, и все вздохнули спокойно. Барни не видел драки, но знал, что оказался в ее эпицентре. Он встал и сказал:

— Прошу зафиксировать в протоколе, что я прошу освободить меня от обязанности защищать Рона Уильямсона. Этот парень не способен сотрудничать с защитой. Если бы он был в состоянии оплатить услуги адвоката, меня бы здесь не было. Ваша честь, я не могу представлять его интересы, просто не могу. Может, кто-то и может, не знаю, но я — нет. И если вы меня не освободите, я обращусь в Апелляционный уголовный суд. Я не намерен это терпеть. Судья, я для этого слишком стар, черт побери. Не желаю иметь с ним ничего общего ни при каких условиях. Понятия не имею, виновен ли он — это совсем другой вопрос, — но мириться с этим не собираюсь. В следующий раз он изобьет меня и, когда это случится, окажется в еще более трудном положении, а я, вероятно, в еще худшем, чем он.

На это судья Миллер быстро ответил:

— Прошение адвоката отклонено!

Для Аннет и Рини было невыносимо видеть, как их брата, который вел себя как сумасшедший, волокли из зала в цепях. Он был болен и нуждался в медицинской помощи, ему было необходимо длительное пребывание в стационаре под присмотром хороших врачей, способных подлечить его. Как мог штат Оклахома вызвать его в суд, когда он явно нездоров?

А по другую сторону прохода Пегги Стиллуэлл, наблюдая за безумцем, содрогалась, представляя, как он чинил насилие над ее дочерью.

После того как порядок был восстановлен и несколько минут прошло в тишине, судья Миллер приказал привести Уильямсона обратно. В комнате ожидания охранники объяснили Рону, что его поведение недопустимо в судебном учреждении и что дальнейшие его выходки, ежели таковые воспоследуют, будут сурово пресечены. Но как только его ввели обратно, он, увидев Фрица, снова стал отчаянно ругаться. Судья велел вернуть его в тюрьму, очистить зал от зрителей и выждал час.

В тюрьме надзиратели неоднократно и гневно повторили Рону свои предупреждения, но он не обращал на них никакого внимания. Фальшивые признания были слишком заурядным явлением в округе Понтоток, и он вполне мог поверить, что копам удалось вытянуть таковое из Денниса Фрица. Рон был невиновным человеком и не собирался позволить поступить с собой так же, как поступили с Уордом и Фонтено. Если бы он мог дотянуться до шеи Денниса, то выжал бы из него правду.

Его третье явление в суд было таким же, как и два первых. Не успев переступить порог, он тут же закричал:

— Фриц, мы должны все разъяснить им прямо сейчас — мы с тобой должны сразу, здесь, все решить!

Судья Миллер пытался прервать его — не тут-то было.

— Мы с тобой должны все прояснить! — кричал Деннису Рон. — Я никогда в жизни никого не убивал!

— Держите его, — велел охранникам судья. — Мистер Уильямсон, еще один приступ ярости — и слушания будут проведены без вашего участия.

— Я буду только рад! — выкрикнул в ответ Рон.

— Прекрасно, вы поняли, что...

— Я бы сам предпочел не находиться здесь. Если не возражаете, я лучше вернусь в камеру.

— Вы отказываетесь от своего права присутствовать на предварительных слушаниях?

— Да, отказываюсь.

— Никто не вынуждает вас к этому решению угрозами или иными средствами? Вы по собственной воле...

— Нет, мне угрожают, — огрызнулся Рон, уставившись на Денниса.

— Значит, вам кто-то угрожал, однако вы по собственной воле решаете отказаться от...

— Я же сказал, что мне угрожают!

— Хорошо, сформулируем иначе: вы не желаете присутствовать на этих слушаниях. Так правильно?

— Так правильно.

— Ладно. Можете увезти его обратно в тюрьму. В протоколе будет записано, что подсудимый Роналд Кит Уильямсон отказывается от своего права присутствовать в зале суда из-за обуревающих его приступов гнева и общего нервного срыва. Суд, в свою очередь, тоже считает, что слушания невозможно провести в его присутствии в силу его собственного заявления и эмоциональных вспышек, мешающих ведению заседания.

Рон отправился в камеру, а предварительные слушания продолжились.

В 1956 году в деле «Бишоп против Соединенных Штатов» Верховный суд США вынес постановление: признание виновным психически нездорового человека делает процесс недействительным. Если существуют сомнения относительно душевного здоровья подсудимого, проведение расследования должным образом считается невозможным и суд над таким человеком признается нарушением конституционных прав гражданина.

За два месяца, проведенных Роном Уильямсоном в тюрьме, никто ни со стороны обвинения, ни со стороны защиты не потребовал его психического освидетельствования, хотя необходимость такового была очевидна. История его давно начавшейся болезни могла быть в любое время предъявлена суду. Его тирады и стенания в камере хотя и регулировались кое-как тюремщиками и адвокатом с помощью произвольного накачивания его лекарствами, тем не менее служили явным признаком болезни. Его репутация была хорошо известна в Аде, особенно полиции.

Его поведение в суде тоже ни для кого не стало новостью. Двумя годами ранее, когда штат попытался возобновить приостановленный приговор Рона по обвинению в побеге, он своим поведением сорвал слушания, и его пришлось отправить в психиатрическую клинику на обследование. Тогда в суде тоже председательствовал Джон Дэвид Миллер, тот самый судья, который проводил и нынешние предварительные слушания. И именно судья Миллер вынес тогда решение о признании Рона на тот момент недееспособным.

Теперь же, два года спустя, при том что Рону грозила смертная казнь, тот же судья, очевидно, не счел нужным обследовать его на предмет состояния психики.

В Оклахоме существовал закон, позволявший судье, в том числе и председательствовавшему на предварительных слушаниях, приостановить заседания, если вменяемость подсудимого вызывала сомнения. Для этого даже не требовалось заявления защиты. Иное дело, что любой адвокат, разумеется, бился бы как лев, доказывая, что у его клиента и прежде были проблемы с психикой, и требуя психической экспертизы, но и в отсутствие требования со стороны защиты прямой долг судьи — защищать конституционные права подсудимого.

Бездействие судьи Миллера должно было бы подвергнуться суровой критике со стороны Барни Уорда. Как защитник он обязан был потребовать полного психического освидетельствования своего клиента. Следующим его шагом должно было бы стать ходатайство о необходимости провести слушания по вопросу о психической адекватности — рутинная процедура, которую двумя годами ранее суд должным образом выполнил. Последним звеном в этой цепи должен был быть иск о защите невменяемого.

В отсутствие Рона предварительные слушания прошли тихо, своим чередом. Они продолжались несколько дней, в течение которых Рон фактически ни разу не покинул своей камеры. Был ли он психически адекватен, чтобы способствовать собственной защите, не имело никакого значения.

Доктор Фрэд Джордан давал свидетельские показания первым. Он рассказал о вскрытии тела Дебби Картер, назвал причину смерти — удушье, вызванное то ли затягиванием пояса вокруг шеи, то ли затыканием горла тряпкой, то ли тем и другим вместе.

Ложь началась, когда вызвали второго свидетеля, Глена Гора, который показал, что вечером 7 декабря он сидел в «Каретном фонаре» с друзьями, среди которых была и Дебби Картер, девушка, с которой он вместе учился в школе и которую знал большую часть своей жизни. В какой-то момент она попросила Гора «спасти» ее или «спрятать», потому что в зале появился Рон Уильямсон, который не давал ей проходу.

Денниса Фрица 7 декабря он в «Каретном фонаре» не видел.

Во время перекрестного допроса Гор заявил, что сообщил об этом полиции уже 8 декабря, однако в протоколе его тогдашнего допроса имя Рона Уильямсона не упоминалось. Не был этот протокол и вовремя предъявлен защите, как требовали правила судебной процедуры.

Итак, Глен Гор оказался единственным свидетелем, обеспечивавшим прямую улику против Рона Уильямсона. Утверждая, будто ему достоверно известно о знакомстве Рона с Дебби Картер и о том, что за несколько часов до убийства между ними произошла ссора, он — чисто технически — предоставлял обвинению недостающее звено, связывавшее убийцу с жертвой. Все остальные улики и свидетельства были косвенными.

Только в высшей степени предубежденный обвинитель, каким и был Билл Питерсон, мог вот так, внаглую, позволить такому отъявленному преступнику, как Глен Гор, свидетельствовать в суде, куда его привезли в наручниках и кандалах из тюрьмы, где он отбывал сорокалетний срок заключения за грабеж со взломом, похищение человека и покушение на убийство офицера полиции. Пятью месяцами ранее Гор вломился в дом своей бывшей жены Гвен и взял ее в заложницы вместе с их малолетней дочерью. Он был пьян и в течение пяти часов держал обеих под прицелом. Когда полицейский Рик Карсон заглянул снаружи в окно, Гор прицелился и выстрелил ему в лицо. К счастью, ранение оказалось несерьезным. Прежде чем протрезветь и сдаться, Гор выстрелил еще в одного полицейского.

И то было не первое его насильственное действие в отношении Гвен. В 1986 году, когда их непрочный брак уже распался, Гор был обвинен в проникновении в дом Гвен и нанесении ей нескольких ножевых ран мясницким ножом. Она выжила и подала на него в суд, Гору предъявили обвинение в двух эпизодах грабежа со взломом и в нападении на человека с применением оружия. А также в покушении на жизнь Гвен путем удушения двумя месяцами ранее.

В 1981 году он насильственно проник в дом другой женщины. Еще со времен армейской службы за ним тянулось обвинение в нанесении побоев и длинный список мелких правонарушений.

Через неделю после того, как его имя появилось в списке дополнительных свидетелей обвинения, было достигнуто соглашение о сделке, в соответствии с которой с Гора сняли один эпизод похищения человека и один — нападения с применением оружия. Накануне вынесения Гору приговора родители его бывшей жены подали в суд заявление с просьбой назначить ему как можно более долгий срок пребывания в тюрьме. В нем, в частности, говорилось:

> Просим суд принять во внимание, насколько опасен для нас этот человек. Он явно намерен убить нашу дочь, внучку и нас самих. Он сам нам в этом признался. Мы сделали все возможное, чтобы доказать, что он неоднократно проникал в дом нашей дочери посредством взлома, но все оказалось напрасно. Каждый раз, когда он это делал, мы подавали иск, в котором излагали все подробности. Пожалуйста, дайте нашей дочери время, чтобы она успела вырастить ребенка прежде, чем ее бывший муж выйдет из тюрьмы и снова начнет их терроризировать, не допустите того, чтобы ребенку снова пришлось пройти через этот ужас.

Барни Уорд не первый год подозревал, что Глен Гор замешан в убийстве Дебби Картер. Он был профессиональным юристом с большим опытом участия в делах по насилию над женщинами, а Гор был последним, кого видели вместе с жертвой. Уму непостижимо, почему полиция не заинтересовалась им в связи с этим убийством.

Отпечатки пальцев Гора так и не отправили в Оклахомское отделение ФБР на проверку. Сорок четыре человека прошли дактилоскопическую экспертизу, только не Гор. Был момент, когда он согласился подвергнуться проверке на детекторе лжи, но ее почему-то не провели. Первые образцы волос, взятые у Гора, были потеряны в полицейском участке Ады года через два после убийства. Он позволил взять их у него вторично, а вероятно, и в третий раз — никто точно не помнил.

Барни с его обостренной способностью улавливать и запоминать все слухи, носящиеся в суде, был твердо убежден, что полиции следовало бы провести дознание в отношении Гора.

И он не сомневался, что его подопечный, Рон Уильямсон, невиновен.

* * *

Тайна Гора частично объяснилась четырнадцатью годами позднее. Глен Гор, еще находясь в тюрьме, сделал письменное признание в том, что в 1980-е годы торговал в Аде наркотиками. Был упомянут метамфетамин. В некоторых его операциях участвовали полицейские, в частности некто Деннис Корвин, которого Гор описал как «первичного поставщика» и который являлся завсегдатаем клуба «У Харолда», где работал Гор.

Когда Гор оказывался им должен, они арестовывали его под сфабрикованным предлогом, но большую часть времени не трогали. В своем признании под присягой он так и заявил: «Большую часть времени в начале 1980-х я чувствовал снисходительное к себе отношение со стороны правоохранительных органов Ады, поскольку был вовлечен в их операции по торговле наркотиками». И далее: «Это снисходительное отношение закончилось, когда прекратилось мое участие в городской системе наркоторговли с участием полицейских».

Свое осуждение на сорок лет заключения в тюрьме он объяснял тем фактом, что «перестал быть нужен полицейским как распространитель наркотиков».

В отношении Уильямсона Гор показал, что не знает, был ли Рон в «Каретном фонаре» в ночь убийства. Это в полиции ему показали серию фотографий Рона и объяснили, что это человек, которым они интересуются. «Потом они откровенно предложили мне «опознать» мистера Уильямсона. Я и по сей день не знаю, был ли Рон Уильямсон в том баре в ночь убийства Дебби Картер. Свое признание я сделал только потому, что полицейские хотели, чтобы я его сделал».

Письменное показание Гора было подготовлено прокурором и изучено его собственным адвокатом прежде, чем ему дали его подписать.

Следующим свидетелем обвинения был Томми Гловер, завсегдатай «Каретного фонаря» и один из последних людей, видевших Дебби Картер живой. Поначалу он утверждал, что видел, как она разговаривала с Гленом Гором на автомобильной стоянке и как оттолкнула его, перед тем как отъехать на своем автомобиле.

Но спустя четыре года и семь месяцев его воспоминания несколько трансформировались. На предварительных слушаниях

Гловер показал, будто разговаривавшим с Дебби перед тем, как она уехала, он видел... Рона. Ни больше ни меньше.

Чарли Картера вызвали на свидетельское место следующим, и он рассказал о том, как обнаружил труп дочери утром 8 декабря 1982 года.

Далее выступал агент Оклахомского отделения ФБР Джерри Питерс, «специалист по осмотру места преступления». Этот сразу же попал в переплет. Барни почуял добычу и принялся безжалостно подлавливать его на противоречиях, касающихся отпечатка ладони на стене. Выданное в мае 1983 года безоговорочное заключение Питерса удивительным образом решительно изменилось в мае 1987-го. Что подвигло его пересмотреть свое изначальное мнение о том, что этот отпечаток не принадлежит ни Дебби Картер, ни Рону Уильямсону, ни Деннису Фрицу? Не в том ли дело, что оно не помогало обвинению проводить свою линию?

Питерс признал, что за минувшие четыре года ничто не изменилось, просто звонок Билла Питерсона, последовавший в начале 1987-го, заставил его заново вернуться к собственному былому суждению. После эксгумации и повторного дактилоскопического исследования он вдруг изменил свое мнение и сделал заключение, которое точно соответствовало тому, что требовалось обвинению.

Грег Сондерс, защищая Денниса Фрица, присоединился к атаке Барни, и всем стало очевидно, что улика была подтасована. Но шли всего лишь предварительные слушания, а не судебный процесс, требующий доказательств, исключающих какие бы то ни было сомнения.

Питерс также показал, что из двадцати одного отпечатка пальцев, найденного в квартире, девятнадцать принадлежали самой Дебби Картер, один — Майку Карпентеру, один — Деннису Смиту и ни одного — ни Фрицу, ни Уильямсону.

Звездой в труппе обвинения была удивительная женщина по имени Терри Холланд. С октября 1984-го по январь 1985-го она сидела в понтотокской тюрьме за изготовление фальшивых чеков. Благодаря тому что в Оклахоме имелось несколько нераскрытых убийств, ее четырехмесячное заключение оказалось плодотворным и значительным.

Сначала она заявила, будто слышала, как Карл Фонтено вслух признался, что участвовал в похищении и убийстве Дениз Харауэй. В судебном процессе над Уордом Фонтено в сентябре 1985 года, первый раз выступая в качестве свидетельницы, она поведала присяжным множество убийственных подробностей, коими оснастили «сонное признание» Томми Уорда детективы Смит и Роджерс. Этим она выслужила весьма легкое наказание за подлог, несмотря на то что на ее счету уже было к тому времени два тяжких преступления. Уорд и Фонтено отправились в тюремный блок для смертников, а Терри Холланд сбежала из округа.

За ней остался должок в виде невыплаченных судебных издержек и тому подобного, чему при иных обстоятельствах власти не придали бы серьезного значения. Но теперь они разыскали ее, вернули и предъявили ей новые обвинения, перед лицом которых она внезапно «вспомнила» кое-какие потрясающие и весьма полезные для следователей сведения. Вдруг оказалось, что в тюрьме наряду с «признаниями» Фонтено она слышала также, как Рон Уильямсон полностью признался в своем преступлении.

Какое поразительное везение для копов! Они не только состряпали «сонное признание» — их любимое следовательское изобретение, но получили и еще одну подсадную утку — второе свое любимое оружие.

Холланд уклончиво отвечала на вопрос, почему она никому не рассказывала о «признании» Рона до весны 1987 года, то есть молчала более двух лет. Ее вообще не спросили, почему она почувствовала острую необходимость поведать Смиту и Роджерсу о «признании» Фонтено.

Стоя на свидетельском месте во время предварительных слушаний, она получила возможность изложить свои фантазии. За отсутствием в зале Рона она чувствовала полную свободу придумывать любые сказки. Например, красочно описала эпизод, в котором Рон якобы кричал своей матери в телефонную трубку: «Я убью тебя так же, как убил Дебби Картер!»

Единственный телефонный аппарат в тюрьме находился на стене в кабинете при входе. В тех редких случаях, когда заключенным дозволялось им воспользоваться, они были вынуждены, перегнувшись через стойку, с трудом дотягиваться до аппарата, и разговор всегда происходил в присутствии того, кто в этот момент работал в кабинете. Присутствие же другого заключенного было маловероятно, чтобы не сказать исключено.

Терри Холланд также доложила суду, будто Рон однажды позвонил в церковь, попросил кого-то, кто ему ответил, принести ему сигарет и пригрозил сжечь храм, если ему их не принесут.

Эту информацию также невозможно было проверить, но никто и не пытался расспросить Терри Холланд насчет местоположения телефона и того, как женщина-заключенная могла оказаться в такой близости от мужчины-заключенного.

Питерсон подсказывал ей каждый следующий шаг.

— Не слышали ли вы, чтобы он говорил что-нибудь о том, что он сделал с Дебби Картер?

— Да, он разговаривал об этом в камере сам с собой, — отвечала она. — Это случилось сразу после того, как привезли Томми Уорда и Карла Фонтено.

— Что именно он сказал по поводу того, как поступил с Дебби Картер?

— Он только сказал... Я не знаю, как это выразить. Он сказал, что она считала себя лучше, чем он, а он показал этой суке, что это не так.

— Еще что-нибудь?

— Сказал, что заставил ее переспать с ним, только он это по-другому выразил, я даже не помню, как именно. Он сказал, что запихнул ей бутылку колы, то есть кетчупа... в задницу, а ее трусы — в глотку и так преподал ей урок.

Билл Питерсон продолжал свои наводящие вопросы.

— Сказал ли он что-нибудь относительно того, пыталась ли Дебби каким-то образом избежать всего этого? — спросил он.

— Ага, он говорил, что старался поладить с ней, но она ни в какую не хотела, и что было бы гораздо лучше для нее, если бы она согласилась и уступила ему.

— И тогда ему не пришлось бы делать что? — в отчаянии от несообразительности собственного свидетеля подсказал Питерсон.

— Не пришлось бы убивать ее.

Поразительно, что Билл Питерсон, будучи представителем судебной власти, чей долг состоял в поиске истины, позволял себе выжимать из свидетеля подобную чушь.

Своим лжесвидетельством Терри Холланд купила себе свободу, избежав тюрьмы и прочих неприятностей. Она согласилась каждый месяц выплачивать определенную сумму в погашение долга, но вскоре забыла о своих обязательствах.

В то время мало кто знал, что отношения Терри Холланд и Рона Уильямсона имели свою историю. За несколько лет до того, когда Рон работал в Аде разносчиком товаров фирмы «Роли», у него случилась непредвиденная встреча. Он постучал в дверь, женский голос изнутри дома пригласил его войти. Когда он вошел, его взору предстала женщина по имени Марлин Кьютел — совершенно голая. В доме, похоже, никого больше не было, и одно быстро привело к другому.

Марлин Кьютел была умственно неполноценной и через неделю после этого эпизода покончила с собой. Рон еще много раз приходил в тот дом со своими товарами, но больше никогда не видел ее и не знал, что она умерла.

Ее сестрой была Терри Холланд. Вскоре после того эпизода Марлин рассказала о нем Терри, заявив, что Рон ее изнасиловал. Никто и не собирался подавать на него в суд. Хотя Терри и знала, что ее сестра сумасшедшая, она почему-то уверовала, что Рон виновен в смерти Марлин. Сам же Рон давно забыл о том случайном эпизоде и понятия не имел, кто такая Терри Холланд.

Первый день предварительных слушаний тянулся долго и скучно — Деннис Смит скрупулезно давал показания, в деталях описывая место преступления и процедуру его осмотра. Единственным сюрпризом стала дискуссия о надписях, оставленных убийцами. Надпись на стене была сделана красным лаком для ногтей, на столе в кухне — кетчупом, слова, написанные на спине и животе Дебби, были едва различимы. Детективы Смит и Роджерс полагали, что по почерку можно напасть на след убийц, поэтому тогда, четыре года назад, попросили Денниса Фрица и Рона Уильямсона написать что-нибудь на белом картотечном листке.

Никакого опыта графологических исследований у них не было, но они «почувствовали» явное сходство почерков, что неудивительно. Образцы почерка, предоставленные Фрицем и Уильямсоном, то есть слова, написанные ручкой на бумаге, показались им подозрительно похожими на те, что были оставлены на стене лаком для ногтей и на кухонном столе — размазанным кетчупом.

Детективы поделились своими подозрениями с неким неизвестным агентом Оклахомского агентства ФБР, и, по словам Смита, этот агент устно подтвердил их догадку.

В ходе перекрестного допроса, проводившегося Грегом Сондерсом, Смит показал:

— Согласно мнению человека, о котором я говорю, почерк был похож на тот, который мы увидели на стене в квартире.

— А как насчет кухонного стола?

— Оба почерка были похожи.

Спустя несколько минут уже Барни припер Смита к стенке по поводу графологического анализа. Он спросил, есть ли у Смита официальное заключение из Оклахомского отделения ФБР относительно почерка Рона.

— Мы не делали запроса, — признался Смит.

Барни не поверил своим ушам. Почему же не был сделан запрос в местное отделение ФБР? Там ведь есть специалисты-графологи. Быть может, их компетентное мнение позволило бы исключить Рона и Денниса из списка подозреваемых.

Смит отбивался как мог:

— Сходство почерков просматривалось, но, видите ли, оно основывалось на наших наблюдениях, а не на научных данных. Я хочу сказать, что мы, знаете ли... мы увидели это сходство, но, понимаете ли, научно сравнить столь разные надписи было почти невозможно. Когда пишешь кисточкой и когда пишешь карандашом, получаются совсем разные почерки.

— Не хотите ли вы сказать суду, — удивился Барни, — будто считаете, что эти два человека, Деннис Фриц и Рон Уильямсон, по очереди брали в руки кисточку для лака и писали угрозу Джиму Смиту и остальные надписи по одной букве каждый и что это позволило вам прийти к заключению о сходстве почерков?

— Нет, но мы считаем, что каждый из них так или иначе принял участие в писании. Не то чтобы в пределах одной и той же надписи, но их ведь в квартире было несколько.

Хотя улика, касающаяся почерков, и была вынесена на предварительные слушания, чтобы продвинуть дело дальше, она оказалась слишком уж сомнительной даже в глазах Билла Питерсона, чтобы использовать ее в дальнейшем на судебном процессе.

В конце первого дня судья Миллер все же озаботился отсутствием Рона и во время совещания сторон выразил адвокатам свою тревогу по этому поводу.

— Я почитал тут кое-что насчет отсутствия подсудимого и собираюсь приказать привезти сюда мистера Уильямсона завтра без четверти девять и еще раз спросить его, действительно ли он не желает присутствовать при разбирательстве. Если он подтвердит свое нежелание, тогда его отвезут обратно в тюрьму.

В ответ на это адвокат Барни услужливо подсказал:

— Не хотите ли, чтобы я загрузил его сотней миллиграммов...

— Я не говорю вам, что вы должны делать, — перебил его судья.

На следующее утро, в 8.45, Рона ввели в зал суда. Судья Миллер, обращаясь к нему, сказал:

— Мистер Уильямсон, вчера вы заявили, что не желаете присутствовать на предварительных слушаниях.

— Я вообще не хочу находиться в этом зале, — ответил Рон. — Я не имею к этому убийству никакого отношения. Я никогда... Я понятия не имею, кто ее убил. Я вообще ничего об этом не знаю.

— Хорошо. Вы вели себя неподобающе и своим поведением чуть не сорвали заседание. Но если вы теперь все же выразите желание присутствовать, это ваше законное право. Однако вам придется пообещать и выполнить свое обещание не нарушать порядок в зале суда и вести себя спокойно. Итак, желаете ли вы в дальнейшем присутствовать на предварительных слушаниях?

— Нет, я не желаю здесь находиться.

— Но вы понимаете, что имеете право присутствовать здесь, чтобы лично слышать показания свидетелей?

— Я не желаю здесь находиться. Что бы вы здесь ни делали, мое присутствие ничего не изменит. Мне все это до чертиков надоело. Это слишком мучительно для меня, и я просто не желаю здесь быть.

— Хорошо. Таково ваше решение. Итак, вы не желаете присутствовать на предварительных слушаниях?

— Правильно.

— И вы добровольно отказываетесь от своего законного права встретиться лицом к лицу со свидетелями?

— Да, отказываюсь. Можете обвинять меня в том, чего я не делал. Можете делать все, что вам заблагорассудится. — Рон посмотрел на Гэри Роджерса и сказал: — Вы запугивали меня, Гэри. После четырех с половиной лет постоянных нападок и преследований, господа, вы готовы обвинить меня, потому что вы все марионетки, но не я.

Рона отвезли обратно в тюрьму, и Деннис Смит продолжил давать показания. Его сменил Гэри Роджерс. Он долго и нудно рассказывал о ходе следствия. Потом агенты Оклахомского отделения ФБР Мелвин Хетт и Мэри Лонг докладывали о результатах лабораторных исследований — об отпечатках пальцев, анализе волос, крови и слюны.

Когда список свидетелей обвинения был исчерпан, Барни приступил к опросу десятерых своих свидетелей — все они были либо надзирателями, либо иными тюремными служащими. Ни один из них не припомнил ничего, даже близко напоминавшего то, что якобы слышала Терри Холланд.

Когда все свидетели закончили давать показания, Барни и Грег Сондерс обратились к суду с просьбой снять с их подзащитных обвинение в изнасиловании, поскольку оно не было им предъявлено в течение трех лет с момента совершения преступления, как требуется по закону штата Оклахома. Обвинение в убийстве не имеет срока давности, однако всех прочих обвинений это касается. Судья Миллер объявил, что откладывает решение этого вопроса на более поздний срок.

Среди всей этой казуистики Деннис Фриц чувствовал себя совершенно растерянным. Обвинительная тактика Питерсона была, совершенно очевидно, сосредоточена на Роне Уильямсоне, и все его звездные свидетели — Гор, Терри Холланд и Гэри Роджерс (с его «сонными признаниями») — давали показания против Рона. Единственной уликой, которая хоть как-то привязывала к убийству Фрица, был анализ волос.

Грег Сондерс долго и упорно оспаривал его результат, утверждая, что штат не предъявил достаточных доказательств вины его подзащитного в деле об убийстве. Судья Миллер принял его соображения к рассмотрению.

Барни включился в «драку», выдвинув требование снять с его подзащитного все обвинения на основании недостаточности улик, к коему присоединился и Грег. Поскольку судья Миллер не вынес решение на месте, но стало очевидно, что он всерьез рассматривает соображения защиты, полицейские и прокуроры поняли: им нужны дополнительные доказательства.

На научных экспертов в работе с присяжными ложится огромный груз ответственности, особенно в маленьких городах и в тех случаях, когда эксперты являются государственными служащими и вызываются в суд прокурором, чтобы свидетельствовать против обвиняемых по уголовным делам. Их заключения обязаны быть непогрешимыми.

Барни и Грег Сондерс знали, что улики, основывающиеся на анализе волос и отпечатков пальцев, проведенном в Оклахомском отделении ФБР, сомнительны, но чтобы оспорить их, адвокаты нуждались в помощи. Им требовалось провести перекрестный допрос экспертов и попытаться дискредитировать их. Однако знали они и то, что адвокаты редко выигрывают подобные сражения. Экспертов прищучить трудно, а смутить присяжных ничего не стоит. Чего действительно недоставало защите, так это одного-двух собственных экспертов.

Они составили ходатайство об экспертной помощи. Подобные ходатайства часто подаются, но редко удовлетворяются. Эксперты стоят дорого, и местные власти, включая судей, ежатся от страха при мысли о том, что придется заставить налогоплательщиков раскошелиться в пользу нищей защиты, предъявляющей слишком высокие требования.

Ходатайство вынесли на обсуждение. Слепота Барни, хотя о ней не было сказано ни слова, подразумевалась в качестве аргумента. Если кому-то и нужна была помощь в исследовании волосков и отпечатков пальцев, то как раз слепому Барни Уорду.

ГЛАВА ВОСЬМАЯ

Бумаги сновали туда и обратно. Офис окружного прокурора внес поправку в формулировку предъявленных обвинений, исключив пункт об изнасиловании. Адвокаты подсудимых не согласились и с новым обвинительным актом.

Региональным судьей был Роналд Джонс, родом из округа Понтоток, который вместе с округами Семинол и Хьюз входил в Двадцать второй судебный округ. Джонс был избран судьей в 1982 году и, что неудивительно, славился своим потворством обвинению и непримиримостью по отношению к защите. Он свято верил в справедливость смертной казни, являлся правоверным христианином и дьяконом баптистской церкви, среди множества его прозвищ были Рон Баптист и Джон Книжник. Была у него, однако, и слабость: он считал, что тюрьма способна обратить заключенного в истинную веру, и некоторые адвокаты исподтишка подсказывали своим клиентам, что демонстрация внезапно возникшего интереса к обретению Бога может оказаться весьма полезной, если дело рассматривает судья Джонс.

20 августа нераскаявшийся Рон предстал перед ним для предъявления обвинения, это была их первая встреча в суде. Судья, наслушавшийся всяких сплетен, спросил Рона, как он себя чувствует.

— Я должен сказать вам, сэр, — громко начал Рон. — Я искренне сочувствую семье Картеров и их родственникам. — Судья Джонс призвал зал к тишине. Рон продолжил: — Сэр, я знаю, что вы не хотите... Я... Я не делал этого, сэр.

Охранники плотнее сомкнулись вокруг него, и он замолчал. Предъявление приговора было отложено, судья Джонс пожелал подробнее ознакомиться с протоколами предварительных слушаний.

Две недели спустя Рон снова предстал перед судом, к тому времени его адвокаты подготовили еще несколько ходатайств. Надзиратели научились манипулировать его поведением с помощью торазина. Когда Рон пребывал в камере, а им хотелось тишины, они накачивали его им под завязку, и все были счастливы. Но когда его собирались везти в суд, они уменьшали дозу, чтобы там он вел себя шумно и воинственно. Норма Уокер из Службы психического здоровья подозревала, что тюремщики злоупотребляют препаратом, и подала соответствующую записку в суд.

Вторая встреча с судьей Джонсом прошла не лучшим образом. Рон был говорлив. Он твердил о своей невиновности, о том, что люди наговаривают на него, и, в частности, сказал: «Мама знала, что ту ночь я провел дома».

В конце концов его отправили обратно в камеру, а заседание продолжилось. Барни Уорд и Грег Сондерс потребовали раздельных процессов и энергично настаивали на этом требовании. Особенно Сондерс хотел, чтобы дело его подзащитного рассматривало отдельное жюри присяжных, не отягощенных грузом ассоциаций его клиента с Роном Уильямсоном.

Судья Джонс согласился и приказал разделить процессы. Он также поднял вопрос об освидетельствовании Рона на предмет его психической полноценности, указав Барни прямо в ходе заседания, что это нужно сделать до начала суда. Наконец Рону предъявили обвинение, выслушали официальное заявление о его непризнании себя виновным и отправили обратно в тюрьму.

После этого дело Фрица встало на новую колею. Судья Джонс приказал заново провести предварительные слушания, поскольку на первых штат предоставил против него слишком мало улик.

Свидетелей у обвинения было явно недостаточно.

* * *

Обычно при недостатке надежных улик прокуратура теребит полицию, но только не в Аде. Здесь никто не волновался. Понтотокская окружная тюрьма кишела потенциальными осведомителями. Первой, кого наметили для Денниса Фрица, была профессиональная мошенница по имени Синди Макинтош.

Денниса по стратегическому замыслу перевели в камеру поближе к камере Рона — чтобы они могли переговариваться. Они помирились, Деннис убедил Рона в том, что никаких признаний не делал.

Синди Макинтош утверждала, будто находилась достаточно близко, чтобы слышать, о чем они разговаривают, и уведомила полицию, что у нее хорошие новости. По ее словам, Фриц и Уильямсон обсуждали фотографии, которые были предъявлены суду на первых предварительных слушаниях. Поскольку Рон в зале не присутствовал, ему очень хотелось узнать о них от Денниса. Это были фотографии с места преступления, и Рон якобы спросил Денниса: «Она [Дебби Картер] лежала на кровати или на полу?»

«На полу», — якобы ответил Деннис, из чего полицейские сделали вывод: это со всей очевидностью доказывает, что оба были в квартире и совершили там изнасилование и убийство.

Билла Питерсона подобная «логика» легко убедила. 22 сентября он заявил о включении Синди Макинтош в список свидетелей обвинения.

Следующим осведомителем был Джеймс Риггинс, правда, его карьера в качестве доносчика оказалась недолговечной. Когда его привезли обратно в тюрьму округа Понтоток после объявления приговора и вели в свою камеру, он, проходя мимо другой камеры, успел услышать, как кто-то, вероятно, Рон, едва ли не хвастал тем, что убил Дебби Картер, что его дважды судили за изнасилование в Талсе и что он избежит приговора за убийство так же, как избежал за изнасилование. Риггинс плохо представлял себе, кому Рон делал все эти признания, но в мире осведомителей подобные мелочи не играют роли.

Месяцем позже Риггинс изменил свои показания и, когда его допрашивали в полиции, заявил, что ошибся: на самом деле эти признания делал не Рон Уильямсон, а Глен Гор.

Лжепризнания оказались в Аде заразной болезнью. 23 сентября молодой наркоман по имени Рики Джо Симмонс явился в полицейский участок и заявил, что это он убил Дебби Картер и желает сделать официальное признание. Деннис Смит и Гэри Роджерс без труда нашли видеокамеру, и Симмонс начал свой рассказ. Он сознался, что много лет употреблял наркотики, что его любимым зельем было домашнее варево под названием «кислота», поскольку в его состав, помимо прочего, входит кислота, которой заправляют автомобильные аккумуляторы. Однако в конце концов он с наркотиками завязал и обрел Бога. Однажды вечером в декабре 1982 года — кажется, это было в 1982-м, хотя он не уверен, — он читал Библию. Потом по какой-то неведомой причине ему захотелось пешком побродить по Аде, и он наткнулся на девушку — предположительно это была Дебби Картер, но не точно. Далее следовало несколько противоречащих друг другу версий: то ли он ее изнасиловал, то ли нет; ему кажется, что он задушил ее руками до смерти, после чего начал молиться и заблевал всю квартиру.

Какие-то голоса подсказывали ему, что делать. Детали он помнил смутно и сам признался: «Все было похоже на сон».

Странно, что Смит и Роджерс не ухватились за эту фразу, чтобы состряпать еще одно «сонное признание».

Когда у него стали допытываться, почему он ждал почти пять лет, чтобы сделать это заявление, с трудом объяснил, что слухи, которые в последнее время циркулируют по городу, заставили его вспомнить ту роковую ночь 1982-го, а может, 1981 (?) года. Но он никак не мог вспомнить, каким образом попал в квартиру Дебби, сколько в ней комнат и в какой именно он ее убил. Потом — вдруг — вспомнил про кетчуп и как писал им на стене. Позднее он признал, что о подробностях дела рассказывал на работе один из его сослуживцев.

Симмонс поклялся, что, делая признание, был трезв и не находился под действием наркотиков, однако Смиту и Роджерсу было очевидно, что долгое употребление «кислоты» сделало свое дело. Они тут же отмели его историю. Хотя в ней было не больше неточностей, чем в «признаниях» Томми Уорда, на детективов она впечатления не произвела. Смиту в конце концов надоело слушать, и он сказал:

— Я считаю, что вы не убивали Дебби Картер.

Симмонс, смешавшись еще больше, твердил, что он убил девушку, детективы настаивали, что он этого не делал.

Поблагодарив за потраченное время, они отправили его домой.

* * *

Хорошие новости были редкостью для понтотокской тюрьмы, но в начале ноября Рон получил неожиданное письмо. Судья административного суда признал его имеющим право на материальное пособие по нетрудоспособности согласно Акту о социальном обеспечении.

За год до того Аннет от имени Рона подала соответствующее прошение, в котором указала, что он не может работать с 1979 года. Судья Говард О'Брайан изучил богатую событиями историю его болезни и назначил слушания на 26 октября 1987 года. Рона привезли на них из тюрьмы.

В своем решении судья О'Брайан отмечал: «Медицинская документация, представленная соискателем, явно свидетельствует об алкоголизме и клинической депрессии, регулируемой с помощью лития. Состояние больного может быть квалифицировано как атипическое биполярное расстройство, осложненное атипическим расстройством психики, граничащим с психопатией, паранойей и болезненной предрасположенностью к антиобщественному поведению. Совершенно очевидно, что без лекарств больной становится агрессивным, жестоким, склонным к физическому насилию; он страдает галлюцинациями религиозного свойства и расстройством мыслительной деятельности».

В решении также говорилось: «У больного случаются повторяющиеся периоды дезориентации во времени, ослабления внимания, а также утраты способности к абстрактному мышлению и помутнения сознания».

Судья О'Брайан без колебаний пришел к заключению, что Рон страдает «биполярным расстройством и неадекватностью восприятия реальности» и что состояние его серьезно настолько, что делает невозможным выполнение им сколько-нибудь осмысленной работы.

Рон был официально признан нетрудоспособным начиная с 31 марта 1985 года по текущее время.

Обязанность судьи административного суда состояла в том, чтобы, убедившись в физической или умственной нетрудоспособности соискателя, назначить ему ежемесячное пособие. Дело важное, однако не вопрос жизни и смерти. Обязанностью же судей Миллера и Джонса было обеспечить каждому подсудимому, особенно такому, которому грозила смертная казнь, справедливый суд. Ирония судьбы заключалась в том, что судья О'Брайан смог увидеть очевидные медицинские проблемы Рона, а судьи Миллер и Джонс — нет.

Барни добросовестно позаботился о том, чтобы Рон прошел обследование. Он организовал экспертизу через Понтотокский департамент здравоохранения. Директор клиники Клодетт Рей назначила ряд психологических тестов и представила Барни отчет, который заканчивался так: «Рон проявляет осознанный страх, обусловленный ситуационным стрессом. Он чувствует себя беспомощным, чтобы изменить ситуацию, а вернее — самого себя. Он может совершать неадекватные поступки вроде отказа присутствовать на предварительных слушаниях из-за паники и расстройства мыслительного процесса. Большинство людей, напротив, желали бы иметь возможность лично слышать все, что может повлиять на их будущее и даже стоить им жизни».

Это заключение Барни засунул в папку, где оно и осталось. Ходатайство о назначении слушаний по вопросу о дееспособности было рутинной процедурой, которую Барни неоднократно приходилось инициировать. Его клиент сидел в тюрьме, всего в каких-нибудь ста футах от здания суда, которое Барни посещал почти каждый день.

Дело взывало о том, чтобы кто-нибудь поднял вопрос о дееспособности обвиняемого.

На процессе Денниса Фрица обвинение очень рассчитывало на поддержку полуграмотного свидетеля-индейца по имени Джеймс С. Харио. В свои двадцать два года Харио уже сидел в тюрьме за кражу со взломом, причем его поймали после того, как он вторично вломился в один и тот же дом. В сентябре и октябре, в ожидании перевода в главную тюрьму штата, он был соседом Денниса Фрица по камере.

Они даже в некотором роде подружились. Деннис жалел Харио, писал за него письма, в основном его жене. Притом он прекрасно понимал, что задумали копы. Едва ли не каждый день они уводили Харио из камеры без всякого видимого повода — процесс над ним закончился, и в суде ему делать было нечего, — а как только приводили обратно, он принимался донимать Денниса расспросами об убийстве Дебби Картер. В тюрьме, кишевшей опытными и искусными подсадными утками, Харио был самым захудалым.

Схема просматривалась настолько очевидно, что Деннис написал заявление, состоявшее из одного абзаца, и заставлял Харио подписывать его каждый раз, когда того уводили из камеры. В частности, там была фраза: «Деннис Фриц всегда утверждает, что он невиновен».

Обсуждать с ним свое дело Деннис категорически отказывался.

Это, однако, не остановило Харио. 19 ноября Питерсон внес Джеймса С. Харио в список свидетелей обвинения. В тот же день возобновились предварительные слушания по делу Денниса под председательством судьи Джона Дэвида Миллера.

Когда Питерсон объявил, что следующим вызывает к свидетельской стойке Харио, Деннис вздрогнул. Что там напридумал этот тупица?

Харио под присягой лгал неумело. Он объяснил серьезно слушавшему его Биллу Питерсону, что был сокамерником Фрица, и хотя поначалу они жили дружно, в ночь Хэллоуина их разговор закончился плохо. Харио выпытывал у Фрица подробности убийства. Деннис не желал их открывать, но Харио без труда заполнил белые пятна сам. Он уверился в том, что Деннис виновен, и не стал этого скрывать. Деннис занервничал, начал метаться по камере, совершенно очевидно, обуреваемый чувством вины, а через некоторое время, посмотрев на Харио полными слез глазами, сказал: «Мы не хотели причинить ей зла».

Деннис не мог спокойно слушать эту чушь и закричал:

— Ты лжешь! Лжешь!

Судья Миллер призвал подсудимого к порядку. Харио и Питерсон продолжили плести свою сказку. По словам Харио, Деннис сокрушался о своей маленькой дочке: «Что ей придется испытать, когда ей скажут, что ее папа — убийца!» А потом Харио выдал и вовсе фантастическую подробность: якобы Деннис признался ему, что Рон принес в квартиру Дебби несколько банок пива и, изнасиловав и убив девушку, они собрали пустые банки, вытерли все отпечатки пальцев и только после этого ушли.

Во время перекрестного допроса Грег Сондерс поинтересовался у Харио, не объяснил ли ему Деннис, как им удалось стереть собственные невидимые отпечатки, оставив при этом десятки чужих. Харио не смог ответить на этот вопрос. Признал он и то, что по меньшей мере шесть других заключенных находились рядом с ними в момент, когда Деннис делал Харио свои «признания», но почему-то ни один из них ничего подобного не слышал. Грег предъявил также экземпляры «заявлений», написанных Деннисом и подписанных Харио.

Харио и без того был уже дискредитирован, но после проведенного Грегом Сондерсом перекрестного допроса и вовсе выглядел полным идиотом. Однако это не имело значения. У судьи Миллера не было выбора, и он передал дело Фрица в суд. По закону штата Оклахома, судья, председательствующий на предварительных слушаниях, не имеет права выносить определение о том, заслуживает ли свидетель доверия.

Суды назначали, потом откладывали. Зима 1987/88 года тянулась долго, Рон и Деннис томились в тюрьме, надеясь, что суд над ними скоро все же состоится. Даже проведя столько месяцев за решеткой, они все еще верили в возможность правосудия и в то, что истина себя покажет.

В результате бесконечных пререканий на совещании суда с представителями сторон одна значительная победа все же была достигнута: судья Джонс приказал разделить процессы. Хотя Билл Питерсон пытался оспорить это решение, в том, чтобы рассматривать дела одно за другим, имелось и несомненное преимущество. Первым следовало вынести на суд дело Фрица и дать возможность газетам довести все подробности до взволнованного и энергично любопытствующего города.

С самого дня убийства полиция настаивала на том, что убийц было двое, и первой (и единственной) парой подозреваемых назначила Фрица и Уильямсона. На каждом этапе — поиска подозреваемых, следствия, ареста, предъявления обвинения, предварительных слушаний — эти двое были словно бы повязаны между собой одной нитью. Пасквили на них печатались в местных газетах рядышком. В заголовках их имена тоже всегда стояли бок о бок: «Уильямсон и Фриц...»

Если бы Биллу Питерсону удалось добиться обвинительного приговора на первом процессе, присяжные на процессе Уильямсона, уже занимая места, искали бы глазами петлю.

Понятие справедливости в Аде сводилось к тому, чтобы судить Фрица первым, а потом — в том же зале, под председательством того же судьи, с теми же свидетелями и отчетами в тех же газетах — Рона Уильямсона.

* * *

1 апреля, за три недели до начала процесса над Роном, назначенный судом помощник его адвоката Фрэнк Барбер обратился с прошением освободить его от дела: он нашел себе работу прокурора в другом судебном округе.

Судья Джонс прошение удовлетворил. Барбер покинул зал суда. Барни остался без помощника — без юридически образованного «глаза», который читал бы ему вслух документы, рассматривал улики, фотографии и диаграммы, представляемые обвинителями его клиента.

6 апреля 1988 года, через пять с половиной лет после убийства Дебби Картер, Денниса Фрица под стражей доставили в зал, на второй этаж Понтотокского окружного суда. Чисто выбритый и только что подстриженный, он был в своем единственном костюме, который мать купила специально для суда. Ванда Фриц сидела в первом ряду, настолько близко к сыну, насколько это было возможно. Рядом с ней находилась ее сестра Вилма Фосс. Они не пропускали ни единого слова из того, что говорилось на суде.

Когда с него сняли наручники, Деннис бросил взгляд в зал и подумал: интересно, кто из почти сотни потенциальных присяжных войдет в окончательную дюжину? Кто из сидящих здесь зарегистрированных избирателей будет вершить суд над ним?

Его долгое ожидание подходило к концу. Проведя в душной камере одиннадцать месяцев, он наконец предстал перед судом. У него хороший адвокат, он верит, что судья гарантирует честный суд, двенадцать таких же горожан, как он сам, тщательно взвесят доказательства и быстро поймут, что их у Питерсона фактически нет.

Начало процесса принесло облегчение, но и страх не отпускал. В конце концов, они находились в округе Понтоток, где, как хорошо знал Деннис, и невиновный мог легко попасть за решетку, ведь Фрицу довелось недолго посидеть в одной камере с Карлом Фонтено, простодушным человеком со смятенной душой, которого заточили в камеру смертников за убийство, к которому он не имел ни малейшего отношения.

Судья Джонс вошел и поприветствовал предполагаемых присяжных. Начался их отбор в жюри. Это была долгая и утомительная процедура. Часы тянулись, словно годы, пока отсеивали слишком старых, глухих и больных. Затем приступили к вопросам, в основном их задавали адвокаты сторон, но иногда и судья Джонс.

Грег Сондерс и Билл Питерсон постоянно вступали в пререкания: какого присяжного оставить, какого исключить.

На каком-то этапе этой длинной процедуры судья Джонс задал вопрос вероятному присяжному по имени Сесил Смит:

— Каково ваше последнее место работы?

Сесил Смит ответил:

— Оклахомская муниципальная комиссия по корпорациям.

Ни адвокаты, ни судья не попросили уточнений. Чего не сказал Сесил Смит в своем кратком ответе, так это того, что за ним числился длинный список правонарушений.

Спустя некоторое время судья Джонс спросил Сесила Смита, знаком ли он с детективом Деннисом Смитом и не состоит ли он с ним в родстве.

Сесил Смит ответил:

— Не состою.

— Откуда вы его знаете? — задал новый вопрос судья.

— О, я просто слышал о нем, несколько раз с ним говорил, и, кажется, раз-другой у нас были незначительные общие дела.

Через несколько часов жюри было сформировано. Для Фрица особенно неприятным оказался тот факт, что в него вошел Сесил Смит. Заняв свое место в ложе присяжных, мистер Смит смерил Денниса тяжелым взглядом — первым из многих последующих.

Процесс как таковой начался на следующий день. Нэнси Шу, помощница регионального прокурора, в общих чертах обозначила для жюри, какими доказательствами располагает обвинение. Грег Сондерс в своем вступительном слове сразу же заявил, что доказательств у обвинения практически нет.

Первым место за свидетельской стойкой занял Глен Гор, привезенный из тюрьмы. Отвечая на вопросы Питерсона, он представил весьма странное свидетельство, заключавшееся в том, что он не видел Денниса Фрица с Дебби Картер в ночь убийства.

Большинство обвинителей предпочли бы первым выставить сильного свидетеля, который подтвердил бы, что за несколько часов до убийства видел убийцу и жертву вместе. Питерсон решил поступить иначе. Гор сказал, что, возможно, когда-то раньше и видел Денниса в «Каретном фонаре», а может, и нет.

Уже по допросу первого свидетеля стала очевидна стратегия обвинения. Гор больше говорил о Роне Уильямсоне, чем о Деннисе Фрице, и вопросы Питерсон задавал главным образом о Роне. Схема «виновен по ассоциации» вступила в действие.

Прежде чем Грег Сондерс получит возможность развенчать Гора, обнародовав его криминальное прошлое, Питерсон решил дискредитировать собственного свидетеля сам и спросил Гора о его приговоре. У того их оказалось множество, причем за такие преступления, как захват заложников, нападения при отягчающих обстоятельствах и покушения на жизнь полицейских.

Таким образом, первый свидетель обвинения не только не помог вписать Денниса в картину преступления, но и предстал перед судом как закоренелый преступник, отбывающий сорокалетний срок наказания.

После такого сомнительного начала Питерсон продолжил свою тактику со следующим свидетелем, который тоже ничего не знал. Томми Гловер поведал присяжным, что видел, как Дебби Картер разговаривала с Гленом Гором перед тем, как покинуть «Каретный фонарь» и отправиться домой.

Крайне недолго пробыв за свидетельской стойкой, Гловер, ни разу не упомянув имя Денниса Фрица, был отпущен.

Джина Виетта рассказала историю о странном телефонном звонке от Дебби Картер, последовавшем вскоре после полуночи 8 декабря, а также сообщила, что видела Денниса Фрица в «Каретном фонаре» несколько раз, однако не в ночь убийства.

Далее выступал Чарли Картер с душераздирающим рассказом о том, как он нашел свою мертвую дочь, потом на свидетельское место был вызван детектив Деннис Смит. Смита провели сквозь длинную череду вопросов, позволивших ему подробно описать место преступления, сопроводив рассказ демонстрацией множества фотографий. Он говорил о ходе проведенного им расследования, об анализах образцов слюны и волос и тому подобном. Первый вопрос Нэнси Шу о вероятных подозреваемых, как и следовало ожидать, касался отнюдь не Денниса Фрица.

— Вы допрашивали человека по имени Роналд Кит Уильямсон в ходе своего расследования?

— Да, допрашивали, — ответил Смит и приступил к подробному рассказу о полицейском следствии в отношении Рона Уильямсона, объяснив, как и почему тот стал подозреваемым. Никто его ни разу не перебил и не выразил протеста. В конце концов

Нэнси Шу все же вспомнила, кого судят в настоящий момент, и спросила о результате исследования слюны Денниса Фрица.

Смит во всех деталях принялся описывать, как он собирал образцы и передавал их в лабораторию отделения ФБР в Оклахома-Сити. На этом Шу закончила задавать вопросы, передала свидетеля адвокатам защиты и села на место. Если бы кто-то захотел понять, почему Деннис Фриц попал в список подозреваемых, ему бы это так и не удалось, ибо штат не сумел (да и не старался) доказать хоть какую-то связь между подсудимым и жертвой. Ни один свидетель не мог сказать, что видел его в день убийства в пределах досягаемости от Дебби Картер, лишь Смит отметил, что Фриц жил «поблизости» от ее квартиры. О мотиве вообще речи не шло.

К убийству Фриц в конце концов был привязан благодаря показаниям Гэри Роджерса, следующего свидетеля, который сказал:

— Имя подсудимого Денниса Фрица как сообщника всплыло в ходе расследования, которое мы вели в отношении Рона Уильямсона.

Роджерс объяснил присяжным, как они с Деннисом Смитом прозорливо догадались, что преступление подобной жестокости могли совершить только два человека, поскольку одному оно было не под силу. К тому же убийца — убийцы прокололись, написав кетчупом: «Ни исчите нас, а то...» Слово «нас» указывает, что преступник был не один, и это Смит и Роджерс сразу же поняли.

Проведя отличную полицейскую работу, они выяснили, что Уильямсон и Фриц были друзьями, и это теоретически позволило предположить их совместное участие в убийстве.

Грег Сондерс проинструктировал Денниса, чтобы он не обращал никакого внимания на присяжных, но это оказалось невозможным. Судьба Денниса, а может, и жизнь была в руках этих двенадцати человек, и он не мог время от времени не смотреть в их сторону. Сесил Смит сидел в первом ряду, и когда бы Деннис ни бросал взгляд в ложу, всегда отвечал ему тяжелым взглядом.

«В чем дело?» — недоумевал Деннис. Вскоре он это понял.

Входя после перерыва в заседании в здание суда, Грег Сондерс столкнулся с пожилым адвокатом, ветераном городской системы правосудия, который спросил его:

— Какому хитрому сукину сыну пришло в голову включить Сесила Смита в жюри?

— Может, и мне, — ответил Грег. — А кто такой Сесил Смит?

— Когда-то он был шефом местной полиции, и этим все сказано.

Сондерс был ошеломлен. Он прошагал прямо в кабинет судьи Джонса и потребовал исключить Смита из состава жюри на том основании, что этот присяжный не был до конца честен в процессе отбора и явно настроен в пользу полиции и обвинения.

Судья требование отклонил.

От доктора Фрэда Джордана, который давал показания относительно вскрытия, присяжные узнали чудовищные подробности. Были предъявлены и пущены в ложе по рукам снимки тела, которые повергли присяжных в шоковое состояние и вызвали ярость, неизбежную в любом процессе над убийцей. Несколько членов жюри смотрели на Фрица с омерзением.

Пока тяжкое впечатление от солидных, неопровержимых сведений доктора Джордана еще витало в воздухе, обвинение решило незаметно протолкнуть несколько не указанных в списке свидетелей. Некто Гэри Аллен был приведен к присяге и занял место за свидетельской стойкой. Он имел к делу весьма сомнительное отношение — просто, по его собственным словам, жил неподалеку от Денниса Фрица и однажды в декабре 1982 года, около половины четвертого утра слышал, как возле его дома шумели два человека. Точную дату он указать не мог, но почему-то был уверен, что это случилось раньше десятого декабря. Мужчины, которых он видел смутно и не смог опознать, громко смеялись, шутливо переругивались и поливали друг друга из садового шланга. Несмотря на холод, мужчины обнажились до пояса. Гэри Аллен был знаком с Деннисом Фрицем, и ему показалось, что он узнал его голос, хотя и не точно. Он минут десять прислушивался к шуму, потом вернулся в постель.

Когда Аллен покидал свидетельское место, некоторые зрители провожали его недоуменными взглядами. В чем конкретно был смысл его показаний? Следующий свидетель, Тони Вик, посеял еще больший сумбур.

Вик жил в маленькой квартирке под квартирой Гэри Аллена и знал Денниса Фрица. Был он знаком и с Роном Уильямсоном. Он засвидетельствовал, что видел Рона на пороге дома Денниса и что ему достоверно известно, будто они вдвоем предприняли поездку в Техас летом 1982 года.

Чего еще могло требовать жюри?!

«Обличительная» информация продолжила накапливаться, когда свидетельское место заняла Донна Уокер, продавщица дежурного магазина, опознавшая Денниса и сообщившая, что когда-то знала его очень хорошо. В 1982-м Деннис частенько захаживал в ее магазин рано по утрам и любил поболтать с ней за чашкой кофе. Рон тоже был завсегдатаем, и она точно знала, что они с Деннисом приятели. А потом, сразу после убийства, эти двое перестали пить кофе в ее магазине. Они вообще исчезли из поля ее зрения. Но несколько недель спустя появились вновь как ни в чем не бывало. Но они изменились! Как?

— Изменились их поведение и манера одеваться. Раньше они всегда одевались хорошо и были чисто выбриты, а теперь совсем опустились — грязная одежда, щетина на щеках, спутанные волосы. И характеры у них переменились — они стали нервными до паранойи, я бы сказала.

На настоятельную просьбу Грега Сондерса объяснить, почему она ждала пять лет, чтобы поделиться с полицией столь существенной информацией, Уокер ответить не смогла, однако признала, что полиция сама обратилась к ней в августе прошлого года, когда Деннис и Рон были арестованы.

Парад продолжила Лета Колдуэлл, разведенная. Она вместе с Роном училась в школе в Бинге. Эта свидетельница поведала присяжным, что Деннис Фриц и Рон Уильямсон частенько захаживали к ней домой поздно вечером в разное время и всегда выпивали. В какой-то момент она начала их побаиваться и попросила больше не приходить, а поскольку они отказались удовлетворить ее просьбу, купила пистолет и показала его им, только тогда они поверили, что она не шутит.

Ее показания не имели никакого отношения к убийству Дебби Картер и в большинстве судебных присутствий были бы опротестованы именно как не имеющие отношения к делу.

Протест наконец воспоследовал, когда показания давал агент Оклахомского отделения ФБР Расти Физерстоун. Питерсон, в неуклюжей попытке доказать, что Рон и Деннис пьянствовали в Нормане за четыре месяца до убийства, вызвал его на свидетельское место. Физерстоун в 1983 году дважды тестировал Денниса на полиграфе, но по множеству «уважительных» причин результаты тестирования не могли быть предъявлены суду. Так вот, во время этих собеседований Деннис припомнил одну ночь в Нормане, во время которой они совершали рейд по барам и везде пили. Когда Питерсон попытался вытянуть из него подробности этой истории, Грег Сондерс громко заявил протест. Судья Джонс протест удовлетворил на том основании, что история не имеет отношения к делу.

Во время совещания сторон Питерсон пытался сопротивляться, утверждая, что «он (Физерстоун) своей историей доказывает, что в августе 1982-го Рон Уильямсон и Деннис Фриц были приятелями».

— Обоснуйте важность своего утверждения, — потребовал судья Джонс.

Питерсон не смог этого сделать, и Физерстоун быстренько покинул зал. Это было еще одно явление еще одного свидетеля, который ничего не знал об убийстве Дебби Картер.

Следующий свидетель был столь же бесполезен, хотя его показания оказались небезынтересны. Уильям Мартин являлся директором младшей школы в Ноубле, где Деннис преподавал в 1982 году. Он показал, что утром 8 декабря, в среду, Деннис позвонил, сказался больным и пришлось заменить его другим преподавателем. Согласно книге регистраций, которую Мартин принес с собой, Деннис пропустил в общей сложности семь дней за девять месяцев учебного года.

Опросив двенадцать свидетелей, обвинение так и не смогло пригвоздить Денниса Фрица. Если оно что и доказало без сомнений, так только то, что он употреблял алкоголь, бывал в компании пользующихся дурной славой людей (Рона Уильямсона, например), жил вместе с матерью и дочерью в том же районе, где находилась квартира Дебби Картер, и не вышел на работу на следующий день после того, как произошло убийство.

Питерсон всегда работал методично, таков был его стиль. Он верил, что дело надо выстраивать медленно — кирпичик за кирпичиком, свидетель за свидетелем, ничего не придумывая и не приукрашивая, и таким образом постепенно накапливая доказательства и устраняя сомнения из голов присяжных. Но Фриц представлял собой серьезный вызов, поскольку против него вообще не было надежных улик.

Требовались осведомители.

Первым из них, занявшим место за свидетельской стойкой, был Джеймс Харио, которого, как и Гора, доставили в суд из тюрьмы. Тупой и несообразительный, Харио не только дважды вломился в один и тот же дом, но даже способ проникновения в него повторил в точности: через окно той же спальни. Когда его схватили и стали допрашивать, полицейские, используя ручку и лист бумаги — предметы, Харио глубоко чуждые, — с помощью рисунков и чертежей быстро добились его признания. Это, видимо, произвело на Харио неизгладимое впечатление, потому что, оказавшись в камере вместе с Деннисом и побуждаемый полицией, он решил раскрыть убийство Дебби Картер, бессмысленно водя карандашом по листу бумаги.

Харио попытался объяснить присяжным свою хитроумную методику. В переполненном тюремном блоке он расспрашивал Денниса об убийстве. В какой-то момент, когда его «иксы» и «о» достигли максимального нажима, он сказал Деннису: «Похоже, ты виновен». И якобы Деннис, не в силах противиться железной логике Харио, придавленный бременем вины, со слезами ответил: «Мы не хотели причинить ей зла».

Когда Харио впервые выдал этот бред на предварительных слушаниях, Деннис не выдержал и закричал: «Ты лжешь! Лжешь!» Но под внимательными взглядами присяжных он не мог позволить себе никаких эмоций, как бы мучительно это для него ни было. Утешал лишь вид нескольких присяжных, которые тихо давились от смеха, слушая бредовую историю Харио.

Во время перекрестного допроса Грег Сондерс установил, что Деннис и Харио размещались в одном из двух тюремных отсеков, где на маленькое открытое пространство выходили решетки четырех камер — каждая на две койки. Таким образом, каждый отсек был рассчитан на восьмерых заключенных, но зачастую их в нем теснилось гораздо больше. Заключенные буквально дышали друг другу в лицо. Весьма удивительно для понтотокской тюрьмы, что больше никто не слышал драматических признаний Денниса.

Харио без смущения заявил, что ему доставляло удовольствие наговаривать Рону на Денниса и наоборот. Грег Сондерс спросил его:

— Зачем вы лгали на Денниса Фрица и Рона Уильямсона? Зачем курсировали между ними и рассказывали им небылицы друг о друге?

— Просто чтобы посмотреть, чего они станут делать и чего скажут. Они были готовы друг другу глотки перегрызть.

— И поэтому вы лгали Рону о Деннисе и Деннису о Роне, так? Вы хотели стравить их и посмотреть, как они вцепятся в горло друг другу?

— Ага, просто чтоб услышать, чего они скажут.

Позднее Харио признался, что не понимает значения слова «лжесвидетельство».

Следующим информатором был Майк Тенни — стажер-надзиратель, которого полиция использовала, чтобы поднакопить грязи на Денниса. Не имея ни опыта, ни знаний в области работы исправительных учреждений, Тенни только начинал свою тюремную карьеру, и его первым заданием был Деннис Фриц. Стремясь произвести впечатление на тех, от кого зависела его возможность получить постоянную работу, он проводил массу времени возле решетки его камеры, болтая о том о сем, но в основном — об убийстве Дебби Картер. Он давал кучу советов. По его просвещенному мнению, положение у Денниса было тяжелым, поэтому лучшее, что он мог придумать, — это заключить сделку с судом, выторговав себе послабление, дать показания против Уильямсона и тем самым спасти свою шкуру. А Питерсон честно выполнит условия сделки.

Деннис слегка подыгрывал ему, тщательно стараясь при этом не сболтнуть лишнего, ибо все им сказанное могло быть повторено в суде.

Будучи неопытным новичком, Тенни к тому же имел мало что сообщить и не отрепетировал должным образом свою роль. Он попытался было припомнить историю о том, как Деннис с Роном совершали обход оклахомских баров, не имевшую даже отдаленного отношения к убийству Дебби Картер, но Сондерс заявил протест, и судья Джонс удовлетворил его.

Затем Тенни вступил на опасную тропу, начав рассказывать, как они с Деннисом обсуждали возможность досудебной сделки. Он дважды упомянул этот термин, что было весьма неосмотрительно с его стороны, поскольку предполагало, что Деннис размышлял о признании себя виновным.

Грег Сондерс снова заявил протест и выдвинул требование об исключении Тенни из списка свидетелей, которое судья Джонс отклонил.

В конце концов Тенни удалось завершить дачу показаний, не вынуждая адвокатов то и дело вскакивать с мест. Он поведал присяжным, что часто беседовал с Деннисом и после каждой беседы кидался в кабинет при входе, чтобы дословно записать содержание разговора. По словам его «наставника» Гэри Роджерса, это была обычная практика. Отличная полицейская работа. Однажды, когда они, как обычно, болтали друг с другом, Деннис якобы сказал: «Ну, предположим, дело было так. Допустим, что Рон подошел к двери и силой вломился в квартиру Картер. А потом, скажем, он прошел в глубину и немного перегнул палку. Его чуточку занесло, и он решил преподать ей урок. Ну, она и умерла. Предположим, что все случилось именно таким образом. Но я не видел, как Рон ее убивал, а как же я могу рассказывать окружному прокурору то, чего я своими глазами не видел?»

После выступления Тенни в судебном заседании был объявлен перерыв до следующего дня, и Денниса отвели обратно в тюрьму. Он снял новый костюм и аккуратно повесил его на вешалку. Надзиратель унес его. Деннис вытянулся на койке, закрыл глаза и стал размышлять, чем может закончиться этот кошмар. Он-то знал, что свидетели лгут, но понимали ли это присяжные?

На следующее утро Билл Питерсон вызвал на свидетельское место Синди Макинтош, которая показала, что познакомилась с Деннисом Фрицем и Роном Уильямсоном, когда ждала в тюрьме суда по обвинению в подделке чеков. Ей случилось подслушать, как они разговаривали между собой. Рон расспрашивал Денниса о фотографиях с места убийства Картер.

— Она лежала на кровати или на полу? — спросил Рон.

Ответа не последовало.

Макинтош призналась, что приговор ей не вынесли.

— Я выплатила ущерб, и меня отпустили, — сказала она.

Покончив с осведомителями, Питерсон перешел к более правдоподобным доказательствам. Чуть-чуть более правдоподобным. Он поочередно вызвал на свидетельское место четверых сотрудников криминалистической лаборатории штата. Те произвели, как водится, серьезное впечатление на присяжных. Образованные, опытные, дипломированные люди, они работали в государственном учреждении. Это были эксперты! И в суд они пришли, чтобы свидетельствовать против подсудимого, чтобы помочь доказать его вину.

Первым был специалист по дактилоскопии Джерри Питерс. Он сообщил присяжным, что исследовал двадцать один отпечаток пальцев из квартиры и с машины Дебби Картер. Девятнадцать из них принадлежали самой Дебби. Один совпал с отпечатком детектива Денниса Смита, один — с отпечатком Майка Карпентера, и ни один не принадлежал ни Деннису Фрицу, ни Рону Уильямсону.

Странно, что эксперт-дактилоскопист был вызван в суд обвинением, чтобы засвидетельствовать отсутствие отпечатков пальцев обвиняемого на месте преступления.

Ларри Маллинз рассказал о том, как вторично снимал отпечатки ладоней Дебби Картер в мае прошлого года, когда ее тело подверглось эксгумации. Он передал новые отпечатки Джерри Питерсу, который на сей раз увидел то, чего не увидел четырьмя с половиной годами ранее.

Версия обвинения, та же самая, которая будет впоследствии использована и против Рона Уильямсона, состояла в том, что во время длительного и жестокого надругательства Дебби была ранена, кровь попала ей на левую руку (и больше никуда!) и этой рукой она коснулась стенной штукатурки над плинтусом в своей спальне. Поскольку отпечаток не принадлежал ни Рону, ни Деннису и, разумеется, не мог принадлежать настоящему убийце, он должен принадлежать Дебби Картер.

Криминалист Мэри Лонг специализировалась в основном на всевозможных выделениях человеческого организма. Она объяснила присяжным, что приблизительно у двадцати процентов людей невозможно определить группу крови по выделениям типа слюны, спермы и пота. Этот человеческий сегмент среди экспертов называют «несекреторным». Основываясь на исследовании крови и слюны Рона и Денниса, она пришла к безоговорочному заключению, что они принадлежат именно к этой группе людей.

Лицо, оставившее на месте преступления свою сперму, вероятно, тоже относилось к этому сегменту, хотя в этом Лонг не была уверена, потому что улик было недостаточно.

Таким образом, 80 процентов населения были исключены из списка подозреваемых. Или «около» восьмидесяти — плюс-минус процент-другой. А вот Фриц и Уильямсон отныне были заклеймены зловещим ярлыком «несекреторные».

От математических расчетов Лонг, впрочем, не осталось и следа, когда Грег Сондерс в ходе перекрестного допроса вынудил ее признать, что бóльшая часть образцов крови и слюны (двенадцать из двадцати), подвергнутых ею анализу в связи с делом об убийстве Дебби Картер, также принадлежит «несекреторам», коими являются и Фриц с Уильямсоном.

В ее наборе «несекреторами» оказались шестьдесят процентов подвергшихся анализу — против всего двадцати в общенациональном масштабе.

Но это не имело никакого значения. Показания Мэри Лонг вопреки всякой логике послужили тому, чтобы снять подозрения с многих и подвесить их над головой Денниса Фрица.

Последний свидетель обвинения оказался куда более эффективным. Этот козырь Питерсон приберег напоследок не зря: когда Мелвин Хетт закончил давать показания, жюри не сомневалось в виновности Фрица.

Хетт был экспертом по волосам Оклахомского отделения ФБР, ветераном службы, который многих помог отправить за решетку.

Лабораторные исследования человеческих волос под микроскопом еще в 1882 году подверглись серьезным сомнениям. В том году в висконсинском деле некий «эксперт» сравнил известный волос с найденным на месте преступления и сделал заключение об их идентичности. Носитель известного волоса был осужден, но в ходе апелляции Верховный суд штата Висконсин отменил приговор и вынес категорическое постановление о том, что «подобная улика носит весьма опасный характер».

Тысячи невиновных людей могли бы быть спасены, если бы это решение принималось во внимание. Но вместо этого полиция, следователи, криминалистические лаборатории и прокуроры напропалую прибегали к микроскопическому сравнению волос, результат которого зачастую становился единственной уликой против обвиняемого. Исследование волос сделалось столь общей практикой, давая при этом столь противоречивые и сомнительные результаты, что на протяжении двадцатого века вопрос о его правомерности поднимался неоднократно.

Множество исследований доказывало высокую вероятность ошибки, в ответ на это Управление содействия правоприменению в 1978 году выделило значительные средства на программу повышения квалификации сотрудников криминалистических лабораторий. Двести сорок лучших лабораторий по всей стране были включены в эту программу и соревновались в разного рода аналитических изысканиях по всевозможным видам вещественных доказательств, в том числе и исследовании волос.

Результаты последних были ужасающими. В большинстве лабораторий ошибочными оказывались четыре из пяти анализов.

Были проведены дополнительные мероприятия, вызвавшие бурные дебаты относительно достоверности «волосяных» улик. Выяснилось, что точность результата увеличивается, если исследователь сравнивает волос с места преступления с волосами, взятыми у пяти человек — без указания на то, кто из этих пятерых является наиболее вероятным, по мнению полиции, подозреваемым. Вероятность неосознанной предвзятости таким образом устранялась. В то же время точность анализа катастрофически падала, если исследователю сообщали, кто является реальным подозреваемым. Возможность предвзятого заключения не в пользу подозреваемого в таких случаях весьма высока.

Эксперты по волосам идут по тонкому льду, и их заключения всегда снабжены осторожными формулировками вроде: «Волос с места преступления и предоставленный в лабораторию неизвестный волос структурно совместимы и могут исходить из одного источника».

Существует, однако, высокая вероятность и того, что они могут не исходить из одного источника, но подобные признания редко делаются добровольно, во всяком случае, во время допросов, проводимых выставившей стороной.

Сотни волосков, собранные на месте преступления Деннисом Смитом, долго и мучительно, но все же проделали свой путь в зал суда. Ими наряду с десятками волос, вскоре после убийства срезанных детективами Смитом и Роджерсом в ходе поиска подозреваемых с известных голов, занимались минимум три агента Оклахомского отделения ФБР.

Сначала их собирала и сортировала Мэри Лонг, но вскоре, упаковав, передала своей коллеге Сьюзен Лэнд. К тому времени, когда в марте 1983-го образцы получила Сьюзен Лэнд, Деннис Смит и Гэри Роджерс уже были уверены, что убийцы — Фриц и Уильямсон. К разочарованию следователей, однако, ее заключение гласило, что под микроскопом волосы с места преступления оказались сопоставимы только с волосами самой Дебби Картер.

На короткое время Фрицу и Уильямсону удалось сорваться с крючка, хотя они этого не знали и не могли знать. Даже по прошествии нескольких лет их адвокатов не ознакомили с выводами Сьюзен Лэнд.

Штат решил заручиться мнением другого эксперта.

В сентябре 1983 года, отдавая должное большой и тщательной работе, проделанной Сьюзен Лэнд, ее шеф приказал ей передать дело Мелвину Хетту. Такая «передача» была крайне необычна, тем более что Лэнд и Хетт служили в разных лабораториях разных регионов штата: Лэнд — в центральной криминалистической лаборатории Оклахома-Сити, Хетт — в ее филиале в городе Инид. Подведомственный ему регион включал восемнадцать округов, среди которых Понтоток не значился.

Хетт показал себя весьма скрупулезным исследователем. Ему понадобилось два года и три месяца, чтобы провести сравнительный анализ волос, — срок немалый, особенно учитывая тот факт, что он исследовал только волосы Фрица, Уильямсона и Дебби Картер. Остальные два десятка образцов были не столь важны и могли подождать.

Поскольку полицейским было «известно», кто убил Дебби Картер, они услужливо сообщили имя подозреваемого Мелвину Хетту, а на упаковке образцов, полученных им от Сьюзен Лэнд, против фамилий Фрица и Уильямсона стояло слово «подозреваемый».

Глену Гору же еще только предстояло сдать волосы на анализ.

13 декабря 1985 года, через три года после убийства, Мелвин Хетт закончил свой первый отчет, в котором говорилось, что семнадцать из подлежавших исследованию волосков с места преступления идентичны волосам Фрица и Уильямсона.

Потратив больше двух лет, более двухсот рабочих часов на изучение первых образцов, Хетт вдруг стремительно набрал скорость и остальные образцы числом двадцать один исследовал меньше чем за месяц. 9 января 1986 года он представил второй отчет, в котором было сказано, что все они, снятые с голов молодых людей — жителей Ады, по своей структуре не имеют ничего общего с волосами, найденными в квартире Дебби Картер.

Глена Гора по-прежнему еще даже не попросили сдать волосы на анализ.

Эта утомительная работа не обошлась и без сомнений. Сидя над микроскопом, Хетт несколько раз совершал крутые виражи.

То он был уверен, что некий волос принадлежит Дебби Картер, то резко менял мнение и решал, что он — с головы Фрица.

Таково неотъемлемое свойство анализа волос как такового. Хетт ничтоже сумняшеся противоречил иным выводам Сьюзен Лэнд и даже умудрялся оспорить собственные суждения. Изначально он обнаружил, что тринадцать лобковых волосков принадлежат Фрицу и только два — Уильямсону. Потом решил, что Фрицу принадлежат одиннадцать лобковых и два волоса с головы.

В июле 1986 года волосы Гора добрались-таки до лаборатории. Кто-то в Полицейском управлении Ады проснулся и сообразил, что Гора «пропустили». Деннис Смит взял образцы с лобка и головы у него и у признавшегося «убийцы» Рики Джо Симмонса и отправил их по почте Мелвину Хетту, который, видимо, был очень занят, поскольку не прикасался к ним в течение года. В июле 1987 года Гора попросили еще раз предоставить образцы. «Почему?» — спросил он. Потому что полиция не может найти предоставленные ранее.

Проходили месяцы, от Хетта не поступало никаких известий. Даже весной 1988 года, когда судебные процессы были на носу, он все еще не представил результатов исследования волос Гора и Симмонса.

7 апреля 1988 года, уже после начала суда над Фрицем, Мелвин Хетт наконец разразился третьим, и последним, отчетом. Волосы Гора оказались несовместимы с волосами с места преступления. Чтобы прийти к этому заключению, Хетту потребовалось почти два года, и выбор времени оказался более чем подозрительным. Это было еще одним ясным свидетельством: обвинение настолько твердо верило в виновность Фрица, что даже не сочло необходимым дождаться завершения анализа всех волос.

Несмотря на рискованность и сомнительность результатов, Мелвин Хетт был непоколебимым адептом волосяного анализа. Они с Питерсоном подружились, и накануне суда над Фрицем Хетт снабдил его научными статьями, превозносящими надежность улики, широко известной своей ненадежностью. А вот многочисленных статей, доказывающих недостоверность сравнительного структурного анализа волос, он прокурору не предоставил.

За два месяца до суда над Фрицем Хетт отправился в Чикаго и представил образцы вместе с результатами своих изысканий в частную лабораторию «Маккроун». Там некто Ричард Бисбинг, знакомый Хетта, провел проверку полученных им результатов — Ванда Фриц наняла Бисбинга в качестве независимого эксперта со стороны защиты. Чтобы оплатить его услуги, она продала машину Денниса.

Бисбинг оказался куда более расторопным исследователем, но результаты его экспертизы оказались не менее противоречивыми.

Менее чем за шесть часов Бисбинг опроверг все выводы Хетта. Из одиннадцати лобковых волос, которые Хетт на основе микроскопического исследования безоговорочно определил как принадлежащие Фрицу, Бисбинг признал достоверными только три. Только три волоска лишь могли принадлежать Деннису Фрицу. Относительно восьми других Хетт вообще ошибся.

Не смутившись столь низкой экспертной оценкой его работы, Хетт вернулся в Оклахому, готовый защищать свое мнение в суде.

Место за свидетельской стойкой он занял в пятницу, 8 апреля и с ходу принялся читать лекцию, изобиловавшую научными терминами и словами, предназначенными более для того, чтобы произвести впечатление на присяжных, нежели чтобы информировать их. Даже Деннис, дипломированный и опытный преподаватель биологии, был не в состоянии следовать за ходом его мысли, что уж говорить о присяжных. Деннис несколько раз бросал взгляд в ложу жюри и видел там безнадежно растерянные лица. Однако было очевидно, что непонятная речь эксперта производила впечатление на присяжных: мол, как же много он знает!

Хетт бросал слова вроде «морфология», «кора головного мозга», «чешуйчатые выпуклости», «поверхностные зазоры», «корковые веретенца», «яйцевидные тела» так, словно каждый находившийся в зале знал их значение, и редко снисходил до того, чтобы объяснить их.

Хетт был звездным экспертом обвинения, окруженным аурой солидности, основанной на его опыте, учености, заумной лексике и самоуверенности. В его словах не было и тени сомнения, что некоторые волоски, взятые у Денниса Фрица, по своей микроскопической структуре идентичны некоторым из тех, что были найдены на месте преступления. За время его опроса выставившей стороной он шесть раз повторил, что волосы Денниса и подозрительные волоски с места преступления структурно совместимы и могут происходить из одного источника. Той истиной, что они точно так же могут и не происходить из одного источника, он с присяжными не поделился.

Во время прямого допроса Хетта Билл Питерсон постоянно упоминал «обвиняемого Рона Уильямсона и обвиняемого Денниса Фрица». Рон в это время был заперт в одиночной камере, бренчал на гитаре и понятия не имел о том, что над ним вершится заочный суд, принимавший отнюдь не благоприятный для него оборот.

В заключение своих свидетельских показаний Хетт сделал краткое резюме для присяжных. Одиннадцать лобковых волос могут принадлежать Деннису. Это были те самые одиннадцать волосков, которые он возил в чикагскую лабораторию «Маккроун» и показывал Ричарду Бисбингу как другому, независимому, эксперту.

Перекрестный допрос, проведенный Грегом Сондерсом, заставил его немного отступить. Ему пришлось нехотя признать, что анализ волос чреват слишком серьезным риском, чтобы использовать его в качестве надежного идентификатора. Как и всякий эксперт, Хетт умел с помощью хитроумных и расплывчатых научных формулировок выпутаться из любых вопросов.

Когда он покинул свидетельское место, для обвинения настал перерыв.

Первым свидетелем защиты был сам Деннис Фриц. Он рассказал о своем прошлом, о своей дружбе с Роном и тому подобном. Признал, что был осужден за выращивание марихуаны в 1973 году и что скрыл это при приеме на работу преподавателем в школу спустя семь лет. Причина, по которой он солгал, была проста: ему нужна была работа. Он несколько раз повторил, что не был знаком с Дебби Картер и, конечно же, ничего не знает о ее убийстве.

Потом его передали Биллу Питерсону для перекрестного допроса.

У адвокатов на случай плохо обеспеченного доказательствами процесса есть старая поговорка: «Если у тебя нет фактов, побольше кричи». Питерсон картинно выступил на подиум, как на сцену, уставился на убийцу с подозрительными волосами и начал кричать.

Не прошло и нескольких секунд, как судья Джонс подозвал его к судейскому столу и сделал внушение.

— Вам может не нравиться обвиняемый, — строго прошептал судья, — но вы не имеете права сердиться в зале суда.

— Я не сержусь, — сердито огрызнулся Питерсон.

— Нет, сердитесь. И помните: это был последний раз, когда вы позволили себе повысить голос в этом зале.

— Ладно.

Питерсон демонстрировал, что его приводит в ярость ложь Фрица при приеме на работу. Значит, ему вообще нельзя верить. Он театрально извлек и предъявил суду еще одно свидетельство лживости Денниса — анкету, которую тот заполнил, покупая пистолет в Дюранте, штат Оклахома. Он снова скрыл тот факт, что был осужден за выращивание марихуаны! Два очевидных случая прямого обмана!

Ни один из них, разумеется, не имел никакого отношения к убийству Картер. Питерсон витийствовал, стараясь извлечь столько пользы, сколько было возможно, из этой признанной Фрицем лжи.

Забавно, а могло бы быть и комично, если бы ситуация не была столь напряженной, что Питерсон — обвинитель, строивший дело на показаниях преступников и осведомителей-лжесвидетелей, — так гневно взбивал пену над свидетелем, который когда-то всего лишь вынужденно не сказал правду.

Когда он наконец решил двинуться дальше, оказалось, что двигаться-то ему некуда. Он метался от одного голословного заявления своих свидетелей к другому, но Деннис твердо стоял на своем. После часового перекрестного допроса Питерсон сел на место.

Вторым, и последним, свидетелем Грега Сондерса был Ричард Бисбинг, который сообщил присяжным, что не согласен с большинством выводов Мелвина Хетта, и объяснил почему.

В пятницу в конце дня судья Джонс распустил суд на выходные. Деннис под охраной прошел обратно в тюрьму, переоделся и попытался расслабиться в своей крысиной камере-норе. Он считал, что штату не удалось доказать его вину, но был далек от уверенности. Достаточно было видеть злобные лица присяжных, когда они рассматривали чудовищные фотографии с места преступления. Видел он их лица и во время выступления Мелвина Хетта — присяжные явно поверили его доводам.

Для Денниса это были очень долгие выходные.

К заключительным речам перешли в понедельник утром. Первой от имени штата выступала Нэнси Шу. Она подробно цитировала всех свидетелей обвинения.

Грег Сондерс, возражая ей, обратил внимание на то, что штату мало что удалось доказать, что обвинение явно не выполнило своей обязанности представить не вызывающие никаких сомнений доказательства вины Фрица, что процесс превратился не во что иное, как в попытку обвинить его подзащитного «по ассоциации», и что жюри должно признать его клиента невиновным.

Билл Питерсон произвел последний артиллерийский выстрел. Почти час он пространно распинался, отрыгивая наиболее выигрышные моменты выступлений своих свидетелей и тщетно пытаясь убедить жюри, что его осведомители заслуживают доверия.

Присяжные удалились в совещательную комнату в полдень и, вернувшись через шесть часов, доложили, что голоса у них разделились: одиннадцать против одного. Судья Джонс отправил их обратно, пообещав обед после достижения согласия. Около восьми часов вечера они снова вошли в зал с вердиктом: виновен.

Ошеломленный Деннис выслушал их приговор в мертвой тишине. Он был потрясен: ведь он невиновен, его осудили на основании таких ничтожных доказательств. Ему хотелось разразиться бранью в адрес присяжных, судьи, полицейских, системы, но суд еще не закончился.

Впрочем, Деннис был не так уж и удивлен. Он ведь наблюдал за присяжными и видел их недоверие к нему. Они представляли город Аду, город, жаждавший обвинительного приговора и считавший: раз полицейские и Питерсон уверены, что он убийца, значит, так оно и есть.

Закрыв глаза, он стал думать о дочери, Элизабет, которой было четырнадцать лет. Она уже достаточно взрослая, чтобы отличать виновность от невиновности. Но как после такого приговора он сможет убедить ее, что невиновен?

Когда публика покидала здание суда, Пегги Стиллуэлл упала в обморок на лужайке. Нервное перенапряжение и горе окончательно доконали ее. Ее отвезли в ближайшую больницу, но, впрочем, вскоре отпустили домой.

После того как вердикт был вынесен, суд быстро перешел к заключительной стадии — определению наказания. Теоретически жюри должно было бы определить наказание с учетом отягчающих обстоятельств, представленных обвинением и предполагающих смертную казнь, и смягчающих обстоятельств, представленных защитой и способных с Божьей помощью спасти его жизнь.

Процедура определения наказания оказалась очень короткой. Питерсон вызвал на свидетельское место Расти Физерстоуна, который получил наконец возможность поведать присяжным, как Деннис признался ему, что они с Роном кочевали по барам в Нормане месяца за четыре до убийства. Это было единственное, что он мог доложить. Два человека, подозреваемые в убийстве, проехали семь миль до Нормана и всю долгую ночь прочесывали там клубы и бары.

Следующая, и последняя, свидетельница продолжила эту «многозначительную» историю. Ее звали Лавита Брюер. Сидя в баре гостиницы «Холидей», она познакомилась с Фрицем и Уильямсоном. Выпив несколько стаканчиков, они вместе вышли на улицу. Брюер села на заднее сиденье машины. Деннис был за рулем, Рон — рядом с ним. Шел дождь. Деннис ехал быстро, проскакивая на красный свет и тому подобное, и в какой-то момент с Брюер случилась истерика. Хотя эти двое и пальцем ее не тронули и не угрожали ей, она решила выйти. Но Деннис не желал останавливаться. Так продолжалось минут пятнадцать или двадцать, потом машина снизила скорость настолько, что Лавита смогла открыть дверцу и выпрыгнуть. Забежав в автомат, она позвонила в полицию.

Никто не пострадал. Ни на кого не было заведено дело. Никого не осудили.

Но Биллу Питерсону этот эпизод представлялся явным доказательством того, что Деннис Фриц являет собой угрозу для общества и должен быть казнен, чтобы избавить от опасности молодых дам. Лавита Брюер была лучшим — и единственным — свидетелем, какого он смог найти.

Во время своей страстной речи, призывающей присяжных осудить Фрица на смерть, Питерсон посмотрел на Денниса, ткнул пальцем в его сторону и сказал:

— Деннис Фриц, вы заслуживаете смерти за то, что вы с Роном Уильямсоном сделали с Деброй Сью Картер!

В этом месте Деннис перебил его и сказал, обращаясь к жюри:

— Я не убивал Дебби Картер.

Спустя два часа присяжные вернулись из совещательной комнаты с приговором — пожизненное заключение. Когда приговор зачитали, Деннис встал, повернулся лицом к ложе жюри и сказал:

— Дамы и господа, я только хотел бы сказать...

— Простите, — перебил его судья Джонс.

— Деннис, вы не имеете права это делать, — пояснил ему Грег Сондерс.

Но Деннис не желал, чтобы ему затыкали рот, и продолжил:

— Господь наш Иисус на небесах знает, что я этого не делал. Я хочу только, чтобы и вы знали, что я прощаю вас. И буду молиться за вас.

Вернувшись в камеру, в удушливую тьму своего маленького уголка преисподней, он не испытал ни малейшего облегчения от того, что избежал смертной казни. Ему было тридцать восемь лет, он был невиновным человеком, никогда в жизни не испытывавшим тяги к насилию, и перспектива провести остаток жизни в тюрьме была для него совершенно невыносима.

ГЛАВА ДЕВЯТАЯ

Аннет Хадсон внимательно следила за ходом процесса над Фрицем по репортажам в газете «Ада ивнинг ньюз», которая 12 апреля, во вторник, вышла с огромным заголовком на первой полосе: «Фриц признан виновным в убийстве Картер».

Как обычно, в статье упоминалось имя ее брата. «Рон Уильямсон, которому тоже предъявлено обвинение в убийстве первой степени, предстанет перед судом 21 апреля». О причастности Рона к убийству Дебби Картер и о грядущем суде над ним говорилось во всех шести материалах, посвященных процессу.

«Как же при этом можно ожидать, что удастся составить беспристрастное жюри? — без конца повторяла себе Аннет. — Если один соучастник признан виновным, может ли другой в том же городе рассчитывать на справедливый суд?»

Она купила Рону новый серый костюм с дополнительной парой брюк темно-синего цвета, две белые рубашки, два галстука и новые туфли.

20 апреля, накануне открытия процесса, Рона привели в суд для предварительной беседы с судьей Джонсом. Судью тревожило, что обвиняемый может повести себя буйно, — небезосновательная тревога, учитывая недавний опыт. Попросив Рона подойти к столу, судья сказал:

— Я хочу убедиться в том, что завтра, когда вас сюда приведут, вы не будете нарушать порядок. Вы понимаете, о чем я беспокоюсь?

— Не буду, если они не станут снова мне говорить, будто я кого-то убил, — ответил Рон.

— Но вы ведь понимаете, что они не могут этого не делать? — продолжал судья.

— Понимаю, но это неправильно.

Судье Джонсу было известно, что в прошлом Рон — выдающийся спортсмен, поэтому он решил прибегнуть к спортивной аналогии:

— Судебный соревновательный процесс напоминает спортивные состязания. Каждая сторона имеет возможность атаковать и каждая — обороняться. Это просто часть судебной процедуры. Вы же не возражаете против этого правила в спорте?

— Нет, только из спорта меня вышвырнули, — ответил Рон.

Для обвинения процесс над Фрицем стал отличным разогревом перед главным событием, в котором предполагалось задействовать тех же свидетелей и практически в том же порядке. Но на предстоящем суде у штата было два дополнительных преимущества. Во-первых, подсудимый был психически неуравновешен, склонен переворачивать столы и выкрикивать оскорбления, а такое поведение большинство людей, в том числе присяжные, не одобряют. Рон мог быть пугающе мрачным, люди страшились его. Во-вторых, его адвокат был слеп и не имел помощников. После того как его назначенный судом помощник Барбер в марте был освобожден от дела, замены ему так и не нашли. Барни славился быстротой реакции и непревзойденным умением вести перекрестный допрос, но отпечатки пальцев, фотографии и исследование волос в силу незрячести были его слабым местом.

Защита не могла дождаться начала процесса. Барни уже тошнило от Рона Уильямсона. И его приводило в отчаяние то, что он отнимает у него бесценные часы, которые можно было бы потратить на других, платных клиентов. К тому же он боялся Рона, физически боялся. Он попросил сына, который не был юристом, во время процесса сидеть за спиной у Рона — на всякий случай. Сам Барни собирался сесть как можно дальше от своего подзащитного, но скамья оказалась не настолько длинной, так что в случае, если Рон внезапно сделал бы угрожающее движение в его сторону, сын должен был вскочить и силой усадить его на место.

Таков был уровень доверия между адвокатом и его клиентом.

Однако 21 апреля мало кто в переполненном зале суда догадывался, что сын призван защитить отца от его клиента. Большинство присутствовавших были потенциальными присяжными, непривычными к подобного рода заседаниям и не знавшими, кто есть кто. Здесь же находились репортеры, любопытствующие юристы и обычная компания сплетников, которых в маленьких городах всегда привлекают судебные процессы, особенно если рассматривается дело об убийстве.

Аннет Хадсон и Рини Симмонс сидели в первом ряду как можно ближе к скамье подсудимого. Несколько близких друзей Аннет вызвались в течение всего процесса быть рядом и поддерживать ее. Она отказалась. Ее брат был болен и непредсказуем, она не хотела, чтобы ее друзья видели его в наручниках и кандалах. Не хотела она и подвергать их тяжкому испытанию смотреть на улики и слушать чудовищные показания свидетелей. Им с Рини уже довелось пройти через это во время предварительных слушаний, так что они представляли себе, что их ждет теперь.

У Рона друзей в зале не было.

Первый ряд по другую сторону прохода занимала семья Картеров, там же они сидели и во время суда над Фрицем. Родственники противных сторон старались не встречаться взглядами.

Был четверг, прошел почти год со времени эксгумации тела жертвы и ареста Рона и Денниса. Год и месяц минули с того времени, как Рон последний раз более-менее серьезно лечился в Центральной больнице штата. По запросу Барни его однажды осмотрела Норма Уокер из местной больницы. Это был краткий визит, который начался и закончился так же, как все прочие его визиты в городскую клинику. В течение всего года назначенные лекарства выдавались ему тюремщиками нерегулярно, если вообще выдавались. Время, проведенное в тесной одиночной камере, не способствовало улучшению его душевного здоровья.

Тем не менее душевное здоровье Рона не волновало никого, кроме его семьи. Этот вопрос не поднимали ни обвинение, ни защита, ни сам суд.

И вот настало время суда.

Волнение первого дня быстро угасло, как только началась утомительная процедура отбора присяжных. Шли часы, представители сторон задавали вопросы кандидатам, судья Джонс методически отсеивал их одного за другим.

Рон вел себя хорошо. И выглядел прекрасно — подстриженный, выбритый, в новом костюме. Он исписывал заметками страницу за страницей под недреманным оком сына Барни, который, несмотря на то что испытывал такую же усталость, как и остальные, не сводил взгляда с отцовского клиента. Рон понятия не имел, почему за ним так пристально наблюдают.

К концу дня дюжина присяжных все же была отобрана — семь мужчин и пять женщин. Изолировать их не собирались.

Аннет и Рини испытали прилив надежды. Одним из присяжных оказался зять соседки Аннет, жившей через дорогу от Хадсонов. Еще одним — родственник священника их церкви, который, конечно же, прекрасно знал Хуаниту Уильямсон и помнил ее преданность церкви. Еще одним — дальний родственник одного из свойственников Уильямсонов.

Лица большинства присяжных казались знакомыми. Аннет и Рини в разное время встречались с ними в Аде. Ведь это и впрямь маленький город.

Присяжные вошли в зал в девять часов следующего утра. Нэнси Шу от имени штата произнесла вступительное слово, словно под копирку списанное с того, которое она готовила для процесса над Фрицем. Барни отложил свое до речи главного обвинителя.

Первым своим свидетелем обвинение опять вызвало Глена Гора, но все пошло не так, как было задумано. Назвав свое имя, Гор отказался давать показания, предложив судье Джонсу обвинить его в неуважении к суду, — какое это могло иметь для него значение, ведь он и так отбывал сорокалетний срок заключения, — и замолчал. Причины его поведения были неясны, вероятно, дело было в том, что он сидел в главной тюрьме штата, где — в отличие от понтотокской — доносчиков и лжецов не уважали.

После нескольких минут замешательства судья Джонс решил, что присяжным будут зачитаны показания, которые Гор дал на предварительных слушаниях в июле прошлого года, что и было сделано. И хотя эффект несколько смазался, до жюри тем не менее был доведен вымышленный отчет Гора о том, как он видел Рона в «Каретном фонаре» в ночь убийства.

Барни же лишился возможности поджарить Гора на сковороде, попытав его относительно совершенных им многочисленных преступлений, в том числе с применением жестокого насилия. Не осталось у защиты и шанса порасспросить его о том, где он сам находился в ту ночь и что делал.

Освободившись от взбрыкнувшего Гора, обвинение снова встало на накатанную колею. Томми Гловер, Джина Виетта и Чарли Картер в третий раз слово в слово повторили свои показания.

Гэри Аллен снова поведал странную историю о том, как в начале декабря 1982 года около половины четвертого утра слышал голоса двух мужчин, дурачившихся неподалеку от его дома, поливая друг друга из садового шланга, однако голос Рона Уильямсона он категорически не мог опознать. Голос Денниса Смита был ему известен, поскольку они вместе учились в местном колледже.

Вскоре после убийства Смит обратился к нему с вопросом, не видел ли он или не слышал ли чего-нибудь подозрительного рано утром 8 декабря. Аллен сообщил, что видел двух мужчин, в шутку поливавших друг друга водой из садового шланга возле соседнего дома, но какого числа это было, он точно вспомнить не смог. Из этого Деннис Смит и Гэри Роджерс поспешно сделали вывод, что Фриц и Уильямсон смывали с себя кровь Дебби Картер. Они требовали от Аллена подробностей, даже показывали ему фотографии с места преступления, подталкивая к предположению, что этими двумя были Фриц и Уильямсон, но Аллен не мог их опознать и не желал возводить напраслину.

Незадолго до начала суда Гэри Роджерс заходил к Аллену домой и в очередной раз пытался «подсказать» ему подробности: разве это не были Фриц и Уильямсон? Разве Аллен не видел их собственными глазами рано утром 8 декабря?

Нет, Аллен не был в этом уверен. Роджерс откинул полу пиджака так, чтобы Аллен мог видеть его табельный револьвер, и намекнул, что он может ненароком «отравиться свинцом», если не освежит свою память. Аллен если и поверил в угрозу, то не настолько, чтобы дать требуемые свидетельские показания против воли.

Далее Деннис Смит провел жюри через место преступления, демонстрируя фотографии, отпечатки пальцев и прочие улики. Фотографии жертвы передали в ложу, и они вызвали там ту же предсказуемую реакцию. Полицейский фотограф сделал несколько снимков квартиры Дебби с пожарной лестницы. Питерсон, отобрав одну из них, попросил Смита показать присяжным, где располагается дом Уильямсона относительно дома Картер. Оказалось — всего в нескольких кварталах.

— Дайте-ка мне посмотреть эти фотографии, — сказал Барни, и ему их передали. Согласно неписаному, но общепринятому в Аде правилу, Барни взял снимки и вместе с помощницей Линдой вышел за дверь. Там она подробно описала ему каждый из них.

Прямой допрос свидетеля выставившей стороной неожиданностей не принес, но для перекрестного Барни подготовил несколько фейерверков. Ему всегда казалось невероятным, что два мнимых убийцы могли совершить столь ужасное изнасилование и убийство, не оставив при этом ни единого отпечатка пальцев. Он попросил Смита объяснить, какие поверхности для оперативного сотрудника являются в первую очередь важными при снятии отпечатков. Гладкие поверхности, ответил тот, — оконные стекла, зеркала, твердые пластиковые покрытия, крашеное дерево и тому подобное. Тогда Барни, в свою очередь, «провел» Смита по квартире Картер и заставил признать, что следствие пренебрегло многими очевидными объектами — отпечатки не были сняты с кухонной утвари, с окна спальни, которое, кстати, оказалось открытым, с кранов в ванной комнате, с поверхности дверей и зеркал. По мере того как рос список упущений полиции, крепло ощущение, что Смит плохо сработал по части снятия отпечатков.

Получив свидетеля в свое распоряжение, Барни схватил его мертвой хваткой и не отпускал. Когда он становился слишком агрессивным, либо Билл Питерсон, либо Нэнси Шу заявляли протест, обычно вызывавший резкий отпор со стороны Барни.

Следующим место за свидетельской стойкой занял Гэри Роджерс, который продолжил подробное изложение хода расследования. Но максимальным вкладом, который он мог внести в дело, по-прежнему оставался уже многократно повторенный рассказ о «сонных признаниях» Рона, сделанных на второй день после ареста. Во время прямого допроса выставившей стороной он прозвучал убедительно, но для Барни было парой пустяков не оставить от него камня на камне.

Он очень хотел знать, почему «признание» Рона не было записано на видеопленку. Роджерс подтвердил, что полиция располагает соответствующей записывающей техникой и часто ею пользуется, а под нажимом Барни вынужден был сознаться, что иногда дознаватели намеренно отказываются от записи — если не уверены, что именно скажет свидетель. Зачем же рисковать и записывать то, что может оказаться вредным для обвинения и полезным для защиты?

Роджерс также подтвердил, что в полицейском управлении имеются и звукозаписывающие устройства и что он умеет ими пользоваться, а во время допроса Рона их не включали потому лишь, что это не соответствовало рутинной процедуре. С Барни такие штучки не проходили.

Роджерс не мог отрицать и того, что в участке всегда имеется наготове набор бумаги и заточенных карандашей, но стал заикаться и мямлить, когда его попросили объяснить, почему они с Расти Физерстоуном не разрешили Рону самому изложить свои показания на бумаге. Более того, они не дали ему просмотреть и их собственные записи по завершении допроса. Подозрения продолжали накапливаться. А когда Барни окончательно припер Роджерса к стенке, пытая его насчет причин столь необычной процедуры следствия в отношении Рона, тот совершил крупную ошибку. Он упомянул о существовании видеозаписи допроса от 1983 года, в ходе которого Рон твердо и последовательно отрицал свою причастность к убийству.

Барни изобразил невероятное удивление. Почему никто не сказал ему о существовании этой записи раньше?! Ведь, согласно распоряжению судьи, обвинение было обязано предоставлять защите все улики, снимающие вину с подсудимого. Барни заранее, еще несколько месяцев назад подал соответствующий запрос, и в сентябре суд вынес постановление, предписывающее прокуратуре снабжать защиту всеми материалами, в частности заявлениями Рона, имеющими отношение к расследованию убийства.

Как могли полиция и прокуратура четыре с половиной года скрывать эту запись от адвокатов?!

В распоряжении Барни было очень мало свидетелей, поскольку дело, возбужденное против Рона, изначально было построено на «допущениях». Обвинение, напротив, располагало массой свидетелей, правда, весьма ненадежных, которые были готовы подтвердить, будто Рон в разное время так или иначе признавался в убийстве. Единственным действенным способом опровергнуть подобные показания было отрицать их, а единственным лицом, которое могло это сделать, был сам Рон. Барни планировал вызвать его на свидетельское место, чтобы он дал показания в свою защиту, но Рона подобная перспектива приводила в ужас.

Пленка 1983 года могла бы стать мощным оружием воздействия на жюри. Еще четыре с половиной года назад, то есть задолго до того, как обвинение слепило свой список сомнительных свидетелей, и задолго до того, как за Роном стал числиться столь обширный набор правонарушений, за которые он держал ответ, он сидел перед камерой и последовательно отрицал какое бы то ни было свое участие.

Своим знаменитым решением 1963 года по делу «Брейди против штата Мэриленд» Верховный суд США постановил, что «сокрытие обвинением — вопреки запросу защиты — улик, свидетельствующих в пользу обвиняемого, независимо от добрых или дурных побуждений обвинения, нарушает процессуальные нормы, согласно которым улика является существенным доказательством как для определения виновности, так и для назначения наказания».

Дознаватели располагают всеми возможностями. Зачастую они находят свидетелей или улики, свидетельствующие в пользу подозреваемого или подсудимого. Они могут десятилетиями просто игнорировать эти жизненно важные доказательства и продолжать гнуть свою обвинительную линию. Брейди уравнял шансы сторон и моментально вошел в процессуальную терминологию. «Требование Брейди» — одно из множества рутинных требований, которое адвокат, защищающий обвиняемого в уголовном суде, выдвигает в самом начале процесса. «Ходатайство Брейди». «Слушания Брейди». «Правило Брейди». «Я его прищучил по Брейди»... Дело постепенно двигалось вперед соответственно уголовной практике.

Теперь Барни стоял перед судейским столом, протестуя против нарушения «правила Брейди», в то время как Роджерс продолжал оставаться на свидетельском месте, а Питерсон усердно изучал свои ботинки. Барни выдвинул ходатайство об исключении Роджерса из списка свидетелей. Ходатайство было отклонено, хотя судья Джонс пообещал провести слушания по этому вопросу — после завершения суда!

Пятница подходила к концу, все устали. Судья распустил присутствие до восьми тридцати утра понедельника. На Рона надели наручники, охранники окружили его и поспешно вывели из зала. Пока он вел себя сдержанно, что не осталось незамеченным.

«Ада ивнинг ньюз» вышла с огромным заголовком на первой полосе:

«Первый день суда. Уильямсон контролирует себя».

* * *

В понедельник первым выступал доктор Фрэд Джордан, который в третий раз, стоя на одном и том же месте, изложил подробности вскрытия и причину смерти. И Пегги Стиллуэлл в третий раз пришлось страдать, выслушивая их, причем тяжесть бремени раз от разу легче не становилась. К счастью, она не могла видеть снимков, которые пускали только по ложе жюри, но она видела реакцию присяжных, и этого было вполне достаточно.

За доктором Джорданом последовали Тони Вик, сосед; Донна Уокер, продавщица из дежурного магазина; и Лета Колдуэлл, ночная собутыльница, — все трое столь же бесполезные, сколь были они на процессе Фрица.

Первые залпы раздались, когда на свидетельское место вызвали Терри Холланд. На предварительных слушаниях она могла плести свою историю, не опасаясь быть разоблаченной. Теперь же, под пристальным взглядом Рона, знавшего правду, все было иначе.

Тем не менее она приступила к своей небылице, бойко пересказав признание, якобы сделанное Роном в тюрьме по поводу Дебби Картер. Казалось, что Рон вот-вот взорвется. Он тряс головой, стискивал зубы и смотрел на Холланд так, словно хотел ее убить. А когда она под конец заявила:

— Он сказал: если бы она пошла с ним сама, по-хорошему, ему бы не пришлось ее убивать, — громко воскликнул:

— О-о!

— Вы когда-нибудь слышали, чтобы он говорил что-нибудь, имеющее отношение к Дебби Картер, по телефону?

Холланд:

— Я работала в прачечной, была заключенной на доверии. Рон разговаривал по телефону со своей мамой и сказал ей... ну, он хотел, чтобы она принесла ему сигарет или что-то еще, не помню точно, что именно, но они... он стал орать на нее и сказал, что, если она не сделает то, о чем он просит, он убьет ее, как убил Дебби Картер.

На это Рон закричал:

— Она лжет!

Нэнси Шу продолжила:

— Мисс Холланд, вам доводилось когда-нибудь слышать, чтобы подсудимый описывал или обсуждал с кем-нибудь подробности смерти Дебби Картер?

Холланд:

— Он говорил... кажется, в «загоне», там было полно заключенных... что он... он сказал, что засунул бутылку из-под кока-колы ей в задницу, а ее трусы — ей в глотку.

Рон вскочил, наставил на нее указательный палец и закричал:

— Вы лжете! Я никогда в жизни не говорил ничего подобного! Я не убивал эту девушку, и я утверждаю, что вы лжете!

Барни:

— Спокойно, Рон.

Рон:

— Я даже не знаю... вот увидите, вы заплатите за это.

Наступила тишина, все пытались перевести дух, потом Барни медленно встал, он прекрасно понимал, что сейчас предстоит, — попытка исправить положение. Звездная свидетельница обвинения, как это часто бывает при фабрикации доказательств, исказила два существенных факта: она ошиблась, назвав трусы и бутылку из-под кока-колы.

В мертвой тишине, когда свидетельница оставалась на виду у всех и Барни был готов произнести свое слово, Нэнси Шу попробовала исправить ошибку:

— Мисс Холланд, позвольте мне спросить вас о тех подробностях, которые вы только что изложили. Вы уверены, что память вас не подвела, когда вы назвали предметы, которые использовал подсудимый? Вы сказали: «Бутылка из-под кока-колы»?

Барни:

— С позволения суда... С позволения суда, я слышал, что сказала свидетельница, и я возражаю против попытки окружного прокурора заставить ее изменить свои показания.

Холланд:

— Он сказал «бутылка из-под кока-колы» или из-под кетчупа... Или бутылка...

Барни:

— Вы видите, что я имел в виду, с позволения суда?

Холланд:

— Это же было четыре года назад.

Рон:

— Да, и вы...

Барни:

— Замолчите.

Шу:

— Мисс Холланд, я знаю, вам много чего довелось наслушаться... Вы можете вспомнить?..

Барни:

— Протестую против наводящих вопросов окружного про курора.

Судья:

— Сформулируйте вопрос прямо, без наводящих замечаний.

Шу:

— Он когда-нибудь говорил, как... вы заявляли, что он убивал..

Холланд:

— Он хотел переспать с Дебби Картер.

Рон:

— Лгунья!

Барни:

— Заткнитесь.

Рон (поднимаясь):

— Она лгунья. Я не собираюсь сидеть из-за того, что она плетет. Я не убивал Дебби Картер.

Барни:

— Ронни, пожалуйста, сядьте.

Питерсон:

— Судья, нельзя ли объявить перерыв? Барни... Я протестую против комментариев, не имеющих отношения к процессу, во время судебного заседания, ваша честь.

Барни:

— С позволения суда, эти замечания имеют отношение к процессу.

Судья:

— Одну минуту.

Барни:

— Я говорю со своим подзащитным.

Судья:

— Одну минуту. Нэнси Шу, задавайте свой следующий вопрос. Мистер Уильямсон, вынужден вас предупредить, что вы не имеете права подавать реплики с места.

Шу:

— Мисс Холланд, можете ли вы вспомнить, говорил ли он, почему совершил то, что совершил?

Холланд:

— Потому что она отказалась с ним переспать.

Рон:

— Вы лжете, черт возьми! Скажите правду. Я никогда в жизни никого не убивал.

Барни:

— Ваша честь, могу ли я попросить объявить перерыв на несколько минут?

Судья:

— Хорошо. Помните о предупреждении. Присяжные могут выйти отдохнуть.

Рон:

— Разрешите мне с ней поговорить. Я хочу поговорить с ней. О чем она тут толковала, я даже не понимаю.

Перерыв охладил страсти. В отсутствие присяжных судья Джонс мило побеседовал с Роном, который заверил его честь, что будет вести себя смирно. Когда жюри вернулось, судья объяснил, что дело предстоит рассматривать только на основании улик и ничего более. Никаких комментариев со стороны прокуроров и, разумеется, никаких комментариев и действий со стороны подсудимого!

Но присяжные уже успели услышать леденящую сердце угрозу Рона: «Вы за это заплатите». Они тоже его боялись.

Несмотря ни на что, Нэнси Шу не удалось полностью реабилитировать свою свидетельницу. Наводящими вопросами и подсказками она сумела лишь превратить бутылку кока-колы в бутылку кетчупа, но подробность о трусах, заткнутых в глотку жертве, исправлению не поддавалась. Терри Холланд так ни разу и не упомянула окровавленную посудную тряпку.

Следующей марионеткой, призванной штатом, чтобы выяснить истину, была Синди Макинтош, но бедолага так смутилась, что не могла припомнить, какую историю ей следовало рассказать. Она бесславно провалилась и была отпущена, так и не выполнив своих обязанностей.

Майк Тенни и Джон Кристиан рассказали о своих ночных беседах с Роном в его камере и о странных деталях, которые он им поведал. Ни тот ни другой не потрудился отметить, что Рон последовательно отрицал свое участие в убийстве и нередко часами кричал о своей невиновности.

После краткого обеденного перерыва Питерсон выстроил агентов Оклахомского отделения ФБР в том же порядке, что и на суде над Фрицем. Первым шел Джерри Питерс со своей историей о повторном снятии отпечатка ладоней Дебби Картер после ее эксгумации, которое потребовалось якобы потому, что он не был уверен в маленьком участке левой ладони. Барни пытался прижать его, расспрашивая, как и почему именно такая необходимость возникла через четыре с половиной года после вскрытия, но Питерс от вопросов ушел. Тревожила ли его неуверенность относительно собственных изначальных выводов все это время? Или Билл Питерсон случайно позвонил ему однажды в начале 1987 года и сделал некое предложение? Питерс отвечал уклончиво.

Лари Маллинз утверждал то же, что и Питерс, — кровавый отпечаток на штукатурке принадлежит Дебби Картер, а не какому-то таинственному убийце.

Мэри Лонг засвидетельствовала, что Рон Уильямсон является «несекретором» и, таким образом, попадает в меньшинство, составляющее 20 процентов населения. Насильник, вероятно, относится к той же категории. Не без труда Барни удалось вытянуть из нее, сколько именно человек, включая жертву, она проверила, чтобы прийти к этой статистике. Оказалось, что из ее набора двенадцать человек, то есть 60 процентов, являются «несекреторами». После чего Барни с удовольствием поиздевался над ней, играя цифрами.

Допрос Сьюзен Лэнд был коротким. Она начинала анализ волос по делу об убийстве Картер, но затем передала его Мелвину Хетту. После настойчивых просьб Барни объяснить почему сказала:

— В тот момент я работала над многими убийствами, была в напряжении, испытывала стресс и не была уверена, что смогу дать объективное заключение, а совершить ошибку мне не хотелось.

Потом к присяге был приведен Мелвин Хетт, который с места в карьер приступил к своей высокоученой лекции, уже читанной им здесь же несколькими днями раньше, на процессе Фрица. Он описал требующий большого трудолюбия процесс сравнения под микроскопом волоса с головы подозреваемого с неизвестным волосом, найденным на месте преступления. Он постарался убедить присутствующих в том, что сравнительный анализ волос является абсолютно надежным доказательством. Да и как могло быть иначе — к нему ведь постоянно прибегают во время следствия по уголовным делам. Хетт доложил присяжным, что провел «тысячи» таких анализов, продемонстрировал диаграммы разного типа волос и объяснил, что каждый тип имеет от двадцати пяти до тридцати отличительных характеристик.

Вернувшись наконец собственно к делу Рона Уильямсона, он показал, что два лобковых волоса, найденные на постели, совпали по структуре и могут происходить из одного источника — то есть принадлежать Рону Уильямсону. И два волоска с головы, найденные на окровавленной тряпке, микроскопически сходны и могут происходить из одного источника — то есть принадлежать Рону Уильямсону.

Эти четыре волоска равным образом могли не принадлежать Рону Уильямсону, но Хетт об этом умолчал.

Оговорившись, Хетт начал лукавить. Говоря о двух волосках с головы, он сказал:

— Это были единственные волоски, которые совпали или являлись сопоставимыми с волосами Рона Уильямсона.

Слово «совпали» недопустимо в заключении по анализу волос, поскольку легко может ввести в заблуждение. Присяжные-непрофессионалы могли недопонять значение слова «сопоставимый» в данном контексте, но слово «совпадать» никаких трудностей у них не вызывало. Оно абсолютно недвусмысленно — ведь совпадение отпечатков пальцев, например, устраняет любые сомнения.

После того как Хетт использовал слово «совпали» второй раз, Барни заявил протест. Судья Джонс его отклонил, сказав, что он может поднять этот вопрос во время перекрестного допроса.

Самым вопиющим нарушением, допущенным Хеттом, была, однако, сама манера, в которой он говорил. Вместо того чтобы разъяснять жюри суть проведенного анализа, он просто осчастливливал их своим неопровержимым мнением.

Чтобы помочь присяжным оценить улики, большинство исследователей приносят в зал суда увеличенные снимки рассматриваемых волос и подробнейшим образом объясняют все сходства и различия. Как сказал Хетт, каждый волос имеет не менее двадцати пяти индивидуальных характеристик, и добросовестный исследователь непременно продемонстрирует присяжным, о чем именно он или она говорит.

Хетт не сделал ничего подобного. Проработав над делом Картер почти пять лет, сотни часов, написав три разных заключения, он не показал жюри ни одного увеличенного снимка, ни один волос, взятый у Рона Уильямсона, не был сравнен ни с одним волоском, найденным в квартире Дебби.

В сущности, Хетт просто убеждал жюри поверить ему на слово. «Не спрашивайте доказательств, просто верьте мне».

Нескрываемым подтекстом свидетельских показаний Хетта было: из всех волосков, найденных в квартире Дебби Картер, четыре принадлежат Рону Уильямсону. Да это, по правде, и было единственной целью, с которой обвинение выставило Хетта в качестве свидетеля.

Его присутствие на суде и его показания высветили безнадежность ожидания справедливого суда для неимущего подсудимого без привлечения независимых экспертов. Барни подал соответствующее ходатайство за несколько месяцев до суда, но судья Джонс его отклонил.

А делать это не следовало. Тремя годами ранее крупное дело из Оклахомы попало в Верховный суд США, и результат апелляции потряс все уголовные суды страны. По делу «Эйк против штата Оклахома» суд вынес постановление: «Если штат использует свои правосудные возможности, чтобы доказать вину неимущего подсудимого в уголовном процессе, он обязан предпринять шаги для того, чтобы подсудимый получил равную возможность представить доказательства в свою защиту... Правосудие не может быть достигнуто, если подсудимому исключительно в силу его бедности отказано в возможности эффективно участвовать в юридическом процессе, от которого зависит его свобода».

Это решение Верховного суда требует, чтобы основные средства адекватной защиты были обеспечены штатом неимущему подсудимому. Судья Джонс проигнорировал это требование как в деле Фрица, так и в деле Уильямсона.

Показания криминалистов были основным источником доказательств у обвинения. Джерри Питерс, Лари Маллинз, Мэри Лонг, Сьюзен Лэнд и Мелвин Хетт — все они являлись экспертами. У Рона был только Барни, безусловно, квалифицированный адвокат, неспособный, однако, видеть улики.

* * *

Мелвин Хетт был последним свидетелем обвинения. В начале процесса Барни отказался от вступительного слова, зарезервировав время для него перед началом защиты. Это был рискованный маневр. Большинство адвокатов не откладывают своего обращения к присяжным, чтобы изначально посеять у них сомнения относительно доказательств обвинения. Вступительное слово и заключительная речь — единственные моменты в процессе, когда адвокат может напрямую обратиться к жюри, и они слишком важны, чтобы упускать их.

Барни же удивил всех, снова отсрочив свое право на вступительное слово без объяснения причин. Объяснений и не требовалось, но тактика была весьма необычной.

Барни поочередно вызвал на свидетельское место семь надзирателей. Все они отрицали, что когда-либо слышали, чтобы Рон Уильямсон хотя бы намекал на свое участие в убийстве Картер.

Уэйн Джоплин был секретарем суда Понтотокского округа. Барни выставил его в качестве свидетеля, чтобы он изложил список судимостей Терри Холланд. Ее арестовали в Нью-Мехико в октябре 1984 года, отправили в Аду и посадили в тюрьму, где она быстренько помогла раскрыть два сенсационных убийства, хотя почему-то два года ждала, прежде чем сообщить полиции о драматических признаниях, сделанных ей Роном. Она признала себя виновной в подделке чеков, получила пять лет, из них три условно, и ей было предписано выплатить судебные издержки в сумме семидесяти долларов, ущерб в сумме пятисот двадцати семи долларов девяти центов, гонорар адвокатам в размере двухсот двадцати пяти долларов из расчета по пятьдесят долларов в месяц, десять долларов в месяц Департаменту исправительных учреждений и пятьдесят — в Фонд помощи жертвам уголовных преступлений.

Она внесла единственный взнос в размере пятидесяти долларов в мае 1986 года, после чего ей, судя по всему, все долги простили.

Барни постепенно подбирался к своему последнему свидетелю, коим являлся сам подсудимый. Позволять Рону свидетельствовать было рискованно. Он был легко возбудим — не далее как утром того же дня набрасывался на Терри Холланд, — и жюри уже боялось его. У него было криминальное прошлое, которое Питерсон постарался расписать во всех красках, чтобы посеять сомнение в том, что ему можно доверять. Никто не знал точно, сколько лекарств он принимал, если вообще принимал. Он был раздражительным и непредсказуемым и, что хуже всего, не подготовлен собственным адвокатом.

Барни попросил разрешения подойти к судейскому столу и сказал судье Джонсу:

— Ну вот, теперь начинается представление. Я прошу вас устроить перерыв, чтобы постараться сделать что сумею, чтобы успокоить его. До сих пор он казался... ну по крайней мере то и дело не вскакивал с места. В любом случае мне нужен перерыв.

— У вас остался единственный свидетель? — спросил судья Джонс.

— Да, у меня остался он один, и я думаю, что сейчас самое подходящее время для перерыва.

Они договорились отложить продолжение судебного заседания до часа дня, и Рона повели в тюрьму. Увидев по дороге отца жертвы, он завопил:

— Чарли Картер, я не убивал вашу дочь!

Охранники постарались поскорее провести его мимо.

В час дня его доставили обратно. После нескольких предварительных вопросов он заявил, что никогда ни о чем не говорил с Терри Холланд и не был даже знаком с Дебби Картер.

Барни спросил, когда он впервые услышал о смерти Картер.

— Восьмого декабря. Позвонила моя сестра Аннет Хадсон, она говорила с нашей матерью, и я услышал, как мама сказала: «Я точно знаю, что Ронни этого не делал, поскольку был дома». Я спросил маму, о чем речь. И она передала мне то, что сообщила ей Аннет, — что где-то поблизости от нас убили девушку.

Неподготовленность Рона стала еще более очевидной спустя несколько минут, когда Барни спросил о его первой встрече с Гэри Роджерсом.

— Это было вскоре после того, как я побывал в участке и провалил тест на детекторе лжи, — ответил Рон.

Барни чуть не подавился.

— Ронни, не... Вас никто об этом не спрашивает.

Любое упоминание о полиграфе в присутствии присяжных было запрещено и влекло за собой наказание в виде лишения слова. Никто не потрудился объяснить это Рону. Несколько минут спустя он опять преступил правила, описывая инцидент с Деннисом Фрицем:

— Мы с Деннисом Фрицем шли по дороге, и я сказал ему, что Деннис Смит снова меня вызывал и сообщил, что результаты теста на полиграфе оказались неопределенными.

Барни быстро перебил его и сменил тему, коротко спросив Рона о его обвинении по делу о подделке подписи. Затем — несколько вопросов о том, где он был в ночь убийства. И в заключение:

— Вы убили Дебби Картер?

— Нет, сэр. Я ее не убивал.

— Думаю, это все.

В своем стремлении как можно скорее убрать своего клиента со свидетельского места Барни пренебрег необходимостью оспорить большую часть голословных утверждений, сделанных свидетелями обвинения. Рон мог бы объяснить, как в ночь после ареста Роджерс и Физерстоун добились от него «сонных признаний». Он мог рассказать, о чем в действительности он разговаривал в тюрьме с Джоном Кристианом и Майком Тенни. Он мог описать расположение помещений в тюрьме и убедить жюри в том, что Терри Холланд не могла слышать то, что она якобы слышала, без того, чтобы это же слышали другие заключенные. Он мог категорически отвергнуть заявления Глена Гора, Гэри Аллена, Тони Вика, Донны Уокер и Леты Колдуэлл.

Как всякому прокурору, Питерсону не терпелось нанести удар подсудимому в ходе перекрестного допроса. Чего он не ожидал, так это того, что подсудимый вовсе не будет запуган. Он начал с того, что постарался поярче расписать дружбу Рона с Деннисом Фрицем — теперь уже официально осужденным.

— Мистер Уильямсон, не будете же вы отрицать, что у вас с Деннисом Фрицем практически нет друзей, кроме друг друга?

— Ну, допустим, — холодно ответил Рон. — Вы упекли его за решетку и теперь стараетесь сделать то же со мной. — Его слова гулко разнеслись по залу. Питерсон перевел дыхание.

Чтобы сменить тему, он спросил Рона, не припомнит ли он все-таки, как познакомился с Дебби Картер, несмотря на то что он свое с ней знакомство упорно отрицает. Рон взорвался:

— Питерсон, повторяю еще раз, чтобы вы наконец поняли: я не был знаком с Дебби Картер!

Судья Джонс прервал свидетеля и велел ему отвечать на вопросы по существу. Рон повторил, что не был знаком с Дебби Картер.

Питерсон ходил вокруг да около, сотрясая воздух и делая мелкие выпады. Обратившись к своим измышлениям, он снова попал в трудное положение.

— Вы знаете, где находились после десяти часов вечера седьмого декабря?

Рон:

— Дома.

Питерсон:

— Что вы делали?

Рон:

— После десяти часов вечера пять лет назад? Наверное, смотрел телевизор или спал.

Питерсон:

— А разве вы не вышли из дома, не пошли прогуляться по той аллее... вместе с Деннисом Фрицем?

Рон:

— Нет, этого не было.

Питерсон:

— Не поднимались в ту квартиру?

Рон:

— Нет.

Питерсон:

— Вы знаете, где провел ту ночь Деннис Фриц?

Рон:

— Я знаю, что он не был у Дебби Картер. Вот так я отвечу.

Питерсон:

— А откуда вы знаете, что его там не было?

Рон:

— Потому что вы упекли его за решетку.

Питерсон:

— Повторяю вопрос: откуда вам известно, что он не был у Дебби Картер?

Рон:

— Готов поклясться жизнью. Вас устроит?

Питерсон:

— Нет, скажите, откуда вам это известно.

Рон:

— Не задавайте мне больше никаких вопросов. Я замолкаю, и можете передавать дело в жюри. Скажу лишь еще раз: вы упекли его и теперь пытаетесь упечь за решетку меня.

Барни:

— Ронни.

Рон:

— Моя мать знала, что я находился дома. Вы запугиваете меня уже пять лет. Можете делать со мной все, что вам заблагорассудится. Мне все равно.

Питерсон завершил допрос свидетеля и сел на место.

В своем заключительном слове Барни сделал немало, чтобы опорочить полицию и ее работу, — затянутость следствия, потеря образцов волос Гора, слепота в отношении вероятной замешанности Гора в преступлении, неаккуратность Денниса Смита, оставившего свои отпечатки на месте преступления, многократное требование всевозможных проверок от Рона, сомнительная тактика, примененная для получения «сонных признаний», непредоставление защите раннего заявления Рона, постоянно меняющиеся заключения экспертов Оклахомского отделения ФБР. Список допущенных ошибок был длинным и богатым, и Барни не раз издевательски назвал полицейских «блюстители порядка».

Как все адвокаты, он упирал на то, что предоставленные обвинением доказательства оставляют множество разумных сомнений, и призывал присяжных руководствоваться здравым смыслом.

Питерсон возражал: мол, никаких сомнений вообще не осталось. Полицейские — все, разумеется, отличные профессионалы — проделали исключительную следственную работу, а Питерсон и его команда предоставили присяжным неоспоримые доказательства вины подсудимого.

Он попытался, вспомнив кое-что из лексикона Мела Хетта, поиграть словами. Говоря об анализе волос, сказал:

— Таким образом, в течение долгого периода времени мистер Хетт, несмотря на обилие дел, изучал и отсеивал, изучал и отсеивал образцы, пока наконец в 1985 году не нашел совпадения.

Барни был начеку и моментально заявил протест:

— С позволения суда, в статусе штата нет такого понятия. Мы возражаем против использования этого термина.

Протест был принят.

Питерсон трудолюбиво пробирался дальше. Он сделал обзор всего сказанного его свидетелями. Когда очередь дошла до Терри Холланд, Рон напрягся.

Питерсон:

— Терри Холланд рассказала, что помнила по истечении двух лет, и она утверждает, что подсудимый говорил своей матери, что она должна ему что-то принести, если не принесет...

Рон, вскочив, перебил его:

— Остановитесь!

Питерсон:

— ...он убьет ее так же, как убил Дебби Картер.

Рон:

— Заткни свою глотку, парень! Я никогда этого не говорил!

Барни:

— Сядьте и немедленно успокойтесь.

Рон:

— Я не говорил ничего такого своей матери.

Судья:

— Мистер Уильямсон! Слушайтесь своего адвоката.

Рон сел на место и затих. Питерсон продолжал трудиться, нанизывая на ниточку показания свидетелей обвинения так, чтобы Барни был вынужден постоянно протестовать и просить судью напомнить обвинителю, чтобы он оставался в рамках фактов.

Жюри удалилось на совещание в среду в 10.15 утра. Аннет и Рини ненадолго задержались в зале, потом пошли обедать. Есть им совершенно не хотелось. Внимательнейшим образом выслушав все свидетельские показания, они еще больше уверились в том, что их брат невиновен, но в этом зале бал правил Питерсон. В основном все шло так, как нужно было ему. Он собрал тех же свидетелей, с такими же сомнительными показаниями, но добился обвинительного вердикта для Фрица.

Сестры Рона презирали этого человека. Он был криклив, высокомерен и подминал людей под себя. Они ненавидели его за то, что он делал с их братом.

Час проходил за часом. В 16.30 объявили, что жюри вынесло вердикт, и зал быстро заполнился. Судья Джонс занял свое место и, обращаясь к присутствующим, произнес традиционное предупреждение против беспорядков в зале. Аннет и Рини, держась за руки, молились.

По другую сторону прохода, точно так же взявшись за руки, молились Картеры. Их испытание почти осталось позади.

В 16.40 председатель жюри вручил вердикт секретарю, который прочел его и передал судье Джонсу. Тот зачитал его вслух: «Виновен по всем пунктам». Картеры молча вскинули руки в знак победы. Аннет и Рини тихо зарыдали, как и Пегги Стиллуэлл.

Рон опустил голову, он был потрясен, хотя и не слишком удивлен. Проведя одиннадцать месяцев в понтотокской окружной тюрьме, он сам стал частью прогнившей системы. Он прекрасно знал, что Деннис Фриц невиновен, тем не менее тот был обречен и осужден теми же копами и тем же обвинителем в том же зале суда.

Судья Джонс торопился завершить процесс. Без перерыва он приказал обвинению переходить к стадии определения наказания. Обращаясь к присяжным, Нэнси Шу объяснила: поскольку убийство было совершено с особой жестокостью и свирепостью, поскольку оно было совершено с целью предотвратить арест и поскольку имелись серьезные основания полагать, что Рон может убить снова и, таким образом, представляет серьезную опасность для общества, он должен быть приговорен к смерти.

Чтобы доказать это, обвинение вызвало четырех свидетельниц — четырех женщин, с которыми Рон встречался прежде, но ни одна из которых не потрудилась подать на него в суд. Первой была Беверли Сетлифф, она показала, что 14 июня 1981 года, то есть за семь лет до того, она увидела Рона Уильямсона возле своего дома поздно ночью, когда готовилась ложиться спать. Он закричал: «Эй, я знаю, что ты там, и я тебя достану!» Беверли Сетлифф никогда прежде его не видела. Она заперла дверь, и он исчез.

Женщина не вызвала полицию, ей это даже в голову не пришло, и тем более она не собиралась подавать на него в суд, но на следующий день, увидев в магазине полицейского, рассказала ему об инциденте. Если официальный рапорт и был им составлен, ей это было неизвестно.

Три недели спустя она снова увидела Рона, и кто-то из подруг сообщил ей его имя. Прошло шесть лет. Когда Рона арестовали, она позвонила в полицию и рассказала свою историю.

Следующей свидетельницей была Лавита Брюер, та самая женщина, которая давала показания против Денниса Фрица. Она снова рассказала о знакомстве с Роном и Деннисом в норманском баре, о том, как села к ним в машину, как потом испугалась, выпрыгнула и позвонила в полицию. По ее словам, Рон даже пальцем ее не тронул и никоим образом ей не угрожал. Сидя на заднем сиденье, она ударилась в истерику лишь потому, что Деннис не желал остановить машину и выпустить ее, а самое плохое, что во время этого эпизода сделал Рон, — это всего лишь то, что он велел ей заткнуться.

В конце концов она выскочила из машины, убежала, позвонила в полицию, но обвинений против Рона и Денниса не выдвинула.

Лета Колдуэлл тоже давала показания не в первый раз. Она была знакома с Роном Уильямсоном еще со школы в Бинге и всегда относилась к нему по-дружески. В начале 1980-х они с Деннисом Фрицем начали по вечерам слоняться вокруг ее дома, всегда с бутылкой. Однажды, когда она ухаживала за своими клумбами, появился Рон. Они немного поболтали. При этом она продолжала работать, а его это раздражало. В какой-то момент он схватил ее за запястье. Она вырвалась, убежала в дом, а потом вспомнила, что в доме дети, и испугалась. Он последовал за ней, но не тронул ее и вскоре ушел. Она не заявляла на него в полицию.

Показания последней свидетельницы оказались куда более пагубными. Разведенная женщина по имени Андреа Хардкасл поведала леденящую кровь историю об испытании, которое ей пришлось выдерживать в течение четырех часов. В 1981 году Рон с другом сидели у нее в гостях, пытались уговорить ее пойти с ними — они собирались в «Каретный фонарь». Андреа присматривала за тремя своими и двумя чужими детьми, поэтому никуда уйти не могла. Тогда мужчины ушли сами, но Рон вскоре вернулся — он забыл сигареты. Без приглашения войдя в дом, он сразу же стал приставать к Андреа. Был уже одиннадцатый час, дети спали, и ей стало страшно. Она не желала вступать с ним в интимные отношения. Он рассердился, несколько раз ударил ее по лицу и голове, требуя от нее орального секса. Андреа стала многословно отказываться, сообразив: чем больше она говорит, тем меньше он ее бьет.

Так они разговорились. Он рассказал ей о своей бейсбольной карьере, неудачной женитьбе, игре на гитаре, отношении к Богу и религии, к матери. Он учился в школе с ее бывшим мужем, который подрабатывал в «Каретном фонаре» вышибалой. Временами Рон становился тихим, мирным, даже слезливым, а потом вдруг — неуравновешенным, шумным и сердитым. Андреа боялась за детей, за всех пятерых. Пока Рон говорил, она думала о том, как выкрутиться из беды. Время от времени у него случались приступы, он снова начинал избивать ее, пытался сорвать с нее одежду. Но был слишком пьян, у него ничего не получалось.

В какой-то момент Рон якобы сказал: дело складывается так, что ему придется ее убить. Андреа принялась лихорадочно молиться. Потом попробовала задобрить его, пригласила прийти на следующий день, когда детей не будет дома и они смогут заниматься сексом, как им заблагорассудится. Это предложение его удовлетворило, и он ушел.

Андреа позвонила своему бывшему мужу, и они вместе отправились искать Рона по улицам. Оба были хорошо вооружены и не остановились бы перед уличной расправой.

Лицо Андреа представляло собой месиво — порезы, ссадины, опухшие глаза. Рон носил перстень с выгравированной на нем лошадиной головой, им-то он и нанес ей многочисленные маленькие раны вокруг глаз. Полицию вызвали на следующий день, но Андреа решительно отказалась написать заявление. Рон жил поблизости, и она его боялась.

Барни не был готов к этим показаниям и перекрестный допрос провел вяло.

Когда Андреа Хардкасл покидала свидетельское место, в зале стояла мертвая тишина. Присяжные все как один уставились на подсудимого. Дело пахло высшей мерой.

Необъяснимо, но Барни даже не попытался вызвать какого-нибудь свидетеля, чтобы восполнить нанесенный урон и спасти жизнь Рона. Аннет и Рини сидели в зале и были готовы дать показания. За все время процесса никто не произнес ни слова о психическом заболевании Рона, не представил никаких медицинских заключений.

Последним, что услышали присяжные со свидетельского места, были показания Андреа Хардкасл.

В своем заключительном слове Билл Питерсон требовал смертной казни и воспользовался кое-какими новыми свидетельствами, хотя во время процесса они не были доказаны. До выступления Андреа Хардкасл о перстне с лошадиной головой не упоминалось. Теперь Питерсон ухватился за него, сделав вывод, что при избиении Дебби Картер Рон тоже орудовал перстнем; раны на ее лице, утверждал он, почти наверняка идентичны тем, что получила Андреа Хардкасл в январе 1981 года. Это было просто вольное предположение. Никаких доказательств тому не имелось, но они и не требовались.

Обращаясь к жюри, Питерсон драматически вещал:

— В эпизоде с Андреа Хардкасл он оставил свою личную подпись, во время убийства Дебби Картер подчеркнул ее жирной линией. — Закончил он свою пламенную речь словами: — Дамы и господа, когда вы вернетесь сюда из совещательной комнаты, я жду, что вы скажете: «Рон Уильямсон, вы заслуживаете смерти за то, что сделали с Деброй Сью Картер!»

Исключительно вовремя Рон выкрикнул:

— Я не убивал Дебби Картер!

Жюри удалилось, но дебаты продлились недолго. Менее чем через два часа они вернулись в зал с вердиктом: «Смертная казнь».

Следуя причудливым поворотам юридического крючкотворства, судья Джонс на следующий день созвал слушания по вопросу о нарушении «правила Брейди». Хоть Барни и был изнурен и сыт по горло этим делом, он все еще кипел от злости оттого, что полицейские и Питерсон намеренно утаили видеопленку 1983 года, на которой запечатлено испытание Рона на полиграфе.

Но к чему было взбивать пену по этому поводу? Процесс завершен. Задним числом видеопленка ничего не даст.

Решение судьи Джонса никого не удивило: сокрытие властями видеопленки не является нарушением «правила Брейди». Пленку, в сущности, никто и не утаивал; в конце концов она была предъявлена, так что речь идет лишь об отложенном представлении доказательства.

Рону Уильямсону предстоял путь в оклахомскую тюрьму Макалестера, в печально известный блок F — для смертников.

ГЛАВА ДЕСЯТАЯ

В Оклахоме к смертной казни относятся очень серьезно. Когда в 1976 году Верховный суд США одобрил возобновление приведения смертных приговоров в исполнение, законодательное собрание штата Оклахома собралось на специальную сессию с одной-единственной целью: принять статус об исполнении смертных приговоров. На следующий год законодатели обсуждали новаторскую идею введения смертной казни посредством инъекции яда вместо надежного старого электрического стула. Основным доводом в пользу инъекции было то, что этот способ более милосерден, вызывает меньше нареканий в жестокости и негуманности наказания, ускоряет процесс казни. В сиюминутном раже, под неусыпным вниманием прессы и при подстрекательстве избирателей законодатели, в сущности, с энтузиазмом обсуждали разные способы лишения человека жизни. Некоторые горячие головы предлагали повешение, расстрельные команды и тому подобное, но в конце концов подавляющим большинством голосов была одобрена казнь посредством инъекции, и Оклахома стала первым штатом, принявшим соответствующий закон.

Но не первым, применившим его. В значительной степени из-за растерянности и неповоротливости законодателей, полиции и прокуратуры, а также большинства общества Оклахома сразу же отстала от других штатов, активно включившихся в исполнение смертных приговоров. В течение долгих тринадцати лет здесь не казнили ни одного осужденного. Наконец в 1990 году ожидание закончилось, и комната для исполнения смертных приговоров снова вступила в действие после долгого перерыва.

Как только плотину прорвало, хлынул поток. Начиная с 1990 года в Оклахоме казнили больше осужденных, чем в любом ином штате. Ни один из них, даже Техас, и близко не мог сравниться по этой части с Оклахомой.

Казни проводились в тюрьме города Макалестера, самой строго охраняемой тюрьме, расположенной в сотне миль к югу от Оклахома-Сити. Камера экзекуций располагалась там в зловещем отсеке под названием «Блок Н».

Мастерство достигается практикой, и казни в Макалестере исполнялись с математической точностью утвержденной процедуры. Для заключенного, чей час настал, последний день был днем свиданий — с членами семьи, друзьями, как правило, и с адвокатом. Разумеется, такие визиты болезненны сами по себе, но еще более тяжкими делает их запрет на физический контакт. Посетители и обреченный разговаривают и плачут по телефону, глядя друг на друга через разделяющее их толстое стекло. Никаких прощальных объятий и поцелуев, лишь переворачивающее душу «Я люблю тебя» в микрофон черной трубки. Часто осужденный и посетитель символически обмениваются поцелуем, с противоположных сторон прижимаясь губами к стеклу, или через то же стекло словно бы соприкасаются ладонями.

Закона, запрещающего физический контакт накануне казни, не существует. Но каждый штат устанавливает свои правила, и в Оклахоме предпочли самый суровый ритуал.

Если надзиратель пребывает в хорошем настроении, он может позволить смертнику сделать несколько телефонных звонков. Когда посетители уходят, настает время последней трапезы. Меню выбирает осужденный, однако только в пределах 15-долларового лимита, и надзиратель вправе исключить из него все, что сочтет неприемлемым. Обычно заказывают чизбургер, жареных цыплят, сома и мороженое.

Примерно за час до казни начинается подготовка. Осужденный переодевается в светло-голубую форму, напоминающую костюм хирурга. Широкими лентами его пристегивают к креслу-каталке. Когда он выступает в свой последний путь, товарищи по несчастью устраивают ему своего рода шумовую демонстрацию солидарности: они трясут и пинают ногами решетчатые двери своих камер, грохочут чем-нибудь по решеткам, пронзительно кричат и улюлюкают, и этот шум и гам продолжается до назначенного времени казни. Потом вмиг обрывается.

Пока осужденного готовят, в камере экзекуций все уже в ожидании. Пожелавшие присутствовать на казни собираются в двух помещениях: одно — для родственников жертвы, другое — для родственников убийцы. В отделении для родственников жертвы двадцать четыре складных стула, но несколько из них — обычно четыре или пять — резервируются для прессы, несколько — для адвокатов и несколько — для персонала. Местный шериф и прокурор редко пропускают подобное событие.

Перед этим помещением, отделенная от него полароидным стеклом, пропускающим изображение только в одну сторону, находится комната для родственников убийцы. Здесь — двенадцать складных стульев, но зачастую большинство из них остаются пустыми. Некоторые осужденные не желают, чтобы их родные присутствовали при казни, у некоторых родственников нет вовсе.

Бывает, что и у жертвы нет семьи. Тогда и вторая комната остается полупустой.

Эти помещения строго разделены, чтобы изолировать две группы людей друг от друга. Заняв места, зрители какое-то время ничего не видят — жалюзи закрывают вид на камеру смерти.

Осужденного ввозят на кресле-каталке, подвозят к кушетке, по обе стороны которой стоят лаборанты с трубками для внутривенного вливания, — для обеих рук. Когда все должным образом подготовлено и прилажено, жалюзи поднимают. Осужденный не видит родственников жертвы, но видит своих родных и часто узнает их. Микрофон находится на стене в двух футах над его головой.

Врач подключает монитор, регистрирующий сердечную деятельность. В углу на небольшом белом возвышении стоит заместитель директора тюрьмы и фиксирует все происходящее в блокноте. Рядом с ним на стене — телефон, на тот случай, если в последний момент поступит какая-нибудь новость с юридического фронта или из администрации губернатора. В былые времена в другом углу стоял капеллан, который на протяжении всей казни читал Священное Писание, но его присутствие отменили.

Директор тюрьмы выступает вперед и спрашивает осужденного, хочет ли он или она произнести последнее слово. Чаще всего те не выражают такого желания, но иногда кто-то из осужденных может попросить о помиловании, или заявить о своей невиновности, или помолиться, или бросить несколько горьких обвинительных слов. Один осужденный запел гимн. Другой обменялся рукопожатием с директором тюрьмы и поблагодарил его, его сотрудников и тюрьму в целом за то, что о нем так хорошо заботились во время его долгого здесь пребывания.

На последнее слово отводится две минуты, но они никогда полностью не используются.

Осужденные всегда расслабленны и тихи. Они уже смирились с судьбой и за долгие годы успели подготовиться к этому моменту. Многие даже приветствуют его наступление. Они предпочитают смерть чудовищной перспективе провести в блоке Н еще двадцать, а то и тридцать лет.

В маленькой комнатке в глубине прячутся трое исполнителей казни. Они никому не видны, и никто в тюрьме не знает, кто они. Они не являются государственными служащими и работают внештатно — много лет назад бывший директор нанял их на условии полной секретности. Они появляются в тюрьме Макалестера и исчезают из нее таинственным образом. Только директору известно, кто они, откуда приезжают и где берут свои препараты. Он платит каждому по триста долларов наличными за одну казнь.

Трубки, подсоединенные к рукам осужденного, тянутся вверх и через двухдюймовые отверстия проходят сквозь стену в помещение, где находятся исполнители.

Когда все формальности соблюдены и директор уверен, что никаких телефонных звонков уже не последует, он кивает, и начинается вливание.

Сначала, чтобы расширить вены, осужденному вводят солевой раствор. После этого — первый препарат: тиопентал натрия, затем второй — векурониум бромид, который останавливает дыхание. И наконец третий — хлористый калий, который останавливает сердце.

Врач подходит, быстро осматривает казненного и констатирует смерть. Жалюзи моментально опускаются, и зрители — большинство в потрясении — поспешно и молча расходятся. Кресло-каталку увозят. Тело переносят в морг тюремной больницы. Семья казненного может забрать тело для погребения, в противном случае оно будет похоронено на тюремном кладбище.

За воротами тюрьмы две группы людей проводят круглосуточную демонстрацию с противоположными лозунгами. «Пережившие покушение» сидят перед своими автофургонами в ожидании желанного сообщения о том, что казнь свершилась. Рядом — огромный трехстворчатый мемориальный стенд с именами жертв убийств: цветные фотографии детей, улыбающихся юношей и девушек; стихи, посвященные погибшим; увеличенные заголовки из газет, оповещающие о чудовищных, зачастую двойных убийствах; десятки снимков тех, кто был зверски замучен нынешними обитателями блока смертников. Мемориал называется «Помни о жертвах».

Неподалеку группа людей, собравшись в кружок, под руководством католического священника молится и поет религиозные гимны. Некоторые противники смертной казни приезжают на каждое исполнение приговора и молятся как за осужденных, так и за их жертв.

Участники обеих демонстраций знают и уважают друг друга, но решительно расходятся во мнениях.

Когда из тюрьмы разносится весть, что казнь свершилась, противники смертной казни читают последнюю молитву, после чего задувают свечи и закрывают требники.

Обнявшись на прощание, они разъезжаются — до встречи на следующей казни.

* * *

Когда Рон Уильямсон 29 апреля 1988 года прибыл в Макалестер, строительство блока H обсуждалось, но еще не было начато. Руководство тюрьмы хотело иметь принципиально новые камеры смертников для своего растущего контингента, но законодатели не желали выделять деньги.

Рона поместили в блок F — обитель восьмидесяти одного осужденного на смерть, — который неофициально называли «загоном». «Загон» занимал два нижних этажа одного из крыльев старой тюрьмы, или Большого дома, — гигантского здания, построенного в 1935 году и заброшенного спустя пятьдесят лет. Десятилетия перенаселенности, насилия и бунтов с неизбежностью привели к его закрытию.

В обширном, пустом и разрушающемся Большом доме использовался теперь только блок F, и его единственным предназначением было содержать осужденных на смерть в строго изолированном помещении.

Итак, Рон был распределен в блок F. Ему выдали два комплекта спецодежды цвета хаки, две голубые рубашки с короткими рукавами, две белые футболки, две пары белых носков и две пары белых боксерских трусов. Вся одежда была сильно поношенной. Чистой, но изобилующей несводимыми пятнами, особенно трусы. Туфли были черными, кожаными, тоже поношенными. Выдали ему также подушку, одеяло, туалетную бумагу, зубную щетку и пасту. Во время очень краткой ознакомительной беседы ему объяснили, что другие туалетные принадлежности, а также еду, безалкогольные напитки и кое-что еще он может покупать в тюремном магазине, более известном под названием «лавка», то есть там, куда ему было запрещено ходить. Все деньги, которые он станет получать с воли, будут откладываться на его счет, с которого он и сможет перечислять нужные суммы в лавку.

Когда закончилось оформление документов и Рон переоделся в тюремное облачение, его препроводили в крыло, где ему предстояло провести несколько следующих лет в ожидании казни. Руки и ноги у него были закованы в кандалы. Когда он обхватил и прижал к груди тюк с подушкой, одеялом, сменой одежды и прочими принадлежностями, охранники открыли огромную решетчатую дверь, и шествие началось.

Высоко над головой Рон увидел свой теперешний адрес, написанный огромными черными буквами: «Камеры смертников».

Коридор был длиной в сотню футов и шириной всего футов двенадцать; с обеих сторон в него выходили камеры. Потолок нависал на высоте восьми футов.

Когда Рон в сопровождении двух охранников медленно двигался по коридору, будущие соседи, уже знавшие о его прибытии, исполняли обычный ритуал, короткую приветственную церемонию — присвистывая, они выкрикивали: «Новичок в коридоре! Свежее мясо! Привет, малыш!»

Сквозь решетки дверей к нему тянулись руки, почти доставая до него. Белые, черные, коричневые руки, почти сплошь покрытые татуировками. «Будь тверд, — сказал себе Рон, — не показывай им своего страха». Заключенные пинали ногами двери, вопили, улюлюкали, обзывали его, выкрикивали угрозы сексуального характера. «Всегда будь тверд», — повторял себе Рон.

Ему и прежде доводилось сиживать в тюрьмах, он только что провел одиннадцать месяцев в понтотокской окружной тюрьме, но хуже того, что он видел сейчас, ничего быть не могло.

Они остановились у камеры номер 16, и шум стих. «Добро пожаловать в “загон”». Охранник отпер дверь, и Рон ступил в свой новый «дом».

В Оклахоме о тех, кто сидит в Макалестере, говорят: «Проводит время в Биг-Маке». Рон растянулся на узкой койке, закрыл глаза, но так и не смог поверить, что он заперт в Биг-Маке.

Из обстановки в камере имелись металлические койки, металлический стол с металлическим стулом, встроенные в цементный пол, комбинированный санузел из нержавеющей стали, зеркало, несколько металлических книжных полок и одинокая лампочка под потолком. Камера насчитывала шестнадцать футов в длину, семь в ширину и восемь в высоту. Цементный пол затянут линолеумом в черно-белую клетку. Кирпичные стены покрыты столькими слоями белой краски, что стали гладкими.

Слава Богу, есть окно, подумал Рон, и хоть из него ничего не видно, свет оно пропускает. В тюрьме Ады окон не было.

Рон подошел к двери, представлявшей собой всего лишь решетку с окошком, которое называли «бобовой дырой», — через него заключенным просовывали подносы с едой и мелкие передачи. Он выглянул в коридор и увидел троих мужчин: одного — прямо напротив, в девятой камере, и двоих — по обе стороны от нее. Рон не заговорил с ними, они тоже промолчали.

В первые дни большинство заключенных почти не разговаривают. Шок от сознания, что ты прибыл в то место, где тебе предстоит прожить несколько лет, пока тебя не убьют, был слишком силен. Страх таился повсюду: страх будущего, страх никогда больше не увидеть того, что ты потерял, страх не выжить, страх быть заколотым или изнасилованным одним из хладнокровных убийц, чье дыхание ты слышишь всего в нескольких футах от себя.

Рон застелил постель и разложил вещи. Он возблагодарил Бога за изолированность — большинство осужденных на смерть сидели в камерах по одному, но перспектива обрести соседа не исключалась. В коридоре стоял постоянный шум — переговаривались между собой заключенные, смеялись охранники, громко работали телевизор и радио, кто-то что-то кричал приятелю, находившемуся на другом конце коридора. Рон отступил в глубь камеры, подальше от этого гвалта. Он поспал, почитал книгу, покурил. В «загоне» курили все, и застоявшийся запах табачного дыма висел в воздухе, как густой ядовитый смог. Вентиляционная система имелась, но была слишком стара, чтобы работать. Окна, разумеется, не открывались, несмотря на то что были забраны толстыми решетками. Безделье изнуряло. Никакого расписания дня не существовало, никакой деятельности не предвиделось. Лишь в свой срок — короткая часовая прогулка. Скука вгоняла в оцепенение.

Для мужчин, запертых в тесном помещении двадцать три часа в сутки и не имеющих никакого занятия, безусловно, главным событием дня была еда. Три раза в день подносы с едой катили на тележке по коридору, рассовывая в «бобовые дырки». Прием пищи происходил только в камере, в одиночестве. Завтрак — в семь утра. Обычно — омлет, овсянка, несколько ломтиков бекона и два или три тоста. Кофе был холодным и жидким, тем не менее его очень ценили. На обед давали сандвичи и бобы. Ужин был хуже всего — какое-то нераспознаваемое мерзкое мясо с непроваренными овощами. Порции — до смешного скудные, и еда всегда холодная. Ее готовили в другом здании и везли оттуда не торопясь. Кто бы стал думать о них, ведь они, в сущности, уже покойники. Несмотря на то что кормежка была ужасной, время приема пищи оставалось чрезвычайно важным.

Аннет и Рини посылали деньги, Рон покупал еду, сигареты, туалетные принадлежности и безалкогольные напитки в лавке. Для этого он заполнял предусмотренную правилами форму, в которой перечислялся небогатый ассортимент имеющихся товаров, и вручал ее самому важному в «загоне» человеку. Бегунок был заключенным, снискавшим благорасположение охранников, и ему позволяли большую часть дня проводить вне камеры, бегая по поручениям других заключенных. Он разносил записки и сплетни, собирал грязное и приносил из прачечной чистое белье, а также покупки из лавки, давал советы, иногда продавал порошок.

Двор для физических упражнений блока F — обнесенная забором площадка величиной в два баскетбольных поля — был священным местом. Пять раз в неделю каждый заключенный имел право провести там час — подставить лицо солнцу, пообщаться с другими заключенными, поиграть в баскетбол, карты или домино. Прогулочные группы были маленькими, обычно человек по пять-шесть, и строго контролировались самими заключенными. Одновременно во двор выпускали только тех, кто дружил между собой. Новичок, чтобы почувствовать себя в безопасности, должен был получить приглашение в одну из таких групп. Случались драки и избиения, поэтому охранники строго наблюдали за двором. В первый месяц Рон предпочитал держаться особняком. «Загон» кишел убийцами, и ему совсем не хотелось попасть им под руку.

Кроме этого, единственным местом, где заключенные соприкасались друг с другом, была душевая. Посещать ее разрешалось три раза в неделю, максимум на пятнадцать минут, и не более чем по двое. Если заключенный не желал мыться вместе с кем-то другим или не доверял тому человеку, ему позволяли мыться одному. Рон мылся один. Холодной и горячей воды было вдоволь, но она не смешивалась, поэтому душ то обжигал, то леденил.

Когда Рон прибыл в макалестерскую тюрьму, там уже находились другие жертвы понтотокской окружной системы правосудия, хотя поначалу он этого не знал. Томми Уорд и Карл Фонтено ждали казни уже три года, пока их апелляции со скрипом пробивали себе дорогу через разные судебные инстанции.

Бегунок передал Рону записку, или, на тюремном жаргоне, «воздушного змея», — нелегальное послание, на которые стражники обычно закрывали глаза. Записка — с приветствием и добрыми пожеланиями — была от Томми Уорда. Рон ответил и попросил немного сигарет. Хоть он и сочувствовал Томми и Карлу, но испытал облегчение, узнав, что не все здесь, в «загоне», мясники. Он всегда верил, что эти двое невиновны, и во время собственного процесса нередко вспоминал их.

Томми некоторое время сидел в Аде вместе с Роном и знал, что тот эмоционально неуравновешен. Охранники и другие заключенные поддразнивали их обоих. Как-то посреди ночи из темноты коридора раздался загробный голос: «Томми, это Дениз Харауэй. Пожалуйста, расскажи им, где мое тело». Он слышал, как охранники при этом перешептывались, а заключенные давились от смеха. Томми игнорировал подобные провокации, и от него в конце концов отстали.

А вот Рон сдерживать себя не мог. «Рон, зачем ты убил Дебби Картер?» — разносился по тюрьме голос словно с того света. Рон вскакивал с постели и начинал дико кричать.

Находясь в камере смертников, Томми каждый день преодолевал себя, чтобы не сойти с ума. В этом ужасном месте страшно было даже настоящим убийцам, что уж говорить о невиновном человеке. За Рона Томми боялся с первого дня, как только тот прибыл.

Один из здешних охранников знал подробности убийства Дебби Картер. Вскоре после появления Рона Томми слышал, как этот охранник тоненьким голосом кричал: «Рон, это Дебби Картер! Зачем ты убил меня?»

Рон, поначалу молчавший, начал вопить, что он невиновен. Охранникам понравилось дразнить его, и они делали это снова и снова. Заключенных тоже забавляло подобное представление, они часто присоединялись к веселью.

Через несколько дней после прибытия Рона Томми внезапно выдернули из камеры и несколько здоровенных грубых охранников надели на него кандалы и наручники. Явно предстояло нечто серьезное, хотя он понятия не имел, куда его тащат. Заключенным об этом не сообщают.

Его, тощего малорослого парнишку, вели под охраной, достаточной, чтобы обеспечить безопасность самого президента.

— Куда мы идем? — спросил он, но ответ на этот вопрос был, видимо, слишком важной информацией, чтобы сообщать ее заключенному. Шаркая, он в окружении стражи вышел из блока F, миновал ротонду под куполом Большого дома, в которой не было никого, кроме голубей, и очутился в совещательной комнате административного здания.

Там его ждал директор тюрьмы с плохими новостями.

Не снимая с него наручников и цепей, его посадили на «лобное место» — в конце длинного стола для переговоров, за которым впритирку друг к другу сидели помощники, клерки, секретари и вообще все, кто желал присутствовать при зловещем объявлении. Стражи встали за его спиной с каменными лицами, словно часовые на посту, готовые схватить его в случае, если он, узнав новость, попытается бежать (куда?!). Все сидевшие вокруг стола вооружились ручками и приготовились записывать то, что должно было произойти.

Голос директора звучал мрачно. Плохая новость состояла в том, что Томми не получил дальнейшей отсрочки исполнения приговора, так что его час настал. Да, кажется, что это произошло слишком скоро — не минуло еще и трех лет с того времени, как он подал апелляцию, — но иногда такое случается.

Директор выразил сожаление, однако исключительно по долгу службы. «Большой день» должен был наступить через две недели.

Томми тяжело вздохнул и попытался освоиться с этой мыслью. Над его апелляцией работали адвокаты, и они неоднократно заверяли его, что ее рассмотрение займет годы. К тому же, по их словам, существовал реальный шанс, что дело будет отправлено обратно в Аду на пересмотр.

Шел 1988 год. В Оклахоме уже более двадцати лет не приводили в исполнение смертных приговоров. Быть может, тюремщики немного «заржавели» и не знали, что делать?

Директор продолжал: приготовления начнутся немедленно. Важно решить, что делать с телом.

«С чьим телом? — подумал Томми. — С моим телом?»

Клерки, помощники и секретари наморщили лбы над своими блокнотами и застрочили в них одни и те же слова. «Зачем здесь все эти люди?» — мысленно удивился Томми.

— Вероятно, просто отослать моей матери, — ответил он или попытался ответить.

Когда он встал, колени у него были ватными. Стражники снова подхватили его и препроводили обратно в блок F. Он забрался в постель и заплакал, ему было жалко не себя, а своих родных, особенно мать.

Через два дня его оповестили, что произошла ошибка. Какая-то бумага где-то на пути следования куда-то не туда попала. Отсрочка приговора остается в силе, и миссис Уорд не придется в ближайшем будущем забирать тело сына из тюрьмы.

Такие «фальстарты» не были чем-то необычным. Через несколько недель после того, как ее брата этапировали из Ады, Аннет получила письмо от директора тюрьмы. Вскрывая конверт, она думала, что это какое-то заурядное текущее сообщение. Возможно, для Макалестера так оно и было, учитывая царившие там безответственность и неразбериху.

Уважаемая миссис Хадсон,

с искренним сочувствием должен сообщить Вам, что казнь Вашего брата Роналда Кита Уильямсона, заключенного номер 134846, назначена на 18 июля 1988 года в 12 часов 02 минуты пополудни в тюрьме штата Оклахома.

Вашего брата переведут из его нынешней камеры в другую утром накануне дня казни, и часы его посещений родными будут изменены, его можно будет посетить с 9 утра до 12 часов дня, с часу дня до 4 и с 6 до 8 вечера.

В последние 24 часа его жизни посетить его смогут только священник, прокурор-регистратор и еще два визитера — с разрешения директора тюрьмы. Ваш брат имеет право на присутствие во время казни пятерых свидетелей, список которых должен быть утвержден начальником тюрьмы.

Как бы ни было это тяжело, следует обсудить организацию похорон, за которую несет ответственность семья казненного. Если семья откажется его хоронить, заботу о его погребении возьмет на себя штат. Пожалуйста, известите нас о Вашем решении по этому вопросу.

Если Вам потребуется дополнительная информация либо какая-то иная помощь, пожалуйста, обращайтесь ко мне.

С искренним уважением

Джеймс Л. Саффл, директор.

Письмо было датировано 21 июня 1988 года. Прошло меньше двух месяцев с тех пор, как Рона перевели в Макалестер. Аннет знала, что апелляция по делам об убийствах подается автоматически. Наверное, кому-то следует уведомить органы надзора о готовящейся экзекуции.

Каким бы повергающим в отчаяние ни было письмо, она нашла в себе силы отложить его в сторону. Ее брат невиновен, и настанет день, когда новый суд это докажет. Аннет страстно верила в это и ни разу не поколебалась в своей вере. Она читала Библию, беспрестанно молилась и часто ходила к своему духовнику.

И все же с горечью спрашивала себя: что же за люди руководят тюрьмой в Макалестере?

Примерно через неделю пребывания в «загоне» Рон как-то подошел к своей решетчатой двери и поздоровался с человеком из камеры № 9, располагавшейся прямо напротив его собственной, всего в каких-то двенадцати футах. Грег Уилхойт ответил на приветствие, и они обменялись несколькими словами. Ни тот ни другой не был расположен к долгому разговору. На следующий день Рон снова поздоровался, и они немного поболтали. Еще через день Грег упомянул, что он из Талсы. Рон когда-то там жил, вместе с человеком по имени Стэн Уилкинс.

— Рабочий с металлургического завода? — уточнил Грег.

Да. Грег знал его. Совпадение их позабавило, и лед был сломан. Они разговорились о старых друзьях, о знакомых обоим местах в Талсе.

Грегу тоже было тридцать четыре года, он тоже любил бейсбол и тоже имел двух сестер, которые его поддерживали.

И он тоже был невиновен.

Так родилась дружба, которая облегчила обоим годы тяжких испытаний. Грег предложил Рону участвовать в еженедельной службе в часовне, располагавшейся за пределами блока F и посещавшейся, как выяснилось, многими смертниками. Их собирали вместе и в кандалах и наручниках препровождали в маленькую комнату, где они могли молиться под руководством праведного капеллана по имени Чарлз Стори. Рон и Грег редко пропускали богослужения и всегда сидели рядом.

Грег Уилхойт сидел в Макалестере уже девять месяцев. Он был рабочим, сознательным членом профсоюза, за которым, правда, числилось хранение марихуаны, но, однако, никаких насильственных преступлений.

В 1985 году Грег и его жена Кэти разъехались. У них были две маленькие дочки и куча проблем. Грег помог Кэти перебраться на другую квартиру и почти каждый день заезжал повидаться с девочками. Они надеялись, что брак удастся спасти, но пока им требовалось пожить врозь. Они активно продолжали вести интимную жизнь, оставались верны друг другу и исполнены веры.

1 июня, через три недели после того, как они разъехались, сосед Кэти по площадке встревожился тем, что за ее дверью беспрерывно плакали девочки. Он постучался и, не получив ответа, позвонил в полицию. Когда полицейские вошли, Кэти лежала на полу у подножия лестницы. Наверху, голодные и испуганные, кричали в своих колыбелях две малышки.

Кэти была изнасилована и задушена. Смерть наступила между часом ночи и шестью часами утра. Полиция допросила Грега, он сказал, что был дома, спал один и, таким образом, никто не может подтвердить его алиби. Он горячо отрицал какую бы то ни было причастность к смерти жены и возмущался тем, что его допрашивают.

Следствие нашло отпечаток пальца на кнопке звонка, который был вырван из стены и валялся на полу рядом с телом. Отпечаток не принадлежал ни Грегу, ни Кэти. Полиция обнаружила также лобковый волос и, что самое важное, нечто похожее на отпечаток зубов на груди Кэти. Эксперт криминалистической лаборатории подтвердил, что убийца во время изнасилования сильно укусил женщину за грудь.

Как муж, живущий отдельно, Грег вскоре стал главным подозреваемым, хотя найденные отпечатки пальцев ему и не принадлежали. Мелвин Хетт из криминалистической лаборатории штата в своем заключении написал, что лобковый волос, найденный на месте преступления, структурно несовместим с предоставленным Грегом образцом. Полиция захотела также исследовать прикус Грега на предмет сравнения его со следами укуса.

Грегу не нравилось, что его подозревают. Он был абсолютно невиновен, но не доверял полиции. С помощью родителей он собрал 25 тысяч долларов и обратился к адвокату.

Полицейским, в свою очередь, не понравилось, что он нанял адвоката. Они получили судебное предписание, обязывающее его предоставить след своих зубов, что он и сделал. В течение пяти месяцев о результатах не было ни слуху ни духу. Он растил дочек, работал полный рабочий день на заводе и уже полагал, что полицейское преследование отошло в прошлое, когда в один «прекрасный» январский день к нему пришли с ордером на арест по обвинению в убийстве первой степени, грозящему смертной казнью.

Его первый адвокат, хотя ему хорошо платили и он пользовался отличной репутацией, слишком явно склонялся к переговорам о досудебной сделке. Грег выгнал его за месяц до суда и совершил чудовищную ошибку, наняв Джорджа Бриггса, давно невостребованного старого адвоката, заканчивавшего свою долгую и яркую карьеру. Кроме двух с половиной тысяч долларов, за его услуги пришлось заплатить постоянными тревогами и раздражением.

Бриггс представлял старую школу сельских адвокатов: «У тебя свои свидетели, у меня — свои, мы выходим в суд и устраиваем там хорошую потасовку. Никаких совещаний суда с адвокатами сторон. Если возникают сомнения, положись на интуицию — и вперед, не заморачивая себе голову».

Бриггс к тому же был алкоголиком, пристрастившимся еще и к обезболивающим, которые начал принимать несколькими годами ранее после того, как получил тяжелую черепно-мозговую травму в мотоциклетной аварии. В хорошие дни от него несло спиртным, но он был в состоянии «делать вид». В плохие — храпел в зале суда, а в кабинете судьи его могло вырвать или случалось недержание. Его часто видели бродящим, едва держась на ногах, по коридорам суда. Грег и его родители забили тревогу, когда Бриггс за обедом высосал несколько бутылок пива.

Его пьянство и пристрастие к наркотикам были хорошо известны судье и гильдии адвокатов Оклахомы, но практически ничего не было сделано, чтобы остановить Бриггса, помочь ему — и таким образом защитить интересы его клиентов.

Семейство Грега нашло признанного эксперта по прикусам в Канзасе, но Бриггс то ли был слишком занят, то ли слишком страдал похмельем, чтобы с ним поговорить. Он не провел предварительных бесед со свидетелями и, насколько знал Грег, потратил не слишком много времени, чтобы подготовиться к суду.

Поэтому судебный процесс превратился в сплошной кошмар. Штат вызвал двух «экспертов» по прикусам, один из которых закончил стоматологический факультет менее чем за год до того. У Бриггса не было ничего, что бы он мог противопоставить их показаниям. Присяжные совещались два часа и признали Грега виновным. Бриггс не вызвал ни одного контрсвидетеля, и жюри, просовещавшись всего час, вынесло приговор: смертная казнь.

Через тридцать дней Грега снова привезли в суд, чтобы объявить ему окончательный вердикт: высшая мера.

* * *

Дверь своей камеры № 9 Грег занавесил газетой, чтобы никто не мог его видеть. Он убедил себя, что находится вовсе не в камере смертника, а просто в своем маленьком коконе, где-то в другом месте, пережидает время, читая запоем и глядя в экран маленького телевизора, который передали ему родные. Он не разговаривал ни с кем, кроме Бегунка, который в первом же разговоре спросил Грега, не хочет ли тот купить немного марихуаны. Грег хотел.

Поначалу Грег не осознал, что несколько счастливчиков смертников вышли из «загона» живыми. Изредка апелляции срабатывали. Когда за дело брались хорошие адвокаты, когда судьи просыпались от спячки, случалось чудо, но никто не рассказал об этом Грегу. Он не сомневался, что его казнят, и, честно говоря, хотел, чтобы это случилось поскорее.

В течение полугода он покидал свою камеру только для того, чтобы помыться в душе — быстро и в одиночестве. Однако постепенно познакомился с одним-двумя заключенными, и его пригласили в прогулочную группу, чтобы поразмяться и пообщаться часок на свежем воздухе. Но стоило ему разговориться, как отношение к нему моментально изменилось в худшую сторону. Грег был редкостью в «загоне»: он решительно поддерживал смертную казнь. «Совершил самое страшное преступление — плати самую высокую цену», — громко проповедовал он. Для тюрьмы это было неслыханно.

У него также появилась раздражающая привычка смотреть «Ночное шоу» Дэвида Леттермана на полную громкость. Сном в «загоне» дорожат, многие заключенные полдня проводили в мире грез. Когда спишь, обманываешь систему. Время сна — это твое личное время, оно не принадлежит штату.

Осужденные убийцы не задумываясь угрожают убить снова, и до Грега вскоре дошли слухи, что его «пометили». В каждом каземате для смертников есть по крайней мере один босс и несколько человек, желающих им стать. Существуют группировки, воюющие между собой за власть. Они грабят слабых, часто требуя платы за право «жить». Когда Грегу пришло «предписание» платить ренту, он рассмеялся и послал ответную записку: он и гроша ломаного никому не даст за право жить в этой крысиной норе.

В «загоне» правил Соледад — это была кличка убийцы, некогда отсидевшего срок в знаменитой калифорнийской тюрьме.

Соледад не одобрял положительного взгляда Грега на смертную казнь и терпеть не мог Дэвида Леттермана, а поскольку любой заслуживающий уважения босс должен быть готов убивать, Грег был выбран мишенью.

В «загоне» враги есть у всех. Драки здесь бывают кровопролитными и вспыхивают вмиг, порой без всякого повода. Пачка сигарет может стать причиной побоища во дворе или в душе. Из-за двух пачек легко могут убить.

Грегу нужен был друг, чтобы страховать его тыл.

Первый визит Аннет в Макалестер оказался печальным и напугал ее, хотя иного она в общем-то и не ожидала. Она предпочла бы вообще не ездить туда, но ведь у Ронни никого, кроме сестер, не было.

Охранники, подталкивая в спину, проводили Аннет вниз и проверили содержимое ее сумки. Продвигаться по коридорам Большого дома было все равно что нырять в темное чрево гигантского зверя. Лязгали железные двери, гремели ключи, надзиратели смотрели на нее так, словно она не имела права здесь находиться. Аннет шла молча, как сомнамбула, в животе у нее стоял тяжелый ком, пульс бешено стучал.

Когда-то они были хорошей семьей, жившей в хорошем доме на тенистой улице. Исправно посещали церковь по воскресеньям. Ронни играл в бейсбол... Как же все это могло случиться?

К этому можно привыкнуть, мысленно уговаривала она себя. Ей предстоит слышать те же звуки и видеть тех же охранников много-много раз. Она спросила, можно ли принести передачу — печенье, кое-что из одежды, немного денег. Только мелочь. Она вручила надзирателю пригоршню четвертаков, слабо надеясь, что их отдадут Ронни.

Комната свиданий была длинной, узкой и разделенной по центру рядом кабинок из толстых плексигласовых щитов, кабинки создавали иллюзию уединенности. Все разговоры происходили по телефону через стекло. Никаких соприкосновений.

Наконец — в тюрьме ведь никто никуда не торопится — появился Ронни. Он выглядел здоровым, даже немного пополневшим. Впрочем, он всегда легко поправлялся и так же легко худел.

Он поблагодарил ее за то, что она пришла, сказал, что у него все в порядке, только нужны деньги. Еда здесь отвратительная, и он хотел бы купить что-нибудь съестное в лавке. Ему также отчаянно хотелось иметь гитару, книги, журналы и маленький телевизор, который тоже можно купить через лавку.

— Вытащи меня отсюда, Аннет, — умоляющим голосом повторял он снова и снова. — Я не убивал Дебби Картер, ты же знаешь.

Она всегда непоколебимо верила в его невиновность, хотя у некоторых членов семьи в последнее время стали возникать сомнения. Они с мужем, Марлоном, оба работали, содержали семью и старались понемногу откладывать. С деньгами было туго. Скудно финансируемые штатом адвокаты уже готовили апелляцию. Чего еще он от нее ждал?

— Продай дом и найми хорошего адвоката, — сказал Рон. — Продай все. Сделай что-нибудь. Вытащи меня.

Разговор был нервным, не обошлось без слез. В соседнюю кабинку для встречи с родственником привели другого заключенного. Аннет плохо видела его сквозь плексиглас, но ей было интересно узнать, кто он и кого убил.

Роджер Дейл Стаффорд, сообщил ей Ронни, знаменитый Бифштекс. У него девять смертных приговоров, и это только официальный список его судимостей. Он убил шесть человек, в том числе пятерых подростков, в ресторане бифштексов в Оклахома-Сити при неудачной попытке ограбления. А потом — семью из трех человек.

— Они все тут убийцы, — беспрестанно повторял Ронни, — единственное, о чем они говорят, — это убийства. И так везде здесь, в «загоне». Вытащи меня отсюда!

— Ты не чувствуешь себя в безопасности? — спросила Аннет.

Черт, конечно, нет, как можно чувствовать себя в безопасности, когда живешь среди убийц? Он всегда верил в необходимость смертной казни, теперь же стал ее несгибаемым приверженцем, однако здесь, в новом окружении, держал это мнение при себе.

Визиты не ограничивались по времени, но в конце концов Аннет и Рон попрощались, искренне пообещав друг другу писать и звонить. Покидая Макалестер, Аннет была эмоционально выхолощена.

Звонки начались сразу же. В «загоне» телефонный аппарат ставили на тележку и подвозили к камере. Охранник набирал номер, потом просовывал трубку заключенному через решетку. Поскольку звонки оплачивались теми, кому звонили, охранникам было, в сущности, все равно, как часто пользовались телефоном заключенные. От скуки и отчаяния Рон вскоре стал требовать аппарат чаще всех остальных.

Начинал он обычно с просьбы прислать денег — 20—30 долларов, чтобы купить еды и сигарет. Аннет и Рини старались каждый месяц посылать ему сорок, но у них самих было много расходов и очень мало свободных денег. К тому же, сколько бы они ни посылали, Рону было мало, и он не уставал напоминать им об этом. Он часто сердился, упрекал их, что они его не любят, иначе давно бы вызволили из тюрьмы. Он невиновен, все это знают, но на воле нет никого, кроме сестер, кто мог бы за него заступиться.

Его звонки редко бывали приятными, хотя сестры старались ему не перечить. В каждом разговоре Рон умудрялся в какой-то момент вставить, как он их любит.

Муж Аннет оформил для него подписку на «Нэшнл джиографик» и «Ада ивнинг ньюз». Ронни хотел отслеживать события, происходящие дома.

Вскоре после прибытия в Макалестер он впервые услышал о странных признаниях Рики Джо Симмонса. Барни знал о существовании этих видеопоказаний, но предпочел не использовать их на суде и ничего не сказал о них своему клиенту. Следователь Службы юридической защиты неимущих привез пленку в Макалестер и показал ее Рону. Тот взорвался. Оказывается, есть человек, сознавшийся в убийстве Дебби Картер, но жюри об этом не знало!

Разумеется, новость быстро распространилась по Аде, и он желал прочесть, что пишет об этом местная газета.

Рики Джо Симмонс стал еще одной его манией, быть может, главной. На этом человеке Рон оставался зациклен многие годы.

Кому он только не звонил, желая, чтобы весь мир узнал о Рики Джо Симмонсе! Признание этого человека казалось Рону пропуском на свободу, и он мечтал, чтобы кто-нибудь взял на себя труд привлечь Симмонса к суду. Он писал и названивал Барни, другим адвокатам, представителям окружных властей, даже старым друзьям, но большинство из них отказывались выдвинуть коллективный иск.

Потом правила изменились, пользование телефоном ограничили после того, как несколько заключенных были уличены в том, что звонили родственникам своих жертв, — просто забавы ради. Теперь разрешалось сделать два звонка в неделю, причем все вызываемые номера заранее проверялись.

Раз в неделю Бегунок возил по коридору блока F тележку с сильно потрепанными книгами в бумажных обложках. Грег Уилхойт читал все, что имелось, — биографии, детективы, вестерны.

Стивен Кинг был его любимым писателем, но ему искренне нравились и произведения Джона Стейнбека.

Он и Рона убедил спасаться чтением, и вскоре они уже живо обсуждали достоинства «Гроздьев гнева» и «К востоку от рая», что было совершенно необычно для «загона». Они часами стояли каждый у своей решетки и говорили, говорили... О книгах, о бейсболе, о женщинах, о своих судебных процессах.

Оба были удивлены тем, что большинство здешних заключенных отнюдь не утверждали, что невиновны. Напротив, разговаривая между собой, они были склонны приукрашивать свои преступления. Смерть была центральной темой — убийства, переживания, связанные с убийствами, будущие убийства...

Рон постоянно твердил, что он невиновен, и Грег начал верить ему. У каждого заключенного есть под рукой стенограмма его судебного процесса, Грег прочел стенограмму суда над Роном — все две тысячи страниц — и был шокирован тем, *как* судили в Аде. Рон тоже прочел стенограмму процесса Грега и был не меньше шокирован тем, как велся суд в округе Осейдж.

Они верили друг другу и не обращали внимания на скепсис, проявляемый их соседями.

В первые недели пребывания в «загоне» эта дружба оказала на Рона терапевтическое воздействие. Наконец-то нашелся кто-то, кто поверил ему, кто-то, кто был готов часами разговаривать с ним, выслушивать его с сочувствием и пониманием. Здесь, вдали от пещерообразной камеры, в которой он сидел в Аде, обретя друга, готового разделить его тяжкую ношу, Рон стал более уравновешенным. Он не раскачивался, стоя у решетки, не метался по камере, не вопил на всю тюрьму о своей невиновности. Он много спал, читал часами напролет, беспрестанно курил и вел беседы с Грегом. Они вместе выходили во двор на прогулку, страхуя друг друга. Аннет прислала достаточно денег, и он купил маленький телевизор. Она знала, как важна для Рона гитара, и сделала все возможное, чтобы он смог ее получить. Через лавку купить гитару оказалось невозможно. Сделав множество звонков и написав несколько писем, Аннет убедила администрацию тюрьмы разрешить, чтобы музыкальный магазин в Макалестере продал ее и переслал в тюрьму.

Неприятности начались, когда инструмент прибыл. Желая поразить окружающих своим талантом, Рон играл громко и пел во всю мощь своих легких. Соседей по «загону» это приводило в бешенство, они стали жаловаться, но Рон не обращал на это никакого внимания. Он обожал свою гитару и любил петь, особенно песни Хэнка Уильямса. «Твое обманчивое сердце» эхом раскатывалось по всему коридору. Ему посылали проклятия и самые грубые ругательства. Он отвечал тем же.

Потом Соледаду надоела музыка Рона, и он пригрозил убить его.

— Какая разница? — равнодушно откликнулся Рон. — Меня ведь все равно уже приговорили к смерти.

Никто даже не думал о том, чтобы установить в блоке F кондиционеры, и когда наступало лето, «загон» превращался в одну большую сауну. Заключенные раздевались до трусов и скрючивались под маленькими вентиляторами, которые покупали через лавку. Нередко они просыпались перед рассветом на совершенно мокрых от пота простынях. Несколько человек вообще весь день проводили голыми.

Дирекция тюрьмы зачем-то проводила по «загону» экскурсии. Посетителями обычно были ученики старших классов, чьи родители и наставники надеялись таким образом отвратить их от преступлений. В жаркую погоду надзиратели заставляли заключенных на время экскурсии одеваться. Одни повиновались, другие нет.

Заключенный по прозвищу Голый Индеец предпочитал всегда пребывать в своем исконном естестве, то есть полностью обнаженным. Он обладал редкой способностью пускать газы по заказу и, когда туристическая группа приближалась к его камере, проделывал свой любимый трюк: прижимался «задними щеками» к решетке и выпускал громовой заряд. Это шокировало учеников, и экскурсия оказывалась сорванной.

Охранники требовали, чтобы Голый Индеец прекратил безобразие. Тот отказывался. Товарищи подначивали его. Но все это проделывалось только во время экскурсий. Кончилось тем, что на это время охранники стали уводить его из «загона». Несколько других заключенных попытались имитировать номер Голого Индейца, но им недостало таланта.

Рон только играл и пел для посетителей.

4 июля 1988 года Рон проснулся в дурном настроении, которое так и не исправилось в течение дня. Это был День независимости, время торжеств, демонстраций и тому подобных мероприятий, а он оказался заперт в этой адской дыре за преступление, коего не совершал. Где же его персональная независимость?

Он принялся орать, ругаться и, как всегда, громогласно декларировать собственную невиновность, а когда из других камер его стали освистывать, озверел и начал бросаться всем, что попадало под руку, — книгами, журналами, туалетными принадлежностями, одеждой, швырнул даже маленький радиоприемник и Библию. Охранники велели ему успокоиться. Он послал их куда подальше и стал буйствовать еще яростнее. Карандаши, бумага, еда, купленная в лавке, — все полетело в них. Потом он схватил телевизор и шмякнул его о кирпичную стену, разбив вдребезги. А под конец схватил даже обожаемую гитару и принялся молотить ею о прутья решетки.

Большинство обитателей «загона» уже получили свою дневную дозу транквилизатора под названием синекан — предполагалось, что он успокаивает нервы и помогает уснуть. Охранникам удалось в конце концов уговорить Рона принять кое-что посильнее, он затих, впал в полудрему и в середине дня начал прибирать у себя в камере.

Потом он в слезах позвонил Аннет и рассказал ей о происшествии. Спустя какое-то время она приехала и нашла его в плохом состоянии. Он кричал в трубку, обвинял ее в том, что она не старается освободить его, и снова требовал, чтобы сестра продала все и наняла какого-нибудь знаменитого адвоката, который сможет исправить учиненную над ним несправедливость. Аннет просила его успокоиться, перестать кричать и, поскольку он не внимал, пригрозила уйти.

Со временем они с Рини купили ему новый радиоприемник, телевизор и гитару.

В сентябре 1988 года адвокат из Нормана Марк Барретт приехал в Макалестер на встречу со своим новым клиентом. Марк был одним из четырех адвокатов, занимавшихся апелляциями неимущих, осужденных на смертную казнь. Дело Уильямсона поручили ему. Барни Уорда от него отстранили.

Апелляции по смертным приговорам подаются автоматически. Необходимые документы собраны, и процедура начала неспешно продвигаться вперед. Марк объяснил все это Рону и выслушал его пространные декларации невиновности. Эти речи его ничуть не удивили, хотя он еще не успел изучить стенограмму судебного процесса.

Чтобы помочь своему новому защитнику, Рон вручил ему список лжесвидетелей, выступавших на его процессе, а потом коротко разъяснил природу и масштабы их лжи.

Марк нашел Рона сообразительным, здравомыслящим человеком, ясно отдающим себе отчет в сложности своего положения и окружения. Он четко излагал свои мысли, долго и подробно говорил о подтасованных полицейскими доказательствах, которые суд использовал против него. Он немного паниковал, но это было естественно. Об истории болезни Рона Марк не имел ни малейшего понятия.

Отец Марка был священником в общине учеников Христа, и, узнав об этом, Рон пустился в долгие рассуждения о религии. Он хотел довести до сознания Марка, что является правоверным христианином, воспитан в богобоязненной семье и постоянно читает Библию. На Марка произвела глубокое впечатление способность Рона пространно цитировать Священное Писание. Один стих особенно волновал Рона, и он спросил Марка, как тот понимает его смысл. Они детально обсудили эту тему. Для Рона было очень важно понять смысл этого стиха, и он очень расстраивался из-за того, что никак не может его уловить. Визиты адвокатов не ограничивались по времени, и клиенты были рады воспользоваться возможностью провести хоть какое-то время вне своих камер. Рон и Марк проговорили больше часа.

По первому впечатлению Рон показался Марку фундаменталистом, любителем поговорить, быть может, чуточку приукрасить факты. По обыкновению, он скептически отнесся к заявлениям клиента о собственной невиновности, хотя ум его вовсе не был закрыт для сомнений. Марк занимался также апелляцией Грега Уилхойта и был совершенно уверен, что тот не убивал свою жену.

Ему было хорошо известно, что в камерах смертников содержатся порой невиновные люди, и чем дальше он углублялся в дело Рона, тем больше верил ему.

ГЛАВА ОДИННАДЦАТАЯ

Хотя Деннис Фриц и не сознавал этого, год, проведенный в темнице окружной тюрьмы, помог ему подготовиться к суровым условиям содержания в тюрьме строгого режима.

Его привезли в исправительный центр Коннер в июне, в кузове микроавтобуса, набитого другими заключенными. Он все еще пребывал в оцепенении, был сильно напуган и продолжал отрицать свою вину. Было важно выглядеть и действовать так, чтобы вызвать доверие у окружающих, и он старался изо всех сил. Коннер пользовался репутацией «свалки» среди тюрем средней степени строгости. Это было суровое место, более суровое, чем большинство других, и Деннис снова и снова задавался вопросом, как и почему случилось так, что ему выпало сидеть именно в этом месте.

Проведя через рутинную процедуру приемки, ему вместе с другими заключенными прочли лекцию о тюремных правилах и установлениях, после чего поселили в двухместной камере с нарами и окном, через которое виднелся внутренний двор. Как и Рон, Деннис возблагодарил Бога за окно. В Аде он неделями не видел дневного света.

Его сокамерником оказался мексиканец, едва говоривший по-английски, что было на руку Деннису. Сам он испанского не знал и учить не собирался. Первым тяжким испытанием стала невозможность выкроить хотя бы несколько коротких минут уединения — другое человеческое существо постоянно находилось на расстоянии вытянутой руки.

Деннис поклялся, что использует все силы и возможности, чтобы избавиться от своего приговора. Сдаться было легко — система слишком тяжело давила на заключенных, но он был полон решимости одержать победу.

Всегда набитый до отказа, Коннер славился своей жестокостью. Здесь существовали свои банды, нередко случались убийства, драки, изнасилования, достать наркотики ничего не стоило, охранники были продажны. Деннис быстро определил наиболее безопасные места и старался избегать людей, которые, по его мнению, могли стать источником неприятностей. Страх он считал своим преимуществом. Через несколько месяцев пребывания здесь большинство заключенных неблагоразумно приспосабливались к тюремной рутине и вписывались в нее. Они утрачивали бдительность и начинали считать, что им ничто не угрожает.

Это был прямой путь к беде, и Деннис поклялся, что никогда не перестанет бояться.

Заключенные вставали в семь, когда открывали двери всех камер. Ели они в большой столовой, садиться разрешалось где угодно. Белые оккупировали светлую часть зала, черные и прочие цветные, включая индейцев и латиноамериканцев, теснились в темном углу. Завтраки были не так уж плохи: яйца, овсянка, бекон. Разговоры велись оживленно — люди пользовались случаем пообщаться.

Большинство узников хотели работать где угодно — лишь бы не находиться постоянно в блоке F. Поскольку Деннис когда-то был учителем, его назначили преподавать другим заключенным в рамках общеобразовательной программы средней школы. После завтрака он направлялся в классную комнату и вел уроки до полудня. Его зарплата составляла семь долларов двадцать центов в месяц.

Мать и тетка начали посылать ему по пятьдесят долларов — сумма, которую они едва наскребали вместе, но считали ее главным приоритетом в своих расходах. Деннис тратил деньги на табак, консервированного тунца, крекеры и булочки. Его персональная «лавка» в камере была его маленьким частным складом, и он отчаянно защищал ее. Практически все заключенные курили, и сигареты являлись самой надежной валютой. Пачка «Мальборо» приравнивалась к пухлой пачке денег.

Вскоре Деннис обнаружил, что в библиотеке есть солидная подборка юридической литературы, и с удовольствием проводил там время каждый день с часа до четырех, изучая законы. Прежде он в глаза не видел ни одной юридической книги, но решительно настроился овладеть знаниями. Несколько заключенных — бывших юристов, которые мнили себя тюремными адвокатами и действительно обладали довольно обширными знаниями, помогали ему, учили продираться сквозь толстые трактаты и своды законов. За услуги они, разумеется, требовали плату. И он платил им гонорары сигаретами.

Юридическое образование он начал с изучения отчетов о сотнях проведенных в Оклахоме процессов, выискивая в них сходство со своим собственным и вероятные ошибки, допущенные в ходе суда над ним. Его апелляция вскоре должна была быть принята к производству, и он желал знать столько же, сколько его адвокат. Потом он обратился к федеральным законам и стал делать выписки из множества дел, слушавшихся по всей стране.

С четырех до пяти все были обязаны вернуться в блок, заключенных пересчитывали по головам и докладывали в администрацию. Ужин заканчивался в семь тридцать, после чего до десяти пятнадцати узники имели право бродить по своему блоку, заниматься физическими упражнениями, играть в карты, домино или баскетбол. Многие предпочитали просто околачиваться без дела, собираться группами, болтать, курить и таким образом убивать время.

Деннис возвращался в библиотеку.

Его дочери Элизабет было пятнадцать, и они поддерживали оживленную переписку. Элизабет жила в надежном добропорядочном доме, ее воспитывала бабушка со стороны матери, уделяя ей много внимания. Девочка верила, что ее отец невиновен, хотя Денниса терзали сомнения в том, что вера эта непоколебима. Отец и дочь обменивались письмами и разговаривали по телефону не реже раза в неделю. Деннис, однако, не позволял дочери навещать его. Он не желал, чтобы она и на пушечный выстрел приближалась к тюрьме и видела отца в тюремной одежде, за колючей проволокой.

Ванда Фриц, его мать, стала ездить в Коннер, как только Денниса туда перевели. Свидания разрешались по воскресеньям с десяти до четырех и проводились в комнате, где рядами выставлялись складные столы и стулья. Это напоминало зоопарк. Одновременно приводили человек двадцать заключенных. Их родные — жены, дети, матери, отцы — уже ждали. Накал эмоций в комнате был весьма высок. Дети зачастую вели себя шумно и невоспитанно. С узников снимали наручники, так что в принципе физические контакты разрешались, а это было именно то, чего они хотели, хотя избыточные объятия и поцелуи были запрещены. Высшим шиком считалось поставить кого-нибудь из сотоварищей «на стреме» или заставить каким-нибудь трюком отвлечь на несколько минут внимание надзирателя, чтобы совокупиться с бешеной скоростью. Было в порядке вещей увидеть, как какая-нибудь пара проделывает это, втиснувшись между двумя автоматами с газированной водой. Жены, чинно сидевшие за столом, вдруг в мгновение ока ныряли под стол, чтобы поспешно удовлетворить мужа оральным сексом.

К счастью, Деннису посреди этой бешеной активности удавалось удерживать внимание матери на себе, но все равно часы посещения становились самым напряженным временем недели, и Деннис всегда уговаривал матушку больше не приезжать.

Вскоре Рон снова начал мерить шагами камеру и кричать. Даже здоровому человеку, посаженному в «загон», не потребуется много времени, чтобы потерять рассудок. Рон стоял, вцепившись в прутья решетки, и часами, пока не срывался на хрип, вопил: «Я невиновен! Я невиновен!» Со временем, однако, голос его окреп, и периоды, в течение которых он мог громко орать, становились все более продолжительными. «Я не убивал Дебби Картер! Я не убивал Дебби Картер!»

Он запомнил наизусть весь текст признания Рики Джо Симмонса, слово в слово, и декламировал его во всю глотку, на забаву надзирателям и соседям. Мог он часами воспроизводить и стенограмму своего суда — сотни страниц показаний лжесвидетелей, отправивших его в камеру смертника. Соседям по блоку хотелось удавить его, однако они не могли не восхищаться памятью Рона.

Но только не в два часа ночи.

Как-то Рини получила странное письмо от одного заключенного. В нем, в частности, говорилось:

Дорогая Рини,

да благословит Вас Господь! Это Джей Нил, № 141128. Я пишу это от имени и по просьбе Вашего брата Рона. Наши камеры располагаются рядом. В течение дня у него случаются очень тяжелые периоды. У меня такое впечатление, что его пичкают какими-то лекарствами, чтобы скорректировать его поведение и успокоить. Между тем доступные здесь лекарства в лучшем случае оказывают лишь незначительное воздействие. Беда Рона в его низкой самооценке. И я уверен, что его здесь убеждают, будто у него очень низкий IQ. Самое худшее его время — между двенадцатью ночи и четырьмя часами утра.

Временами он с небольшими перерывами, надрывая легкие, начинает кричать. Это раздражает его соседей. Поначалу они пытались урезонить его, потом — терпеть. Но у большинства заключенных терпение иссякает (из-за бессонных ночей, разумеется).

Я христианин и каждый день молюсь за Рона. Разговариваю с ним, выслушиваю его. Он очень любит и Вас, и Аннет. Я его друг и стараюсь служить буфером между Роном и теми людьми, которым его крики доставляют неудобство, — встаю и начинаю разговаривать с ним, пока он не успокоится.

Да благословит Бог Вас и всю Вашу семью.

С искренним уважением

Джей Нил.

Дружба Нила с кем бы то ни было из заключенных всегда вызывала сомнения, и обращение в христианство, к которому его «друзья» относились скептически, зачастую становилось предметом пересудов. До тюрьмы он и его возлюбленный мечтали переехать в Сан-Франциско, чтобы наслаждаться более свободными нравами и образом жизни. Поскольку денег у них не было, они решили, не имея никакого опыта, ограбить банк. Их выбор остановился на одном из банков города Джеронимо, но после того, как они в него ворвались и громко оповестили, что это ограбление, все пошло не так. В неразберихе неподготовленного ограбления Нил и его приятель роковым образом закололи трех кассиров, застрелили одного клиента и ранили еще троих. В разгар этой кровавой бойни у Нила кончились патроны, он обнаружил это, когда приставил револьвер к голове ребенка и спустил курок. Ничего не произошло — ребенок не пострадал, по крайней мере физически. Убийцам удалось сбежать с двадцатью тысячами долларов наличными, и вскоре они оказались в Сан-Франциско, где принялись швырять деньги направо и налево, покупая длинные норковые шубы, красивые дорогие шарфы и прочее, а также сорить деньгами в гей-барах. Такая разгульная жизнь продолжалась чуть больше суток. А потом их поймали и отправили обратно в Оклахому, где Нила в конце концов и казнили.

Во время пребывания в «загоне» он любил цитировать Священное Писание и совершать мини-богослужения, которые мало кто слушал.

Медицинское обслуживание в блоке для смертников не считалось приоритетом. Любой заключенный скажет вам: первое, что теряешь в тюрьме, — это здоровье, потом — разум. Рона осмотрел тюремный врач, который, к счастью, ознакомился с прежней историей его болезней, в том числе психических, и отметил, что у заключенного Уильямсона уже по меньшей мере лет десять наблюдается пристрастие к алкоголю и наркотикам, а также биполярное расстройство. Налицо разновидность шизофрении и психопатии.

Ему прописали мелларил, который действовал успокаивающе.

Большинство других узников считали, что Рон просто «разыгрывает из себя чокнутого» в надежде как-нибудь улизнуть из «загона».

Через две двери от камеры Грега Уилхойта обитал старый заключенный по имени Сони Хейз. Никто толком не знал, сколько времени он уже ждет исполнения приговора, но то, что он находился здесь дольше всех остальных, было несомненно.

Возраст его приближался к семидесяти, он был слаб здоровьем и отказывался кого бы то ни было видеть и с кем бы то ни было разговаривать. Решетку своей камеры он занавешивал газетами и одеялами, никогда не включал свет, ел ровно столько, сколько нужно, чтобы не умереть с голоду, никогда не мылся, не брился, не стригся и отказывался принимать посетителей, в том числе адвокатов. Он не писал и не получал писем, никому не звонил, ничего не покупал в лавке, не отдавал одежду в стирку и не имел ни радио, ни телевизора. Никогда не покидал он своего темного узилища, из которого за целый день порой не доносилось ни единого звука.

Сони был совершенно безумен и не мог быть казнен как психически больной человек, он просто догнивал в условиях, которые сам себе определил. Теперь в «загоне» появился еще один сумасшедший, хотя практически никто в это не верил. Все считали, что он просто ломает комедию.

Один эпизод, однако, привлек внимание заключенных. Рону удалось засорить свой туалет и затопить камеру водой на два дюйма. После этого он разделся догола и начал «нырять» с лавки животом в этот «бассейн», беспрерывно что-то выкрикивая. Надзирателям с трудом удалось скрутить и успокоить его лекарствами.

Хотя кондиционеров в блоке F не было, система отопления имелась, и в ожидании зимы заключенные не без основания надеялись на тепло, которое пойдет по старым трубам. Но этого не случилось. В камерах стоял лютый холод. На внутренней стороне окон за ночь часто намерзал лед, и укутанные во что только можно узники старались как можно дольше не вылезать из постели.

Единственным способом уснуть было надеть на себя всю имевшуюся в наличии одежду — обе пары носков, трусов, маек, брюк и курток, рабочих роб и всего того, что удавалось купить в лавке. Дополнительные одеяла считались роскошью, и штат ими заключенных не обеспечивал. Пища, которая и в летнее-то время всегда бывала холодной, зимой стала практически несъедобной.

Приговоры Томми Уорда и Карла Фонтено были отменены Оклахомским апелляционным уголовным судом, поскольку их признательные показания были использованы на суде друг против друга и поскольку ни один из них не свидетельствовал очно: обоим было отказано в праве встретиться друг с другом в суде.

Если бы процессы были разделены, как требовали адвокаты, эту конституционную проблему можно было бы обойти.

Если бы их «признания» не предъявили суду, разумеется, не было бы никаких приговоров.

Узников отвезли обратно в Аду. Повторный суд над Томми состоялся в городе Шауни, округ Потаватоми. Но при том, что прокурорами снова выступали Билл Питерсон и Крис Росс, а судья позволил присяжным ознакомиться с видеозаписью «признания» Томми, его снова осудили и приговорили к смертной казни. Аннет Хадсон каждый день привозила мать Томми на заседания суда. Карла повторно судили в Холденвилле, округ Хьюз, и тоже признали виновным и приговорили к смертной казни.

Пока шел пересмотр их дел, Рон пребывал в эйфории, когда их осудили по новой, впал в депрессию. Его собственная апелляция медленно продиралась сквозь дебри системы. Делом занималось Апелляционное управление общественных защитников, которому в связи с увеличившимся количеством особо тяжких преступлений пришлось нанять больше адвокатов. Марк Барретт был перегружен работой и мечтал перекинуть кому-нибудь пару дел. Он с нетерпением ждал решения Апелляционного уголовного суда по делу Грега Уилхойта. Этот суд был известен своим суровым отношением к подсудимым, но Марк не сомневался, что дело Грега отправят на пересмотр.

Новым адвокатом Рона стал Билл Лукер, который в своей записке, представленной в апелляционный суд, категорически заявлял, что процесс над Роном не был справедливым. Он обрушивался на Барни Уорда, утверждая, что Рон не получил «эффективной юридической помощи со стороны защиты», — это почти всегда является первым аргументом в апелляциях приговоренных к высшей мере. Главным среди многочисленных грехов Барни было то, что он не потрудился поднять вопрос о психической болезни своего подзащитного. Ни одного медицинского документа не было представлено суду в качестве доказательства. Лукер составил список ошибок, допущенных Барни, и тот оказался весьма длинным.

Он также резко раскритиковал методы и тактику полицейских и прокуроров, так что записка его оказалась весьма пространной. Оспорил Лукер и многие распоряжения судьи Джонса: то, что он позволил присяжным просмотреть запись «сонных признаний» Рона; проигнорировал многочисленные нарушения «правила Брейди» стороной обвинения и в целом не сумел обеспечить Рону право на справедливый суд.

Подавляющее большинство клиентов Билла Лукера были безоговорочно виновны. Его работа состояла в том, чтобы рассмотрение их апелляций проводилось честно. Однако дело Рона казалось иным. Чем дальше Лукер углублялся в него и чем больше вопросов задавал, тем больше убеждался, что эту апелляцию он может выиграть.

Рон был клиентом, всегда готовым к сотрудничеству. Он имел твердые суждения по всем аспектам своего дела и охотно делился ими с адвокатом. Он часто звонил и писал бессвязные письма, однако его комментарии и наблюдения большей частью оказывались полезными. Подчас его память о деталях истории своей болезни изумляла.

Он был зациклен на признании Рики Джо Симмонса и считал, что непредоставление этого признания суду в качестве доказательства является издевательством над правосудием. Он писал Лукеру:

> Дорогой Билл,
>
> Вы знаете, что я считаю Рика Симмонса убийцей Дебби Картер, признается он в этом или нет. Послушайте, Билл, я прошел через такой ад физических страданий, что, думаю, будет только справедливо, если Симмонс заплатит за то, что совершил, а я выйду на свободу. Они не хотят предоставить Вам запись его признания, так как знают, что Вы включите ее в свою записку и с легкостью выиграете новый суд. Поэтому, ради Бога, скажите этим сукиным детям, что Вы требуете показать Вам его признание.
>
> Ваш друг Рон.

Имея массу свободного времени, Рон вел активную переписку, особенно с сестрами. Они знали, как она для него важна, и всегда находили время, чтобы ему ответить. Одной из тем неизменно оставались деньги. Он не мог есть тюремную пищу и предпочитал кормиться тем, что можно было купить в лавке. В частности, он писал Рини:

Рини,
я признаю, Аннет посылает мне немного денег, но нужды мои множатся. Здесь сидит Карл Фонтено, и ему не от кого ждать помощи. Не можешь ли ты прислать мне еще немного, пусть даже долларов десять?
С любовью

Рон.

Накануне своего первого Рождества в «загоне» он написал Рини:

Рини, привет!

Спасибо за то, что прислала денег. Они пошли на особые нужды — главным образом на гитарные струны и кофе.

В этом году я получил пять рождественских открыток, включая твою. Рождество способно доставить приятные ощущения.

Рини, твои двадцать долларов пришли как нельзя вовремя. Я только что занял у друга немного денег, чтобы купить гитарные струны, и собирался отдать долг из тех пятидесяти долларов, которые каждый месяц присылает мне Аннет. Таким образом, я опять оказался бы стеснен в средствах. Знаю, можно подумать, что пятьдесят долларов — это много, но я же делюсь с парнем, чья мать не может себе позволить послать ему ни цента. Правда, недавно она прислала ему десять долларов, но это были первые деньги, которые он получил с сентября, с того момента, когда мы подружились. Я дал ему немного кофе, сигарет, еще кое-чего. Бедный парень.

Сегодня пятница, значит, вы все будете открывать подарки завтра. Надеюсь, каждый получит то, чего хотел. Дети, конечно, быстро растут. А я, если мне не удастся взять себя в руки, буду целый день плакать.

Скажи всем, что я их люблю.

Ронни.

Трудно было представить себе, чтобы Ронни мог испытывать «приятные ощущения» в тюрьме, пусть и во время праздника. Унылая рутина «загона» была ужасна сама по себе, но чувство оторванности от семьи поднимало душевную боль совсем на другой уровень и доводило до отчаяния, с которым он уже не справлялся. Ранней весной 1989 года Рон начал стремительно слабеть. Его глодали изнутри постоянное напряжение, утомительное однообразие жизни и отчаяние от того, что его бросили в ад за преступление, которого он не совершал. Рон буквально разваливался на куски. Он пытался покончить собой, вскрыв вены, пребывал в глубокой депрессии и хотел умереть. Раны оказались поверхностными, но шрамы остались. Попытка была не единичной, и охранники внимательно следили за ним. После неудачного вскрытия вен он поджег матрас и стал в огонь ногами. Ожоги пришлось лечить, и в конце концов они затянулись. За ним неоднократно устанавливали персональное наблюдение, чтобы предотвратить самоубийство.

12 июля 1989 года он написал Рини:

Дорогая Рини,

я прошел через такие страдания! Я подпалил какие-то тряпки и получил несколько ожогов второй и третьей степени. Напряжение, которое испытываешь здесь, несравнимо ни с чем. Когда лишен возможности вырваться отсюда, мучения становятся невыносимыми. Рини, у меня страшно болит голова. Я бился ею в бетон — бросался на пол и бился головой в этот бетонный пол. Я лупил себя по лицу до тех пор, пока оно все не распухло. Мы напиханы здесь, как сельди в бочке. Я точно знаю, что никогда в жизни еще не испытывал подобных страданий. Решить проблему, словно по мановению волшебной палочки, могут деньги. У меня никогда не бывает еды, достойной того, чтобы переваривать ее. Здешняя кормежка — что-то вроде неприкосновенного запаса, который выдают на каком-нибудь острове, забытом Богом и проклятом людьми. Народ здесь бедный, но я оголодал настолько, что вынужден кусочничать, чтобы не свихнуться от безумного желания есть. Я похудел. Здесь столько страдания!

Пожалуйста, помоги мне!

Рон.

Во время одного длительного периода депрессии Рон прекратил общение с кем бы то ни было и полностью ушел в себя. Надзиратели нашли его свернувшимся в позе эмбриона на кровати. Он ни на что не реагировал.

Потом, 29 сентября, он снова перерезал себе вены. Лекарства он принимал от случая к случаю, беспрерывно говорил о самоубийстве, и в конце концов было признано, что он представляет угрозу для себя самого. Его вывезли из блока F и отправили в Восточную больницу штата, которая располагалась в городе Вините. Как он сам выразился: «Я страдаю от несправедливо плохого обращения».

В Восточной больнице его впервые осмотрел штатный психиатр доктор Лизаррага, увидевший перед собой тридцатишестилетнего мужчину, давно страдающего наркоманией и алкоголизмом, нечесаного, небритого, с длинными седеющими волосами и усами, в потрепанной тюремной одежде, со следами ожогов на ногах и шрамами на руках, которые он постарался выставить на обозрение доктора. Рон легко признал многие свои дурные деяния, но горячо отрицал убийство Дебби Картер. Несправедливость, от которой он так долго страдал, привела к тому, что он утратил всякую надежду и хотел умереть.

В течение следующих трех месяцев Рон оставался пациентом Восточной больницы, где наконец начал принимать лекарства регулярно. Его осмотрели врачи-специалисты — невропатолог, психолог, несколько психиатров. Все они обратили внимание на его эмоциональную неуравновешенность, на то, что он легко впадает в отчаяние, сосредоточен исключительно на себе и при этом имеет низкую самооценку, временами отрешается от действительности и склонен мгновенно взрываться. Перепады настроения случаются почти моментально и бывают очень резкими.

Рон был требователен, а временами и агрессивен по отношению к персоналу и пациентам. В условиях больницы это недопустимо, и его, выписав, отправили обратно в тюрьму. Доктор Лизаррага прописал углекислый литий, наван и когентин — препарат, используемый прежде всего для лечения симптомов болезни Паркинсона, но иногда и для снятия дрожи и беспокойства, вызываемых приемом транквилизаторов.

А в Биг-Маке тем временем надзиратель по имени Саваджи подвергся жестокому нападению со стороны Микеля Патрика Смита, заключенного-смертника, считавшегося самым опасным убийцей в тюрьме. Вооружившись ножом, или «заточкой», приделанной к концу древка от швабры, он просунул ее через «бобовую дыру» и ударил надзирателя, принесшего ему обед. Заточка проткнула грудную клетку и достигла сердца, однако чудесным образом офицер Саваджа остался жив.

Двумя годами ранее Смит тем же способом заколол одного из заключенных.

Это происшествие случилось не в блоке F, а в блоке D, где Смита содержали из дисциплинарных соображений. Тем не менее администрация решила, что тюрьме срочно требуется новый, современный блок для смертников. О нападении широко раструбили, и это помогло получить деньги на строительство.

Был составлен проект блока H, предназначавшегося для обеспечения «максимальной безопасности и контроля, а также создания для заключенных и персонала безопасных современных условий жизни и работы». В двухэтажном блоке должно было быть двести камер, разделенных на четыре отсека.

С самого начала проект блока H курировался тюремным персоналом. В крайне напряженной атмосфере, царившей после недавнего нападения на офицера Саваджа, персонал был склонен не скупиться на создание «бесконтактного» сооружения. На ранней стадии проектирования тридцать пять сотрудников тюрьмы встретились с архитекторами из Талсы, нанятыми Департаментом исправительных учреждений.

Хотя за всю историю Макалестера ни один узник не сбежал из этой тюрьмы, проектировщики приняли экстравагантное решение упрятать все строение под землю.

После двух лет, проведенных Роном в камере смертника, его душевное здоровье серьезно ухудшилось. Крики, вопли, проклятия в любое время дня и ночи стали еще более громкими и продолжительными. Поведение — еще более отчаянным. Он взрывался безо всякого повода, начинал сыпать ругательствами и швыряться вещами. Во время одного из приступов он четыре часа кряду заплевывал коридор и один раз попал в надзирателя. Но когда он начал кидаться собственными фекалиями, настало время его изолировать.

— Он кидается дерьмом! — закричал надзиратель, и все попрятались кто куда мог. Когда коридор вымыли, Рона выволокли из камеры и увезли обратно в Виниту для нового освидетельствования.

Он провел в Восточной больнице почти месяц — с июля по август 1990 года, был снова обследован доктором Лизаррагой, который констатировал наличие все тех же проблем, которые отмечал в прошлый раз. Три недели спустя Рон начал просить, чтобы его вернули в тюрьму. Он беспокоился насчет своей апелляции и полагал, что сможет лучше контролировать ее прохождение из Макалестера, где по крайней мере имелась юридическая библиотека. Режим приема лекарств был у него налажен, состояние казалось стабильным, и его просьбу удовлетворили.

ГЛАВА ДВЕНАДЦАТАЯ

После тринадцати лет замешательства Оклахома наконец сумела распутать клубок апелляций и назначила первую казнь. Несчастье выпало на долю заключенного Чарлза Троя Коулмена, белого, убившего трех человек и прождавшего исполнения приговора одиннадцать лет. Он был предводителем группировки, которая обычно устраивала в «загоне» всяческие беспорядки, так что многих его соседей не слишком огорчила перспектива наконец от него избавиться. Однако большинство узников понимали: стоит казням начаться — обратного пути уже не будет.

Казнь Коулмена стала событием, достойным освещения в прессе, и за воротами Биг-Мака собралось множество журналистов. Было здесь и ночное бдение при свечах, и интервью с пострадавшими, со священниками и со всеми случайными прохожими. По мере приближения рокового часа волнение все больше возрастало.

Грег Уилхойт и Коулмен дружили, хотя и отчаянно спорили между собой по поводу допустимости смертной казни. Рон попрежнему в целом был ее сторонником, хотя отношение его колебалось. Коулмен ему не нравился. Тот, в свою очередь, был возмущен шумным поведением Рона, что неудивительно.

Накануне казни Коулмена «загон» охранялся строже обычного и в нем царила тишина. Цирк происходил за воротами тюрьмы, где журналисты отсчитывали минуты, словно ожидали наступления нового года. Грег наблюдал все это в камере по телевизору. Сразу после полуночи пришло известие: Чарлз Трой Коулмен мертв.

Несколько заключенных захлопали в ладоши и издали радостные крики, большинство же тихо сидели по своим камерам. Кое-кто молился.

Реакция Грега оказалась совершенно непредсказуемой. Его до глубины души возмутили те, кто обрадовался сообщению о свершившейся казни. Его друг умер. Да, мир стал чуточку безопаснее. Но это не остановит ни одного будущего убийцу; он знал убийц и понимал, что ими руководит. Если казнь принесла удовлетворение семье жертвы, значит, дискуссия далеко еще не завершена. Грег принадлежал к методистской церкви и ежедневно читал Библию. Разве Христос не учил прощать? Если убийство — зло, то почему штат официально позволяет убивать? Кто имеет право санкционировать смерть? Ему и раньше приходили в голову эти аргументы, но сейчас они получили импульс из другого источника.

Смерть Чарлза Коулмена подтолкнула Грега к драматическому откровению. В этот момент он словно бы развернулся на 180 градусов и никогда больше не исповедовал принцип «око за око».

Позднее он поделился этими мыслями с Роном, который признался, что во многом их разделяет. Однако уже на следующий день Рон снова был горячим приверженцем смертной казни, поскольку страстно желал, чтобы Рики Джо Симмонса схватили и расстреляли на месте.

15 мая 1991 года Оклахомский апелляционный уголовный суд единогласно подтвердил прежний смертный приговор Рона Уильямсона. В постановлении, вынесенном судьей Гэри Лампкином, говорилось, что в ходе суда над ним действительно было допущено несколько процессуальных ошибок, однако «неопровержимые доказательства» вины подсудимого с лихвой перевешивают все пустячные ошибки, совершенные Барни, полицейскими, Питерсоном и судьей Джонсом. Суд не потрудился уделить сколько-нибудь значительное время рассмотрению сути того, что же это за «неопровержимые доказательства», которые были представлены на процессе.

Билл Лукер сообщил Рону плохую новость по телефону. Рон принял ее довольно спокойно. Он был знаком с кратким письменным изложением дела и много раз обсуждал его с Биллом, который постарался заранее предостеречь его от чрезмерного оптимизма.

В тот же день Деннис Фриц получил такое же известие из того же суда. Блюстители закона и здесь признали наличие некоторых ошибок, допущенных в ходе процесса, но, видимо, были так же ошеломлены «неопровержимыми доказательствами» вины Денниса.

Деннис был недоволен тем, как подготовил апелляцию его адвокат, и не удивился, узнав, что его приговор оставили в силе. Проведя три года в тюремной библиотеке, он не сомневался, что знает своды законов и прецеденты лучше своего защитника.

Деннис был разочарован, но не собирался сдаваться. Как и Рон, он располагал аргументами, которые собирался предъявить в последующих судах. О том, чтобы поднять руки вверх, не могло быть и речи. Однако в отличие от Рона Деннис был теперь предоставлен самому себе. Поскольку над ним не тяготел смертный приговор, бесплатные адвокаты ему не полагались.

Впрочем, Апелляционный уголовный суд не всегда просто штамповал решения прокуратуры. К большому удовольствию Марка Барретта, 16 апреля 1991 года ему сообщили, что дело Грега Уилхойта подлежит пересмотру. Суд счел невозможным оставить без внимания тот факт, что Джордж Бриггс очень плохо выполнил свою работу в качестве адвоката Грега, и вынес решение: в ходе первого суда подсудимый не получил адекватной юридической помощи.

Когда вам грозит смертный приговор, следует нанимать либо самого хорошего, либо самого плохого адвоката. Грег нанял худшего, и теперь ему предстоял новый суд.

Когда заключенного выводили из камеры и увозили, никому ничего не объясняли. Надзиратели просто являлись и велели быстро одеться.

Грег знал, что выиграл апелляцию, и, когда надзиратели подошли к решетке его камеры, счел, что настал Большой день. «Собирай свои пожитки», — скомандовал ему один из охранников. Не прошло и двух минут, как Грег запихал все свое имущество в картонную коробку и вышел в сопровождении эскорта. Рона к тому времени перевели в дальний конец коридора, так что им не удалось даже попрощаться. Покидая Макалестер, Грег думал об оставшемся там друге.

По прибытии Грега в тюрьму округа Осейдж Марк Барретт быстро организовал слушания об освобождении под залог. С еще висящим над ним смертным приговором и неназначенной датой нового суда Грег, разумеется, не мог чувствовать себя свободным человеком. Вместо обычной в таких случаях заоблачной суммы судья определил залог в пятьдесят тысяч долларов, которые родители и сестры Грега быстро собрали общими усилиями.

После пяти лет, проведенных в тюрьме, в том числе четырех — в камере смертника, Грег вышел на свободу, чтобы больше никогда не вернуться в застенок.

Строительство блока Н началось в 1990 году. Практически все сооружалось из бетона — полы, стены, потолки, даже нары и книжные полки. Чтобы исключить возможность изготовления заточек, металл в строительстве вообще не использовался. В здании имелось, конечно, множество балок и стеклянных панелей, но не в камерах. Здесь все было бетонным.

Когда сооружение было завершено, котлован засыпали грунтом. В качестве официальной причины назывались требования организационно-технического характера. Естественные освещение и вентиляция исчезли навсегда.

В честь открытия блока Н — нового, современного дома смерти — в ноябре 1991 года администрация тюрьмы устраивала торжественный прием. Были приглашены большие шишки. Разрезались ленточки. Тюремному оркестру пришлось разучить новые мелодии. По блоку водили экскурсии, но будущие его обитатели пока находились в Большом доме, в четверти мили от новостройки. Гостям предоставлялась возможность за определенную плату провести ночь на принципиально новых бетонных нарах в любой камере.

По завершении торжеств, чтобы окончательно довести дело до ума, в блок перевели первую партию не самых опасных заключенных и стали внимательно наблюдать, каких можно ждать от них неприятностей. Когда выяснилось, что система работает надежно, вполне функциональна и застрахована от побегов, настало время водворить сюда и плохих парней из блока F.

Жалобы и нарекания начались сразу же. Нет окон, никакой возможности увидеть дневной свет и глотнуть свежего воздуха. В камерах двойные потолки, и сами они слишком малы для двоих. Бетонные нары слишком жесткие и узкие — всего тридцать шесть дюймов в ширину. Комбинированные туалеты из нержавеющей стали втиснуты прямо между ними, так что работа кишечника каждого заключенного становится общим делом обоих. Перегородки такие массивные, что разговоры между соседями — ежедневный источник энергии для узника — невозможны. Как «бесконтактное» помещение блок Н был спроектирован так, чтобы изолировать не только надзирателей от заключенных, но и заключенных друг от друга. Еда — еще хуже, чем в блоке F. Двор — пространство, которым узники дорожили больше всего, — здесь не более чем бетонный мешок размером меньше теннисного корта со стенами восемнадцатифутовой высоты, накрытый густой решеткой, не пропускающей даже того скудного солнечного света, который пробивался сквозь находившийся над ней купол. О том, чтобы увидеть где-нибудь пучок зеленой травы, не могло быть и речи.

Бетон ничем не был облицован или хотя бы покрашен. Повсюду лежала цементная пыль, скапливаясь в углах камер. Она оседала на стенах, на полу, висела в воздухе и, конечно, попадала в легкие. Адвокаты, посещавшие своих клиентов, зачастую уходили, кашляя и сипя от этой пыли.

Современная система вентиляции была «замкнутой», то есть никакого выхода на поверхность не имела. Это было терпимо, пока не прекращалась подача энергии, что случалось каждый раз, когда какой-нибудь узел выходил из строя.

Лесли Делк, адвокат, назначенный защищать Рона, писала об этом своему коллеге, который собирался предъявить претензии тюрьме:

> Питание ужасное, и почти все заключенные теряют в весе. Один узник за 10 месяцев похудел на 90 фунтов. Я пыталась обсудить этот вопрос с администрацией тюрьмы, но мне, разумеется, сказали, что со здоровьем у этого заключенного все в порядке. Во время своего последнего посещения я узнала, что еду заключенным привозят из старого здания, где ее готовят. Потом она доставляется в блок Н, и там группа заключенных — ударная бригада, надо полагать, — развозит ее по этажам. Этим парням говорят, что остатки они могут взять себе, поэтому порции сокращаются едва ли не вдвое против нормы. Насколько я понимаю, надзор за питанием заключенных в блоке Н Департаментом исправительных учреждений осуществляется слабо, если вообще осуществляется. Все мои клиенты жалуются на то, что пища теперь всегда холодная и так плохо приготовлена, что вызывает тошноту, а количество ее таково, что большинство заключенных вынуждены покупать еду в лавке, чтобы утолять постоянное чувство голода. Лавка, разумеется, принадлежит тюрьме, которая устанавливает там цены по своему усмотрению. (Обычно они гораздо выше, чем в обычных магазинах, которые посещаем мы с Вами.) К тому же у многих моих клиентов нет родственников, которые могли бы им помочь, так что они и вовсе лишены возможности пользоваться услугами магазина.

* * *

Для заключенных перевод в блок Н оказался шоком. После того как в течение двух лет ходили слухи о «новом современном здании», на строительство которого предполагалось потратить 11 миллионов долларов, они были потрясены, попав в подземелье, где пространства оказалось меньше, а ограничений больше, чем в блоке F.

Рон ненавидел блок Н. Его сокамерником оказался Рик Рохем, житель «загона» с 1985 года, оказывавший на Рона успокаивающее воздействие. Рик был буддистом, многие часы проводил в медитациях и тоже любил играть на гитаре. Уединение в тесноте камеры было исключено. Они подвешивали к потолку одеяло в виде шторы, чтобы разделить свои кровати и создать слабую иллюзию приватности.

Рохема Рон беспокоил. Он утратил интерес к чтению. Не мог сконцентрироваться ни на одной мысли и сосредоточиться в разговоре на одном предмете. Иногда его поили лекарствами, но это не имело ничего общего с систематическим лечением. Он мог часами спать днем, а ночью беспрерывно мерить шагами тесную камеру, бессвязно что-то бормоча или причитая. Потом останавливался перед дверью-решеткой и начинал яростно кричать. Поскольку они проводили вместе двадцать три часа в сутки, Рик имел возможность наблюдать, как его сокамерник неуклонно сходит с ума, но ничем не мог ему помочь.

После переезда в блок Н Рон потерял девяносто фунтов веса. Волосы у него поседели, и он стал похож на привидение. Однажды Аннет, которая ожидала встречи с ним в комнате свиданий, увидела, как надзиратели ввели тощего старика с длинными седыми волосами и всклокоченной бородой. «Кто это?» — успела подумать она, прежде чем узнала брата.

— Когда я увидела, — рассказывала она потом, — как ввели человека с длинными волосами и такого худого, такого изнуренного, что, повстречайся он мне на улице, не узнала бы, я, вернувшись домой, написала директору тюрьмы письмо с просьбой проверить Рона на СПИД, потому что он выглядел таким исхудалым, какими бывают только больные СПИДом. Наслушавшись историй про то, что происходит в тюрьмах, я подумала, что его непременно надо проверить на наличие вируса СПИДа.

Директор в ответном письме заверил, что у ее Ронни никакого СПИДа нет. Тогда она написала другое письмо, в котором жаловалась на плохое питание в тюрьме, на высокие цены в тюремном магазине и на то, что средства, выручаемые этим магазином, идут на покупку спортивного инвентаря для надзирателей.

В 1992 году психиатр Кен Фостер начал работать в тюрьме и осмотрел Рона Уильямсона. Он нашел его в плохой физической форме, неопрятным, дезориентированным, отрешенным от реальности, исхудавшим, преждевременно состарившимся, слабым, эмоционально истощенным. Доктору Фостеру было ясно, как должно было бы быть ясно всему тюремному персоналу, что с Роном что-то не так.

Психическое его состояние оказалось едва ли не хуже, чем физическое. Приступы бешенства и отчаяния выходили далеко за пределы обычного тюремного бузотерства, и для надзирателей и персонала не было секретом, что он утратил связь с реальностью. Доктор Фостер несколько раз становился свидетелем маниакальных припадков, во время которых Рон был одержим тремя идеями: 1) он невиновен; 2) Рики Джо Симмонс признался в убийстве и должен быть отдан под суд; 3) Рон испытывает страшную физическую боль, обычно в груди, и, наверное, близок к смерти.

Хотя симптомы болезни Рона были очевидны и крайне остры, записи в медицинской книжке, изученные доктором Фостером, свидетельствовали о том, что больной уже давно не получал никакого лечения. Отсутствие же лечения приводит такого больного, как Рон, к психопатии.

«Психопатические реакции, сопровождаемые разрушением личности, усугубляются, когда человек испытывает множество стрессов, являющихся непременным атрибутом пребывания в блоке смертников и понимания того, что тебя ждет смерть, — записал доктор Фостер. — Согласно «Шкале глобальной оценки функционирования», которая приводится в авторитетных учебниках психиатрии, тюремное заключение является «катастрофическим» стрессором».

Трудно даже представить себе, насколько более катастрофическим является этот фактор для невиновного человека.

Доктор Фостер решил, что Рону требуется более систематическое лечение в лучших условиях. Психически здоровым человеком ему уже не стать, но улучшение возможно, даже для заключенного блока смертников. Однако доктору Фостеру вскоре предстояло убедиться, что помощь больным осужденным отнюдь не является одной из основных забот тюрьмы.

Он поговорил с Джеймсом Саффлом, региональным директором Департамента исправительных учреждений, и Дэном Рейнолдсом, директором тюрьмы в Макалестере. Обоим Рон Уильямсон и его проблемы были известны, но у обоих имелось много куда более важных дел.

Кен Фостер, однако, оказался человеком упрямым, независимым, он ненавидел бюрократические решения и искренне хотел помочь своим пациентам. Он забрасывал докладными записками Саффла и Рейнолдса и не забывал удостовериться, что они дошли до адресатов и адресаты в курсе серьезных проблем психического и физического здоровья Рона. Он настоял на как минимум еженедельных встречах с Рейнолдсом, во время которых обсуждалось состояние здоровья его пациентов; Рон всегда был одним из объектов обсуждения. И еще доктор ежедневно разговаривал с заместителем директора тюрьмы, сообщал ему последние данные и добивался, чтобы резюме доходило до сведения директора.

Доктор Фостер не уставал разъяснять всем, кто отвечал за состояние дел в тюрьме, что Рон не получает необходимых в его положении лекарств и из-за отсутствия надлежащего лечения деградирует физически и как личность. Его особенно возмутило то, что Рона отказались перевести в Специальный медицинский блок (СМБ) — здание, находившееся в пределах видимости от блока Н.

Обычных заключенных, обнаруживавших серьезные проблемы с психикой, отправляли в СМБ — единственное учреждение в пределах Макалестера, занимавшееся лечением таких больных. Но Департамент исправительных учреждений уже давно выработал политику, в соответствии с которой смертникам доступ в СМБ был заказан. Официальная причина объяснялась расплывчато, но многие адвокаты приговоренных к высшей мере подозревали, что подобная политика призвана не допустить уклонения осужденного от казни. Если заключенному официально поставят диагноз «тяжелое психическое расстройство», он может быть признан недееспособным и таким образом избежать экзекуции.

Эту политику много раз резко критиковали, однако она продолжала неукоснительно проводиться.

Кен Фостер снова бросил ей вызов. Он неоднократно объяснял Саффлу и Рейнолдсу, что не может надлежащим образом лечить Рона Уильямсона, не поместив его в СМБ, что только там он будет в состоянии отслеживать его состояние и регулировать дозировку препаратов. Зачастую он горячился, был напорист и резок. Но Дэн Рейнолдс проявлял незаурядное упрямство, не желая переводить Рона в больницу и не видя нужды в его лечении.

— Не беспокойтесь вы за приговоренных к высшей мере, — как-то сказал он Фостеру. — Они ведь в любом случае умрут.

Обращения доктора Фостера по поводу Рона так надоели директору Рейнолдсу, что он приказал в течение какого-то времени не пускать его в тюрьму.

Как только локаут закончился, доктор Фостер возобновил свои хлопоты о переводе Рона в СМБ. Так продолжалось четыре года.

После того как первичная апелляция Рона была отклонена, его дело вступило в стадию судебной защиты после осуждения, на которой ему разрешалось представить доказательства, не учтенные во время процесса.

Согласно общепринятой практике того времени, Билл Лукер передал дело адвокату Лесли Делк из Апелляционного управления общественных защитников. Ее первейшей обязанностью было обеспечить своему клиенту надлежащее лечение. Однажды увидев Рона в блоке F, она поняла, что он серьезно болен. А после его перевода в блок Н по-настоящему встревожилась его ухудшающимся состоянием.

Не будучи ни психологом, ни психиатром, Делк имела обширный опыт распознавания душевных болезней. Существенной частью ее работы как адвоката по делам приговоренных к высшей мере наказания было выявлять осужденных с подобными проблемами и пытаться обеспечить им должное лечение. Обычно она полагалась на мнения экспертов-психиатров, но в данном случае это трудно было сделать, поскольку оказалось невозможным организовать надлежащее обследование Рона. Бесконтактный режим блока Н запрещал кому бы то ни было, даже адвокату, находиться в одном помещении с узником. Психиатр, которого пригласили обследовать Рона, вынужден был смотреть на него сквозь толстое стекло и разговаривать через телефонную трубку.

Делк тем не менее добилась разрешения на встречу доктора Пэт Флеминг с Роном, как положено по процедуре послесудебной защиты осужденного. Доктор Флеминг предприняла три попытки, но так и не смогла сделать окончательное заключение. Пациент был возбужден, одержим маниями, неконтактен и страдал галлюцинациями. Сотрудники тюрьмы проинформировали доктора о том, что подобное поведение отнюдь не является необычным для этого заключенного. Было очевидно, что это человек с тяжелым расстройством психики, неспособный сотрудничать со своим адвокатом и вообще действовать сколько-нибудь разумно. Доктор Флеминг была строго ограничена в своих возможностях точнее оценить состояние Рона, поскольку ей запретили конфиденциальный визит, во время которого она могла бы сидеть в одной комнате с больным, задавать ему вопросы, проводить тесты и наблюдать за его реакциями.

Она встретилась с врачом блока Н и подробно изложила ему свою озабоченность. Позднее ее уведомили, что Рон наблюдается у тюремных специалистов по психическим заболеваниям, однако она не заметила никакого улучшения. Доктор Флеминг настоятельно рекомендовала поместить Рона в Восточную клинику на продолжительное время, чтобы стабилизировать его состояние и надлежащим образом обследовать.

Ее рекомендации были отклонены.

Лесли Делк бомбардировала администрацию тюрьмы. Она неустанно встречалась с воспитательным и медицинским персоналом, со всевозможными начальниками, устно и письменно излагала свои жалобы и требовала предоставить ее клиенту возможность лечиться. Ей давали обещания, которые никогда не выполнялись. Кое-какие незначительные изменения в обеспечении Рона лекарствами произошли, но существенного лечения он так и не получил. Лесли Делк документально зафиксировала свое разочарование в серии писем, направленных руководству тюрьмы. Она навещала Рона при первой же возможности, каждый раз полагая, что хуже его состояние уже быть не может. Но в следующий раз оно оказывалось еще хуже. Лесли боялась, что он в любой момент может умереть.

Пока медики старались кое-как лечить Рона, «воспитатели» развлекались за его счет. Для потехи некоторые надзиратели использовали селектор, установленный в блоке Н. В каждой камере имелось устройство двусторонней связи — для лучшего контроля над заключенными, а также в качестве еще одной умной игрушки, которая позволяла надзирателям располагаться как можно дальше от узников.

Но все же недостаточно далеко.

— Рон, это Бог, — раздавался среди ночи загробный голос в камере Рона. — Зачем ты убил Дебби Картер?

Наступала пауза, потом надзиратели начинали давиться от смеха, услышав, как Рон кричит, колотясь в решетку своей двери:

— Я никого не убивал! Я невиновен!

Его низкий скрипучий голос разносился по юго-западному крылу, разрывая тишину. Припадок мог продолжаться около часа, приводя в бешенство остальных заключенных и забавляя надзирателей.

Когда восстанавливалась тишина, голос звучал снова:

— Рон, это Дебби Картер. Зачем ты убил меня?

Душераздирающие крики возобновлялись и продолжались до бесконечности.

— Рон, это Чарли Картер. Зачем ты убил мою дочь?..

Узники умоляли надзирателей прекратить это представление, но тех оно слишком уж веселило. Рик Рохем считал, что два особенно склонных к садизму надзирателя получают удовольствие от того, что дразнят Рона. Это издевательство длилось месяцами.

— Просто не обращай на них внимания, — уговаривал Рик своего сокамерника. — Если ты перестанешь реагировать, они от тебя отстанут.

Рон не мог этого понять. Он был настроен на одно: убедить всех вокруг, что он невиновен, и ему казалось, что этого можно добиться, надрывая легкие в крике. Часто, когда он больше не мог кричать, физически обессилевал или у него окончательно садился голос, он прижимал губы к микрофону и часами что-то бессвязно шептал в него.

Наконец слухи о забавах надзирателей дошли до Лесли Делк, и 12 октября 1992 года она направила письмо начальнику блока Н, в котором, в частности, говорилось:

Я уже доводила до Вашего сведения, что, по свидетельствам разных источников, Рон подвергается издевательствам с использованием интеркома со стороны некоторых надзирателей, которым, видимо, кажется забавным дразнить «сумасшедших». До меня постоянно доходят подобные слухи, вот и совсем недавно, как я слышала, офицер Мартин подошел к двери камеры Рона и начал изводить его (темы издевательств обычно вертятся вокруг Рики Джо Симмонса и Дебры Сью Картер). Насколько я знаю, офицер Ридинг пытался заставить офицера Мартина прекратить это безобразие, но ему пришлось повторить свое требование много раз, прежде чем Мартин послушался его.

Имя офицера Мартина я слышала от многих как имя одного из тех людей, которые постоянно издеваются над Роном, поэтому я хотела бы знать, собираетесь ли Вы провести служебное расследование этого дела и принять соответствующие меры. Быть может, Вам следовало бы ввести специальный курс обучения для тех ваших надзирателей, которые имеют дело с психически больными заключенными.

Впрочем, не все надзиратели были жестоки. Как-то ночью у двери камеры Рона остановилась поболтать женщина-надзирательница. Он выглядел ужасно и сказал, что умирает с голоду, потому что не ел уже несколько дней. Она поверила ему, ушла и вернулась через несколько минут с банкой арахисового масла и куском черствого хлеба.

В письме к Рини Рон написал, что бесконечно наслаждался этим «пиром» и съел все до последней крошки.

Ким Маркс была следователем Службы защиты неимущих штата Оклахома, она провела с Роном в блоке Н больше времени, чем кто бы то ни было. Как только ей поручили его дело, она ознакомилась со стенограммой судебного процесса, отчетами и вещественными доказательствами. Когда-то она работала в газете репортером, и профессиональное любопытство заставило ее как минимум задаться вопросом, виновен ли Рон на самом деле.

Она составила список вероятных подозреваемых — всего двенадцать человек, из них большинство имели преступное прошлое. По совершенно очевидным причинам номером один в этом списке числился Глен Гор. Его видели с Дебби в ту ночь, когда она была убита. Они много лет знали друг друга, так что он мог попасть в ее квартиру без применения силы. В его послужном списке несколько актов насилия против женщин. Это он указал пальцем на Рона.

Почему же полицейские не заинтересовались Гором? Чем дальше Ким углублялась в полицейские отчеты и ход самого суда, тем больше убеждалась, что протесты Рона весьма обоснованны.

Подобно Лесли Делк, она навещала его в блоке Н неоднократно и каждый раз ехала туда со смесью любопытства и страха. Никогда еще ей не доводилось видеть столь стремительно стареющего заключенного. Его темно-каштановые волосы с каждым разом все сильнее покрывала седина, а ведь ему не было еще и сорока. Он стал настолько бледен и прозрачен, что походил на привидение — в немалой степени из-за отсутствия солнечного света. Одежда его была грязна и висела на нем, как на вешалке. Взгляд — либо пустой, либо беспокойный.

В значительной мере ее работа состояла в том, чтобы определить, есть ли у клиента проблемы психического свойства, и постараться не только организовать для него надлежащее лечение, но и найти эксперта-свидетеля. Ей было очевидно, как было это очевидно даже непрофессионалу, что Рон душевно болен и невыносимо страдает из-за своего положения. Она была возмущена принципиальным нежеланием Департамента исправительных учреждений допускать перевод осужденных-смертников в СМБ и так же, как доктор Фостер, боролась с этой политикой годами.

Ким разыскала и просмотрела видеозапись второй проверки Рона на полиграфе в 1983 году. Хотя в то время ему уже поставили диагноз «депрессия, биполярное расстройство и, возможно, шизофрения», речь его была вполне связной, он контролировал свое поведение и мог произвести впечатление нормального человека. Но девять лет спустя в нем не осталось ничего нормального. Он страдал маниями, утратил всякую связь с реальностью, был одержим навязчивыми идеями, среди которых превалировали Рики Джо Симмонс, религия, лжесвидетели, выступавшие на его процессе, нехватка денег, Дебби Картер, система правосудия, его музыка, иск, который он когда-нибудь предъявит штату Оклахома, его бейсбольная карьера, учиненная над ним несправедливость и издевательства, которым он подвергался.

Ким беседовала со служащими тюрьмы, и они рассказали ей, что он способен целый день исходить криком, а потом она сама стала в некотором роде свидетельницей подобного приступа. В силу особенностей конструкции блока Н через вентиляционную вытяжку дамского туалета было слышно все, что происходило в юго-западном крыле, где помещался Рон. Направляясь в туалет, Ким услышала его безумные завывания и была потрясена.

Они настолько испугали ее, что, работая в паре с Лесли, она еще решительнее стала требовать от тюремного руководства предоставить Рону возможность лечиться. Вдвоем они старались добиться для него перевода в СМБ в виде исключения или отправки в Восточную больницу на обследование.

Все их усилия оказались тщетными.

В июне 1992 года Лесли Делк в порядке послесудебной защиты осужденного подала ходатайство о назначении в окружном суде Понтотока слушаний по вопросу о дееспособности ее клиента. Билл Питерсон заявил протест, и суд в удовлетворении ходатайства отказал.

Отказ был немедленно опротестован в Апелляционном уголовном суде, но и им был поддержан.

В июле Ким подала детально обоснованное ходатайство о судебной защите после обвинения, основывавшееся главным образом на обширной документации, подтверждающей, что Рон является душевнобольным, и на основании которой она просила, чтобы суд признал его недееспособным. Через два месяца ходатайство о судебной защите после обвинения было отклонено, и Лесли снова апеллировала в вышестоящий, Оклахомский апелляционный уголовный суд.

Как и следовало ожидать, она снова проиграла. Следующим шагом было обычное и безнадежное обращение в Верховный суд США. Через год он прислал небрежный отказ. Были составлены все прочие рутинные ходатайства и получены рутинные ответы на них, и, когда все средства правовой защиты были исчерпаны, казнь Рона Уильямсона была назначена Апелляционным уголовным судом на 27 сентября 1994 года.

Он просидел в блоке смертников шесть лет и четыре месяца.

Проведя два года на свободе, Грег Уилхойт снова был приведен в зал суда, чтобы еще раз предстать в качестве обвиняемого по делу об убийстве своей жены.

Покинув Макалестер, он обосновался в Талсе и пытался вернуться к более-менее нормальной жизни. Это было нелегко. Тяжкие испытания оставили грубые шрамы на его эмоциональном и психическом состоянии. Его дочери, которым теперь было восемь и девять лет, воспитывались в его отсутствие друзьями по приходу — двумя школьными учителями, и жизнь их была вполне упорядоченной. Родители и сестры, как всегда, оказывали ему большую поддержку.

Новое рассмотрение его дела привлекло определенное внимание. Его адвокат Джордж Бриггс к тому времени благополучно скончался, хотя до того у него успели отобрать лицензию на профессиональную деятельность. Несколько известных адвокатов по уголовным делам обращались к Грегу с предложением представлять его интересы. Фото- и телекамеры привлекают адвокатов, как свет мотыльков, Грега даже забавлял их столь живой интерес к его делу.

Но выбор для него труда не составил. Ставший его другом Марк Барретт добился освобождения под залог, и Грег не сомневался, что теперь он сможет выиграть для него свободу.

Во время первого суда самыми пагубными оказались показания двух свидетелей обвинения — экспертов по прикусу. Оба заявили, что след от укуса на груди Кэти Уилхойт был оставлен зубами ее живущего отдельно мужа. Семья Уилхойтов обратилась к ведущему специалисту в этой области доктору Томасу Крауссу из Канзаса. Доктор Краусс был ошеломлен явным несоответствием отпечатка зубов Грега той ране, которая имелась на груди жертвы.

Марк Барретт не поленился послать этот отпечаток одиннадцати другим самым известным в стране экспертам, большинство которых обычно выступали на стороне обвинения. В их числе был главный консультант ФБР по отпечаткам зубов и эксперт, выступавший против Теда Банди. Заключение было единодушным — все двенадцать специалистов подтвердили, что Грег Уилхойт должен быть исключен из числа подозреваемых. Между отпечатками не было даже отдаленного сходства.

На слушаниях по уликам один из экспертов защиты указал на двадцать главных различий между прикусом Грега и отпечатком, оставленным на груди Кэти, и заявил, что даже одного из них достаточно, чтобы безоговорочно снять обвинение с Грега.

Но прокурор продолжал оказывать давление, настаивая на суде, и суд состоялся, сразу же превратившись в чистый фарс. Марк Барретт успешно заявил отвод экспертам, выставленным обвинением, потом легко доказал некомпетентность их специалиста по анализу ДНК.

После того как обвинение закончило представление доказательств, он выдвинул хорошо обоснованное ходатайство об исключении улик, представленных штатом, и предложил присяжным снять обвинение с Грега. Судья объявил перерыв, и все отправились обедать. Когда по возвращении суда жюри снова заняло места в своей ложе, судья — редчайший случай! — объявил, что дело закрывается за отсутствием состава преступления.

— Мистер Уилхойт, — сказал он, обращаясь к Грегу, — теперь вы свободный человек.

После ночи бурного празднования в кругу семьи и друзей Грег Уилхойт рано утром отправился в аэропорт и улетел в Калифорнию, чтобы никогда больше надолго не возвращаться в Оклахому. Впоследствии он бывал здесь лишь для того, чтобы проведать родных и участвовать в демонстрациях против смертной казни. Через восемь лет после убийства Кэти он наконец стал свободным человеком.

Охотясь не за тем подозреваемым, полиция и прокуратура упустили след настоящего убийцы, которого пока так и не удалось найти.

Новая камера экзекуций в блоке Н работала бесперебойно. 10 марта 1992 года Робин Лерой Паркс, сорокатрехлетний чернокожий, был казнен за совершенное в 1978 году убийство служащего заправочной станции. Он провел в блоке смертников тринадцать лет.

Через три дня после этого наступила очередь Олана Рэндла Робисона, сорокашестилетнего белого, в 1980 году ворвавшегося в загородный дом и убившего хозяев — мужа и жену.

Рон Уильямсон должен был стать третьим человеком, которому предстояло быть привезенным в камеру смерти в кресле-каталке и получить возможность сказать несколько последних слов.

30 августа 1994 года к двери его узилища подошел отряд угрожающего вида суровых охранников, собиравшихся его куда-то увести. На него надели наручники и кандалы, соединенные цепью, опоясанной вокруг талии. Это означало нечто серьезное.

Рон, как всегда, был тощ, грязен, небрит и возбужден, так что охранники держались от него как можно дальше. Одним из пяти охранников был офицер Мартин.

Рона вывели из блока Н, посадили в мини-вэн и отвезли недалеко — в административное здание, располагавшееся при входе на территорию тюрьмы. Окруженный эскортом, он проследовал в кабинет директора — комнату с длинным столом для совещаний, за которым сидело множество людей, желавших присутствовать при драматическом событии. Все так же в цепях, окруженный своими стражами, он был усажен в дальнем торце стола. Директор находился в противоположном конце. Он начал с представления Рона присутствующим, выглядевшим весьма угрюмо.

«Очень рады с вами познакомиться».

Потом Рону вручили «уведомление», и директор начал зачитывать свою речь:

> Вам назначено умереть за совершенное вами убийство в ноль часов одну минуту во вторник, 27 сентября 1994 года. Цель этого собрания проинформировать вас о правилах и процедуре, коим вы должны будете следовать в течение следующих тридцати дней, и обсудить некоторые привилегии, которые могут быть вам оказаны.

Рон страшно разволновался и сказал, что никого не убивал. Может, он и совершал в своей жизни дурные деяния, но убийств в этом списке нет.

Директор продолжил свою речь, но Рон снова перебил его и заявил, что не убивал Дебби Картер.

Тогда директор и начальник блока Н, поговорив с ним несколько минут, успокоили его. «Мы здесь вовсе не для того, чтобы вершить суд — сказали они, — а всего лишь выполняем предписанные правила и процедуры».

Но у Рона имелась видеозапись признания Рики Симмонса, и он хотел показать ее директору. Он снова отрицал убийство Дебби Картер и бормотал что-то о необходимости выступить по местному телевидению в Аде, чтобы во всеуслышание заявить о своей невиновности, почему-то вспоминал, что «его сестра учится там в колледже».

Директор продолжал:

> Утром накануне дня казни вас поместят в специальную камеру, где вы будете находиться до момента экзекуции. С первой минуты пребывания в этой камере и до времени экзекуции вы будете находиться под постоянным наблюдением тюремных надзирателей.

Рон снова перебил его, теперь уже крича во все горло, что он не убивал Дебби Картер.

Не обращая на него внимания, директор продолжал страница за страницей зачитывать ему правила, касающиеся его посещений родными и близкими, личных принадлежностей и организации похорон. Рон отключился и впал в прострацию.

— Что нам делать с вашим телом? — вывел его из забытья директор.

Рон был взволнован, выбит из колеи и не готов к подобному вопросу. Наконец он предположил, что тело, видимо, нужно отправить сестре.

После того как от него добились, что у него нет вопросов и что он все понял, его отправили обратно в камеру. Отсчет времени начался.

Рон забыл позвонить Аннет. Два дня спустя, просматривая почту, она наткнулась на конверт из Департамента исправительных учреждений Макалестера и внутри нашла письмо от заместителя директора тюрьмы:

Миссис Хадсон,

с искренним сочувствием сообщаю, что казнь Вашего брата, Роналда Кита Уильямсона (заключенного № 134846), состоится в тюрьме штата Оклахома в ноль часов одну минуту во вторник 27 сентября 1994 года.

В день накануне казни посещения будут разрешены только священнику, прокурору-регистратору и еще двум лицам с одобрения директора.

Как бы ни было это тяжело, следует обсудить организацию похорон, ответственность за которые лежит на семье казненного. Если семья откажется хоронить его, штат возьмет погребение на себя. Прошу Вас уведомить меня о своем решении.

С искренним уважением

Кен Клинглер.

Аннет позвонила Рини и сообщила ей жуткую новость. Обе сестры, обезумев от горя, пытались убедить друг друга, что это не может быть правдой. Потом они перезванивались еще много раз и решили не привозить тело брата в Аду. Они не хотели, чтобы оно было выставлено в ритуальном доме Крисуэлла и чтобы весь город глазел на него. Вместо этого они закажут скромную поминальную службу и похороны в Макалестере, а приглашения разошлют только нескольким родственникам и близким друзьям.

Из тюрьмы сообщили, что им разрешено присутствовать при казни. Рини сказала, что не сможет на это смотреть. Аннет решила быть с братом до конца.

Новость распространилась по Аде. Пегги Стиллуэлл смотрела телевизор, когда сообщили неожиданное известие: назначен день казни Рона Уильямсона. Хотя для нее это была хорошая новость, она рассердилась, что никто не уведомил ее лично. Ей ведь обещали, что она сможет присутствовать при казни, и она, разумеется, этого хотела. Может, через несколько дней ей все же позвонят?

Аннет замкнулась и пыталась убедить себя, что все это неправда. Ее визиты в тюрьму стали реже и менее продолжительными. Ронни был совершенно невменяем, он либо кричал на нее, либо делал вид, что ее вообще нет. Несколько раз она уходила, не пробыв с ним и пяти минут.

ГЛАВА ТРИНАДЦАТАЯ

Как только оклахомские суды сочли дело Рона завершенным и был назначен день казни, его адвокаты развили энергичную деятельность по обращению в федеральные инстанции и приступили к следующему этапу апелляций. Эта процедура называется «habeas corpus» — латинское выражение, означающее передачу лица, содержащегося под стражей, в вышестоящий суд. Судебный приказ о такой передаче требует, чтобы заключенный предстал перед вышестоящим судом для определения законности содержания его под стражей.

Дело Рона было поручено Джанет Чесли, адвокату Службы защиты неимущих в Нормане. У Джанет был большой опыт работы с habeas corpus, и она привыкла к бешеному темпу, которого требует составление в последнюю минуту ходатайств и апелляций и при котором нужно все время смотреть на часы, чтобы не опоздать и подать материалы до наступления момента экзекуции. Она встретилась с Роном, объяснила ему, в чем состоит процедура, и заверила, что он получит отсрочку. В ее работе подобные беседы не были чем-то необычным, и ее клиенты, несмотря на понятную нервозность, обычно верили ей. Назначение даты казни — дело серьезное, но никто еще не был казнен, пока не завершится апелляционный процесс habeas corpus.

Однако Рон был необычным клиентом. Официальное объявление даты смерти повергло его в еще большее безумие. Он считал дни и не верил в обещания Джанет. Часы тикали беспрерывно, камера смерти ждала его.

Прошла неделя, за ней другая. Рон проводил много времени в молитвах и чтении Библии. Он также много спал и перестал кричать. В лекарствах его не ограничивали. В «загоне» царили тишина и напряженное ожидание. Заключенные внимательно следили за всем происходящим, им было интересно: неужели штат действительно казнит такого сумасшедшего, как Рон Уильямсон?

Так минуло три недели.

Региональный суд США по восточной Оклахоме находится в Мускоги. В 1994 году там было два судьи, ни один из которых не любил дел, связанных с habeas corpus и правовыми спорами, а они поступали вагонами. У каждого осужденного имелись жалобы и спорные вопросы, большинство претендовали на невиновность и обвиняли судебные инстанции в злоумышленном использовании против них процессуальных законов. У некоторых осужденных на смерть были настоящие адвокаты, иногда — из крупных фирм, их заявления составляли толстые тома, были конструктивны и с ними следовало считаться. Основное же тюремное население представляло свои интересы само. У этих осужденных не было недостатка в советчиках из бывших судебных служащих, которые являлись полными хозяевами в тюремных юридических библиотеках и торговали своими советами за сигареты. Если осужденный не подавал ходатайства о habeas corpus, он наверняка выдвигал иски по поводу плохой пищи, холодного душа, слишком тесных наручников, недостатка солнечного света, против злобных охранников. Список жалоб был длинен.

Большинство исков не заслуживали внимания и бывали тут же отклоняемы и отсылаемы в Денвер, в Десятый апелляционный судебный округ, головное учреждение для разбросанных по стране федеральных округов, включая Оклахому.

Апелляция, составленная Джанет Чесли, случайно попала к судье Фрэнку Сэю, назначенцу Джимми Картера, занявшему должность в 1979 году. Судья Сэй был родом из Семинола и до своего федерального назначения одиннадцать лет являлся региональным судьей Двадцать второго региона, включающего округ Понтоток. Он прекрасно знал город Аду, тамошний суд и тамошних адвокатов.

В мае 1971 года судья Сэй ездил в Ашер, где произносил речь на выпускных торжествах местной школы. Одним из семнадцати тогдашних выпускников был Рон Уильямсон.

После семнадцати лет судейской службы Сэй не проявлял особой кропотливости в работе над делами habeas corpus*, которые оседали на его столе. Петиция Уильямсона поступила в его офис в сентябре 1994 года, за несколько дней до срока исполнения приговора. Он подозревал — а если признаться честно, точно знал, — что адвокаты по таким делам зачастую до последнего затягивают подачу апелляций, чтобы он и другие федеральные судьи были вынуждены санкционировать отсрочку казни до тех пор, пока не будут соблюдены формальности. Он нередко думал: что должен испытывать томящийся в камере заключенный, пока его адвокаты ведут рискованную игру с федеральным судьей?

Это была неглупая игра, и, хотя судье Сэю она не нравилась, он понимал соображения адвокатов и отсрочки порой предоставлял, однако никогда не назначал нового суда по делу habeas corpus.

Как обычно, первым петицию прочел Джим Пейн, государственный магистрат федерального суда. Пейн был известен своими консервативными взглядами и такой же нелюбовью к работе над делами habeas corpus, как и судья Сэй, но его очень уважали за врожденную честность. В течение многих лет его обязанностью было просматривать все апелляции по habeas corpus и отбирать из них те, в которых содержались достаточно обоснованные претензии. Такие дела хоть и редко, но встречаются, поэтому Пейн никогда не ослаблял внимания.

Для Джима Пейна это была очень ответственная работа. Пропусти он нечто таящееся в глубине объемистого дела, и невиновный человек может быть казнен.

---

* Предписание о предоставлении арестованного в суд (*юридич.*).

Исковое заявление Рона было так хорошо написано Джанет Чесли, что захватило его внимание с первого же абзаца, и к тому времени, когда он закончил читать его, у него были весьма существенные сомнения в том, что суд над Роном вершился справедливо. Аргументы адвоката сводились к тому, что подсудимому не была оказана адекватная юридическая защита, что сам подсудимый является душевнобольным и что сравнительный анализ волос, на котором базировалось обвинение, — весьма ненадежное доказательство.

Джим Пейн прочел заявление дома, вечером, а на следующее утро встретился в судьей Сэем и изложил ему свою рекомендацию отсрочить исполнение приговора. Судья Сэй относился к своему магистрату с глубоким уважением и, всесторонне обсудив с ним дело Уильямсона, согласился отсрочить казнь.

После двадцати трех дней беспрерывных молитв и наблюдения за часовыми стрелками Рон был уведомлен, что его казнь откладывается на неопределенное время. Смерть выпустила его из своих когтей за пять дней до роковой встречи с ядовитой иглой.

Джим Пейн передал исковое заявление Рона своему секретарю Джейл Сьюард, которая прочла его, согласилась, что дело требует глубокого изучения, и, в свою очередь, передала его новичку-стажеру Вики Хилдебранд, которая ввиду самого низкого ранга в офисе носила неофициальный титул «клерка смертной казни». До учебы на юридическом факультете Вики была социальным работником и сразу же безропотно приняла на себя роль «кровоточащего сердца» в умеренно-консервативном офисе судьи Сэя.

Дело Уильямсона было ее первым делом habeas corpus, связанным со смертной казнью, и первый же абзац захватил ее:

> Это странное дело, в котором сон обернулся кошмаром для Рональда Кита Уильямсона. Его арестовали почти через пять лет после того, как было совершено преступление, — когда свидетель, который мог подтвердить его алиби, был уже мертв. Дело почти полностью основывалось на «признании», которое относилось исключительно ко сну психически больного человека, Рона Уильямсона.

По мере чтения Вики все больше поражала недостаточность убедительных доказательств, представленных суду, и непродуманность стратегии защиты. Закончив читать дело, она испытывала серьезные сомнения относительно виновности Рона.

Вики спросила себя, хватит ли ей мужества для этой работы? Все ли исковые заявления о пересмотре дел будут такими же убедительными? Не будет ли она по доброте душевной верить каждому осужденному на смерть? Она доверилась Джиму Пейну, который придумал следующий план. Они попросят Джейл Сьюард, придерживавшуюся центристских взглядов, тоже ознакомиться с делом и высказать свое мнение. Всю пятницу Вики копировала длинную стенограмму судебного процесса в трех экземплярах — для всех членов «группы заговорщиков». Каждый из них потратил выходные на добросовестнейшее чтение стенограммы, и когда в понедельник утром они собрались вместе, вердикт оказался единогласным. Все — левое крыло, правое крыло и центр — согласились, что в деле Рона Уильямсона правосудие не восторжествовало. Они не только не сомневались, что судебный процесс был проведен с нарушением конституционных норм, но и вполне допускали, что Рон вообще мог оказаться невиновным.

Их заинтересовали ссылки на «Сны Ады». В заявлении Джанет Чесли много места было уделено «сонным признаниям» Рона, которые он якобы сделал. Он прочел книгу вскоре после своего ареста, она была с ним в камере, когда он рассказывал Джону Кристиану о своих тюремных видениях. Прошло семь лет с тех пор, как книга вышла в свет, ее уже не было в продаже, но Вики нашла несколько экземпляров в букинистических магазинах и в библиотеках. Все трое быстро прочли ее, и их подозрения относительно правоохранительных органов Ады стали еще сильнее.

Поскольку судья Сэй был известен своим резким отношением к делам habeas corpus, было решено, что Джим Пейн поговорит с ним наедине и попробует сломать лед в отношении дела Рона Уильямсона. Судья внимательно выслушал его, потом Вики и Джейл. Все трое были уверены, что пересмотр дела необходим, и судья в конце концов согласился лично изучить дело.

Он знал и Билла Питерсона, и Барни Уорда, и большую часть остальной тамошней правоохранительной братии. Барни он считал своим старым приятелем, а Питерсона недолюбливал. По правде сказать, его не удивили ни та небрежность, с какой был проведен суд, ни неубедительность доказательств, на которых строилось обвинение. В Аде вообще происходили странные события, и судья Сэй уже много лет был наслышан о дурной репутации тамошней полиции. Особенно его беспокоил недостаток контроля со стороны судьи Роналда Джонса за соблюдением судебной процедуры. Недобросовестная работа полиции и лукавое обвинение не были неожиданностью, но обязанность судьи — гарантировать честное рассмотрение дела.

Не удивило его и то, что Апелляционный уголовный суд не усмотрел ничего противоправного в процедуре суда.

Убедившись, что правосудие не было осуществлено, он вместе со своими сотрудниками принял решение о полном пересмотре дела.

Деннис Фриц потерял связь с Роном. Он написал одному его старому другу, но письмо вернулось за отсутствием адресата.

Ким Маркс и Лесли Делк ездили в Коннер, чтобы побеседовать с Деннисом в связи с расследованием, которое они вели. Они привезли с собой запись признания Рики Джо Симмонса и дали ему ее посмотреть. Деннис, как и Рон, страшно разозлился: оказывается, существует некто, признавшийся в убийстве, за которое осудили их, а суд об этом даже не уведомили. Деннис завязал переписку с Ким Маркс, и она держала его в курсе того, как развивается дело Рона.

Как завсегдатай юридической библиотеки Деннис был в курсе всех слухов, циркулировавших в юридических кругах, и знал все последние судебные решения. Он и его товарищи-заключенные из бывших юристов не пропускали ни единой новости в сфере уголовного производства. Первое упоминание об анализе ДНК появилось в начале 1990-х годов, и Деннис прочел все, что было опубликовано на эту тему.

В 1993 году отдельный сюжет в программе Фила Донахью был посвящен четырем мужчинам, которых оправдали благодаря анализу ДНК. Передача нашла горячий отклик, особенно в тюрьмах, и послужила катализатором движения против судебных ошибок по всей стране.

Одна группа, «Проект “Невиновность”», уже успевшая привлечь к себе внимание, была основана в 1992 году нью-йоркскими адвокатами Питером Ньюфелдом и Барри Скеком. Они на некоммерческой основе организовали при юридической школе Бенджамина Н. Кардозо класс, в котором студенты работали над изучением судебных дел под руководством кадровых юристов. Ньюфелд имел огромный опыт работы в Бруклине. Скек являлся экспертом-криминалистом, специалистом в области ДНК и прославился как один из адвокатов О. Дж. Симпсона.

Деннис очень внимательно следил за ходом процесса над Симпсоном и, когда тот закончился, стал подумывать о том, чтобы связаться с Барри Скеком.

В 1994 году, накопив множество жалоб на условия содержания в блоке H, «Международная амнистия» провела тщательное обследование этого места заключения. Было обнаружено много нарушений международных стандартов, включая подписанные Соединенными Штатами конвенции, и отмечено слабое исполнение официально принятых внутри страны установлений. Камеры были слишком тесными, их обстановка не отвечала установленным требованиям, освещение и вентиляция также не соответствовали нормам, в камерах отсутствовали окна, и заключенные, таким образом, были лишены естественного освещения. Неудивительно, что площадки для физических упражнений были признаны излишне огороженными и недопустимо маленькими по площади. Многие заключенные жертвовали ежедневным часом прогулки, предпочитая хоть на это короткое время остаться наедине с собой. Не велось преподавание по программам уровнем выше общеобразовательной школьной. Заключенным не разрешалось работать. Богослужения были строго ограничены. Изоляция некоторых узников чрезмерно строга. Система питания требовала полной реорганизации.

В заключение «Международная амнистия» отмечала, что условия содержания заключенных в блоке H являются жестокими, бесчеловечными, а отношение к узникам — унизительным, что является нарушением международных норм. Нахождение в подобных условиях в течение определенного периода времени «может оказать пагубное воздействие на физическое и душевное здоровье заключенных».

Доклад был напечатан, но для тюрьмы обязательной силы не имел. Однако он подлил масла в огонь некоторых исков, предъявленных тюрьме заключенными.

После трех пропусков шестеренки оборудования камеры смерти заскрипели снова. 20 марта 1995 года Томас Крассо, тридцатидвухлетний белый, был казнен, проведя в блоке смертников всего два года. Хотя это было и трудно, Крассо сумел остановить процедуру подачи апелляций и положить конец мучительному ожиданию.

Следующим стал Роджер Дейл Стаффорд, печально известный Бифштекс. Его казнь была одной из самых примечательных. Массовые убийства в крупных городах привлекают большое внимание прессы, и Стаффорд встретил свой конец в ореоле славы. Он провел в блоке смертников пятнадцать лет, и его дело было использовано полицией, прокуратурой и особенно политиками как яркий пример, демонстрирующий порочность системы апелляций.

11 августа 1995 года произошла странная экзекуция. Роберт Бречин, сорокалетний белый, едва дотянул до камеры смерти. Накануне казни он проглотил пригоршню обезболивающих таблеток, которые ему каким-то образом удалось тайно накопить и спрятать. Его покушение на самоубийство было последней попыткой послать к черту всю систему правосудия, но система возобладала. Надзиратели нашли Бречина без сознания и мгновенно отвезли в больницу, где ему промыли желудок и привели в состояние, приемлемое для того, чтобы отправить его обратно в блок Н и убить «как положено».

Судья Сэй дал распоряжение своим сотрудникам тщательнейшим образом проверить все аспекты дела Уильямсона. Они корпели над стенограммой, включавшей запись всех этапов судебной процедуры, начиная с предварительных слушаний. Они систематизировали всю обширную медицинскую документацию Рона. Изучали полицейские отчеты и доклады экспертов Оклахомского отделения ФБР.

Нагрузка была распределена между Вики Хилдебранд, Джимом Пейном и Джейл Сьюард. Это стало для них коллективным проектом, в ходе работы над которым не было недостатка в идеях и энтузиазме. Процесс был проведен недобросовестно, имело место явное нарушение норм правосудия, и они горели желанием восстановить справедливость.

Судья Сэй никогда не доверял сравнительному анализу волос. Однажды он председательствовал в федеральном суде, где рассматривалось дело, грозившее подсудимому смертной казнью. Главным свидетелем обвинение выставило ведущего эксперта ФБР по сравнительному анализу волос. Его квалификация была безупречна, и ему не раз доводилось свидетельствовать в судах, но на судью Сэя это не произвело впечатления. Эксперту не было предоставлено слово, и он был исключен из списка свидетелей.

Вики Хилдебранд вызвалась провести исследование прецедентов использования волосяного анализа в качестве улики. В течение нескольких месяцев она изучала десятки дел и научных статей и пришла к выводу, что все это полная чушь. Анализ был настолько ненадежным, что его результаты вообще не следовало принимать во внимание в ходе судебных процессов. Судья Сэй к этому выводу пришел много ранее.

Джейл Сьюард сосредоточилась на Барни Уорде и допущенных им ошибках. Джим Пейн изучал нарушения «правила Брейди». В течение нескольких месяцев команда работала почти исключительно над делом Уильямсона, откладывая его лишь для других сверхнеотложных дел. Предельного срока их работа не имела, но судья был «бригадиром», не терпящим праздного времяпрепровождения. Его сотрудники работали по ночам и выходным. Они читали и редактировали друг друга и, снимая с дела слой за слоем, раскапывали все больше ошибок. По мере накопления этих судебных ошибок рос и их энтузиазм.

Джим Пейн ежедневно докладывал о ходе работы судье, который, как и ожидалось, не скупился на комментарии. Он знакомился с первоначальными вариантами текстов своих сотрудников, редактировал их и возвращал на доработку.

Когда стало очевидно, что пересмотр дела будет назначен, судья Сэй забеспокоился. Барни был его старым другом, чьи лучшие годы остались позади, он будет глубоко уязвлен критикой. И как прореагируют жители Ады на то, что их бывший судья принял сторону «мерзкого убийцы» Рона Уильямсона?

Все в команде знали, что их работа будет тщательнейшим образом проверяться на следующем уровне, в Десятом апелляционном судебном округе в Денвере. Что, если там аннулируют их выводы? Достаточно ли они сами уверены в том, что делают? Смогут ли представить достаточно аргументов, чтобы убедить вышестоящую инстанцию?

Почти год команда трудолюбиво работала под руководством судьи Сэя. И наконец 19 сентября 1995 года, через год после приостановки распоряжения об исполнении приговора, судья вынес постановление о передаче арестованного в вышестоящий суд и санкционировал пересмотр дела.

Заключение, сопровождавшее это постановление, содержало сто страниц, было исчерпывающим и являло собой шедевр юридического анализа и обоснования. Простым, однако научным языком судья Сэй требовал наложить самое строгое взыскание на Барни Уорда, Билла Питерсона, Департамент полиции Ады и Оклахомское отделение ФБР. И хотя он немного сдержал свой пыл, говоря о ненадлежащем исполнении обязанностей судьей Джонсом, нетрудно было догадаться, что он на самом деле думает по этому поводу.

Дело Рона подлежало пересмотру по многим причинам, главной из которых была неэффективная адвокатская помощь. Ошибки, допущенные Барни, оказались многочисленны и грубы. Не был поставлен вопрос о психической дееспособности клиента; не были добыты и представлены улики, свидетельствующие против Глена Гора; проигнорирован тот факт, что Терри Холланд давала показания также против Карла Фонтено и Томми Уорда; до сведения жюри не был доведен факт существования признания Рики Джо Симмонса в убийстве и присяжным не была показана видеозапись этого признания, хотя в конце концов она оказалась в распоряжении Барни; не предпринята попытка дезавуировать «сонные признания» Рона и изъять их из списка улик до начала суда; не были вызваны контрсвидетели на этапе определения наказания.

Билл Питерсон и полицейские обвинялись в сокрытии видеозаписи 1983 года, запечатлевшей повторное испытание Рона на полиграфе, и иных оправдательных доказательств; в том, что они предъявили суду признания, в их числе «сонные признания» Рона, добытые сомнительными методами; в том, что они вызвали в суд и подвели под присягу тюремных осведомителей; передали в суд дело, не имея практически никаких физических улик.

На основании изучения прецедентов использования сравнительного анализа волос в качестве улики судья Сэй весьма энергично утверждал, что подобный анализ слишком ненадежен и всем судам следует запретить принимать его результаты в качестве доказательств. Он критиковал экспертов Оклахомского отделения ФБР за ненадлежащее хранение и работу с образцами волос Фрица и Уильямсона в процессе следствия.

Билл Питерсон, судья Джонс и судья Джон Дэвид Миллер обвинялись в том, что не приостановили процесс для выяснения вопроса о психическом здоровье Рона.

Судья Джонс совершил ошибку, назначив слушания по вопросу о нарушении «правила Брейди» после завершения суда. Его отказ удовлетворить просьбу Барни и обеспечить предоставление в распоряжение защиты эксперта-криминалиста, который мог бы оспорить мнение эксперта Оклахомского отделения ФБР, также является ошибкой, подлежащей обжалованию.

С точностью хирурга судья Сэй вскрывал все просчеты, допущенные в ходе суда, и выставлял на посмешище вынесенный Рону приговор. В отличие от Оклахомского апелляционного уголовного суда, дважды изучавшего дело, судья Сэй сумел увидеть ошибочность приговора и дал себе труд исследовать все аспекты дела.

В конце своего заключения он приписал нечто необычное — эпилог. В нем, в частности, говорилось:

> Размышляя о собственном решении, принятом по этому делу, я сказал другу, непрофессионалу, что доверяю фактам и закон предписывает мне назначить новый суд для человека, который был признан виновным и осужден на смертную казнь.
>
> — Он убийца? — спросил меня друг.
>
> Я ответил ему просто:
>
> — Этого мы не узнаем до тех пор, пока над ним не свершится справедливый и честный суд.
>
> Да покарает нас Бог, если мы здесь, в нашей стране, будем отворачиваться, когда казнят людей, суд над которыми не был праведным. Это чуть не случилось в данном деле.

В качестве жеста вежливости судья Сэй послал копию своего заключения Барни Уорду с припиской, в которой говорилось, что он весьма сожалеет, но у него нет выбора. Барни до конца жизни с ним не разговаривал.

Хотя Вики Хилдебранд, Джейл Сьюард и Джим Пейн были уверены в своей работе, предавая ее публичности, они все же испытывали опасения. В Оклахоме не приветствовали, когда осужденному на смертную казнь назначали пересмотр дела. Положив год своей жизни на дело Рона, юристы не сомневались в себе, но не хотели, чтобы судья Сэй и его офис подверглись критике.

* * *

«Прокуратура торжественно обещает сражаться до последнего против постановления о пересмотре дела» — гласил заголовок в «Ада ивнинг ньюз» 27 сентября 1995 года. Статья сопровождалась школьной фотографией Рона Уильямсона с одной стороны текста и портретом Билла Питерсона — с другой. Репортаж начинался так:

> Разозленный Билл Питерсон заявил, что в случае необходимости готов выступить в Верховном суде Соединенных Штатов, чтобы не оставить камня на камне от недавнего постановления федерального судьи, назначившего новый суд над приговоренным к смерти за убийство в округе Понтоток Роналдом Китом Уильямсоном.

К счастью, по крайней мере для Питерсона, он не имел возможности отправиться в Вашингтон, чтобы отстаивать там свои взгляды на это дело. Далее он сообщил, что получил заверения от генерального прокурора штата в том, что тот лично позаботится, чтобы протест в Десятый апелляционный судебный округ был отправлен «немедленно», и цитировал его слова:

> Я потрясен, ошеломлен, зол, выбит из колеи. После того как дело прошло через столько апелляционных инстанций и было на всех этапах так тщательно изучено и перепроверено, не вызвав ни у кого и тени сомнения в справедливости приговора, зачем потребовалось еще одно мнение?! В этом просто нет никакого смысла.

Питерсон не потрудился упомянуть, а репортеры не потрудились указать ему на то, что дела всех осужденных на смертную казнь согласно процедуре проходят стадию habeas corpus и попадают в конце концов в федеральный суд, который рано или поздно выносит то или иное решение.

Но Питерсона было не удержать. Он продолжал:

> Это дело дважды рассматривалось в Верховном суде Соединенных Штатов. И в обоих случаях суд утвердил приговор и отклонил ходатайства о пересмотре дела.

Не совсем так. Верховный суд Соединенных Штатов никогда не рассматривал дело Рона по существу; на самом деле, отказывая в изъятии дела из производства нижестоящего суда и передаче его в вышестоящий, Верховный суд отказывался разбирать дело и отсылать его обратно в Оклахому. Такова была стандартная практика.

Козырные аргументы Питерсон приберег напоследок. Судья Сэй в сноске к своему заключению процитировал книгу Роберта Мейера «Сны Ады» и сослался на многочисленные прецеденты, когда в том же суде приговоры были основаны на «сонных признаниях». Питерсон возмутился тем, что в судебном постановлении ссылались на какую-то книгу, и заявил — видимо, едва удерживаясь от смеха: «Это просто неправда, что три человека — Уильямсон, Фонтено и Уорд — были осуждены на основании "сонных признаний"».

Штат Оклахома оспорил постановление судьи Сэя в Десятом апелляционном судебном округе в Денвере. Хотя Рон был доволен случившимся поворотом событий и перспективой нового суда, он по-прежнему оставался в тюрьме, ежедневно борясь за выживание, пока процесс медленно двигался своим чередом.

Однако боролся он не один. Ким Маркс, его следователь, Джанет Чесли, его адвокат, и доктор Фостер были неутомимы в своих усилиях обеспечить ему надлежащую медицинскую помощь. Почти четыре года тюрьма отказывалась перевести Рона в СМБ, где имелись более подходящие для его лечения и содержания условия. СМБ находился в пределах видимости от блока Н, туда легко было дойти пешком, но официально он был недоступен для заключенных-смертников.

Вот как описывала Ким Маркс состояние своего клиента:

> Я была страшно напугана — не им, а за него. Я настаивала, что всем нам необходимо предпринять усилия, чтобы кто-нибудь выше рангом в системе исполнения наказаний позаботился об оказании ему помощи. Волосы у него отросли до плеч, и в них — множество желтых прядей, это он пытался рвать их на себе, а от никотина у него совершенно пожелтели не только пальцы, но и ладони. Зубы у него крошились и выпадали в буквальном смысле, это было вид-

но невооруженным взглядом. Думаю, он еще и сам выдергивал их. Кожа была серая, потому что он, совершенно очевидно, не мылся неделями, и обтягивала кости так, словно под ней был только скелет. Одежда стояла колом, как будто ее не стирали, а тем более не гладили несколько месяцев. И он беспрерывно ходил. Он почти не мог разговаривать, а когда пытался, только брызгал слюной. Он совершенно ничего не понимал, и я по-настоящему боялась, что мы вот-вот его потеряем, что он умрет в тюрьме от заболеваний, вызванных психическими проблемами.

Джанет Чесли, Ким Маркс и Кен Фостер заваливали своими требованиями тюремных начальников всех уровней, их заместителей и помощников, которых за это время в Макалестере сменилось множество. Сьюзан Отто, директору Федерального управления общественных защитников и куратору Джанет, удалось подергать за кое-какие ниточки в Департаменте исправительных учреждений, и наконец в феврале 1996 года Джеймс Саффл, в то время высший чиновник департамента, согласился встретиться с Ким и Джанет. В самом начале встречи Саффл объявил, что поручил Рону Уорду, тогдашнему директору Макалестера, в виде исключения немедленно перевести Рона Уильямсона в СМБ.

В своей записке директору СМБ Рон Уорд признавал, что официально подведомственное тому медицинское учреждение не предназначено для заключенных-смертников.

Но я официально уполномочен Оклахомским департаментом исправительных учреждений в данном случае сделать исключение из правил работы Специального медицинского блока.

Что стояло за такой неожиданной сменой настроения? За две недели до того тюремный психолог направил заместителю директора тюрьмы конфиденциальное письмо насчет Рона Уильямсона. Помимо прочего, он приводил некоторые существенные причины для перевода Рона в СМБ:

Посовещавшись, мы пришли к единому мнению, что мистер Уильямсон является психопатом, и будет полезнее поместить его в учреждение, где возможно регулировать прием им лекарств. Следует отметить, что в нынешних условиях он упорно отказывается даже обсуждать вопрос о подобном регулировании.

> В Специальном же медицинском блоке, как Вам известно, имеются более широкие возможности заставить больного принимать лекарства, когда это необходимо.

Персонал блока Н устал от Рона, ему требовался перерыв. В письме, в частности, говорилось:

> Нет никаких сомнений в том, что состояние мистера Уильямсона ухудшается с каждой неделей. Об этом постоянно докладывает персонал блока Н, это вижу и я сам. Сегодня утром Майк Маллинз с сочувствием упомянул о неуклонной деградации мистера Уильямсона и о том, сколь враждебное отношение вызывают его психопатические припадки у остальных заключенных, что отрицательно сказывается на обстановке во всем юго-западном крыле.

Но главной причиной, по которой Рона следовало перевести в СМБ, была необходимость ускорить его казнь. В заключение письма говорилось:

> По моему мнению, психопатические припадки мистера Уильямсона сейчас достигли такого уровня, при котором он может быть признан не подлежащим смертной казни. За время же, проведенное в СМБ, его состояние может улучшиться настолько, что правомочность исполнения приговора не будет вызывать сомнений.

Рона отвели в СМБ, приняли и выделили ему довольно хорошую камеру с окном. Доктор Фостер назначил ему новый медикаментозный курс лечения и стал внимательно следить за своевременным приемом лекарств. Хотя Рона отнюдь нельзя было назвать здоровым человеком, вел он себя тихо и перестал испытывать постоянные боли.

Однако он по-прежнему был неестественно худ и не мог отделаться от своих навязчивых идей. Тем не менее определенный прогресс был налицо, но 25 апреля, после трех месяцев пребывания в СМБ, Рона внезапно в одночасье выдернули из больничного блока и вернули в блок Н на две недели. Разрешения медиков на подобный перевод не имелось, доктора Фостера даже не поставили в известность. И никому не дали никаких объяснений. Когда Рона вернули в СМБ, состояние его заметно ухудшилось. Доктор Фостер направил директору тюрьмы письмо, в котором описал вред, причиненный больному этим неожиданным переводом.

Как бы случайно внезапное возвращение Рона в тюрьму 25 апреля совпало с кануном очередной казни. 26 апреля казнили Бенджамена Брюера, в 1978 году зарезавшего в Талсе двадцатилетнюю студентку. Брюер ожидал казни более двенадцати лет.

Несмотря на пребывание в СМБ, Рон продолжал оставаться смертником, и нельзя было позволить, чтобы он пропустил драму убийства «коллеги» в блоке Н.

Джанет Чесли подозревала, что столь неожиданный перевод на самом деле представляет собой некий юридический маневр. Штат Оклахома оспаривал в Десятом апелляционном судебном округе в Денвере постановление судьи Сэя, и были назначены устные дебаты. Скорее всего Рона вернули в тюрьму для того, чтобы не дать Джанет возможности воспользоваться аргументом о душевной болезни своего клиента, из-за которой его даже содержат в СМБ. Она просто взорвалась, когда впервые услышала о его переводе обратно в блок Н, и последними словами поносила администрацию тюрьмы и адвокатов со стороны штата, занимавшихся апелляцией. Кончилось тем, что она пообещала не упоминать во время своего выступления о том, что Рон находится в СМБ.

Только тогда его вернули, однако урон ему уже был нанесен.

Деннис Фриц узнал добрую весть о том, что на федеральном уровне вынесено решение о пересмотре дела Рона. Ему такая удача не выпала. Поскольку его приговор не был смертным, он не имел адвоката и сам был вынужден составлять ходатайство о habeas corpus. На уровне регионального суда он проиграл в 1995 году, после чего апеллировал в федеральный Десятый округ.

Повторный суд над Роном оказался для Денниса событием горьким и радостным одновременно. Он был удручен, потому что его осудили по показаниям тех же свидетелей и на основании тех же фактов, тем не менее его апелляция на habeas corpus была отклонена. В то же время он искренне радовался за Рона.

В марте 1996 года, исчерпав свои возможности, он написал в «Проект "Невиновность"» и попросил их помощи. Студент-доброволец из этой организации ответил ему и прислал список вопросов. В июне он запросил результаты лабораторных анализов Денниса — волос, крови и слюны. Они аккуратно хранились у

Денниса в камере, в отдельной папке, и он без промедления отправил их в Нью-Йорк. В августе он отослал им краткую историю своих апелляций, а в ноябре — полный текст стенограммы суда. Позднее в том же месяце он получил от «Проекта “Невиновность”» радостное известие: они официально приняли решение заняться его делом.

Начался интенсивный обмен корреспонденцией. Так проходили недели, месяцы. Десятый округ отклонил его апелляцию, а когда и Верховный суд в мае 1997 года отказался слушать его дело, Деннис, как и Рон, впал в депрессию. Все возможности апеллировать были исчерпаны. Все эти мудрые судьи в черных мантиях, обложенные толстыми сводами законов, не нашли никаких нарушений в том, как вершился над ним суд. Ни один из них не увидел очевидного: ошибочно осудили невинного человека.

Вероятность провести в тюрьме остаток своих дней, в которую он так долго и упорно отказывался верить, становилась реальностью.

В мае он направил в «Проект “Невиновность”» четыре письма.

В 1979 году в маленьком городке Окарке, расположенном чуть севернее Оклахома-Сити, два человека — Стивен Хэтч и Глен Эйк — ворвались в дом преподобного Ричарда Дагласа. После долгих пыток Даглас и его жена были застрелены. В двоих малолетних детей убийцы тоже выстрелили и оставили их умирать, но те чудом выжили. Стрелял Глен Эйк, за что и был приговорен к смертной казни, однако он добился пересмотра дела, поскольку во время первого суда судья отказался подвергнуть его психиатрической экспертизе. Его апелляция «Эйк против Оклахомы» стала вехой в истории местного правосудия. Повторный суд приговорил его к пожизненному заключению, которое он по сей день и отбывает.

Участие Стивена Хэтча непосредственно в убийстве было под большим вопросом, о нем горячо спорили, тем не менее он-то как раз получил высшую меру. 9 августа 1996 года Хэтча привязали к креслу-каталке и отвезли в камеру экзекуций блока Н. Из комнаты свидетелей за казнью наблюдали уже взрослые дети Дагласов.

Глену Эйку, вне всяких сомнений — убийце, жизнь сохранили. Стивена Хэтча, который никого не убивал, казнили.

В 1994 году двадцатилетний индеец Скотт Дон Карпентер ограбил магазин в Лейк-Юфоле и убил хозяина. Проведя в блоке смертников всего два года, он сумел остановить процедуру апелляций и получил свою смертельную инъекцию.

10 апреля 1997 года Десятый апелляционный судебный округ в Денвере утвердил решение судьи Сэя. Суд не согласился с его предложением запретить принимать в судах в качестве улики результаты сравнительного анализа волос, но признал, что Рон Уильямсон был осужден на основании явно недостаточных улик.

В перспективе нового суда дело Рона было передано в отдел смертных казней Службы защиты неимущих, где под началом недавно назначенного руководителя Марка Барретта трудились восемь юристов. В силу особой сложности дела он решил заняться им сам. Первичные материалы, которые он получил, занимали шестнадцать коробок.

В мае 1997 года Марк Барретт и Джанет Чесли отправились в Макалестер навестить своего клиента. Джанет должна была заново представить Марка Рону. В последний раз они виделись в 1988 году, вскоре после прибытия Рона в блок F, когда Марк занимался его первой апелляцией.

Хорошо зная Джанет и Ким Маркс, а также большинство адвокатов Службы апелляций для неимущих и будучи наслышан о злоключениях Рона в блоке смертников, Марк был потрясен его состоянием. В 1988 году Рону было тридцать пять лет, он весил 220 фунтов, имел атлетическое сложение, уверенную походку, темные волосы и гладкое, как у ребенка, лицо. Спустя девять лет, в сорок три года он легко мог сойти за шестидесятипятилетнего. После года пребывания в СМБ он по-прежнему был тощ, бледен, неопрятен, похож на привидение и, совершенно очевидно, тяжело болен.

Тем не менее он был способен участвовать в довольно долгом разговоре о своем деле. Временами он отвлекался и принимался произносить совершенно бессмысленные монологи, но большую часть времени понимал, что происходит и как обстоит дело с новым судебным процессом. Марк объяснил ему, что будет сделан сравнительный анализ ДНК его крови, волос, слюны и спермы, найденных на месте преступления, результат будет точным, гарантированным и безоговорочно надежным. ДНК не лжет.

Рон не выказал ни малейших колебаний; напротив, он страстно желал, чтобы такой анализ был сделан.

— Я невиновен, — повторял он вновь и вновь. — Мне нечего скрывать.

Марк Барретт и Билл Питерсон согласились, что Рон будет подвергнут обследованию на предмет определения его умственной дееспособности. Договорились они также и об анализе ДНК. Питерсон очень настаивал на этом анализе, потому что не сомневался, что тот докажет виновность Рона.

С анализом пришлось, однако, повременить, потомучто скромный бюджет Марка Барретта пока не позволял его сделать. Стоимость анализа предположительно составляла около пяти тысяч долларов. Такой суммы в течение ближайших нескольких месяцев у него не предвиделось. На деле она оказалась гораздо выше.

Поэтому Марк пока начал работать над будущими слушаниями о дееспособности. Он и его весьма высокообразованные сотрудники обобщили все медицинские записи и документы Рона. Они нашли компетентного психолога, который ознакомился с этой документацией, поговорил с Роном и был готов ехать в Аду, чтобы выступить в качестве свидетеля защиты.

После двух путешествий в Оклахомский апелляционный уголовный суд, годичной задержки в офисе судьи Сэя, двух бесполезных, но необходимых «заездов» в Вашингтон, в Верховный суд США, и несметного количества рутинных бумаг, летавших туда-сюда между всеми этими инстанциями, дело «Штат Оклахома против Роналда Кита Уильямсона» вернулось домой.

Прошло десять лет с тех пор, как четверо полицейских окружили Рона, косматого, без рубашки, бредущего по городу со своей увечной газонокосилкой в поисках работы, и арестовали за убийство.

ГЛАВА ЧЕТЫРНАДЦАТАЯ

Том Ландрит был понтотокцем в третьем поколении. В Аде он учился в школе и играл за футбольную команду округа в двух чемпионатах штата. Колледж и юридический факультет он окончил в Оклахома-Сити и, сдав экзамен на право выступать в суде, обосновался в родном городе, поступив в маленькую адво катскую фирму. В 1994 году он баллотировался на должность окружного судьи и легко победил Дж. С. Мэйхью, который в 1990 году победил Роналда Джонса.

Судья Ландрит был хорошо знаком с Роном Уильямсоном и делом об убийстве Дебби Картер, и когда Десятый округ утвердил решение судьи Сэя, он уже знал, что дело вернется в Аду, в его суд. Весьма характерно для маленьких городов: Том Ландрит представлял интересы Рона, когда того судили за вождение в нетрезвом виде в начале 1980-х; в течение недолгого времени они играли в одной софтбольной команде; с Джонни Картером, дядей Дебби, Ландрит в школе играл в футбол; а с Биллом Питерсоном они были старыми друзьями. Во время суда над Роном за убийство в 1988-м Ландрит из любопытства несколько раз заглядывал в зал суда. Разумеется, он прекрасно знал Барни.

Это же Ада, здесь все знали друг друга.

Ландрит был популярным судьей, человеком простецким и обладающим чувством юмора, но в зале суда — строгим. Не будучи окончательно уверенным в виновности Рона, не был он уверен и в его невиновности. Как большинство жителей Ады, он всегда чувствовал, что у парня нескольких шариков в голове не хватает. Но ему очень хотелось увидеть Рона и сделать так, чтобы повторный суд был проведен честно.

Минуло уже пятнадцать лет с момента совершения убийства, а оно до сих пор не было раскрыто. Судья Ландрит с большим сочувствием относился к горю Картеров. И пора было наконец поставить точку в этом деле.

13 июля 1997 года, в воскресенье, Рон Уильямсон покинул Макалестер, чтобы больше никогда в него не возвращаться. Из Виниты в округ Понтоток его отвезли два представителя Восточной больницы. Шериф Джеф Глейз сообщил газетчикам, что заключенный вел себя хорошо.

— Сопровождающие сказали, что он не доставил им никаких хлопот, — признал Глейз. — Впрочем, когда вы в наручниках, ножных цепях и смирительной рубашке, вам мудрено доставить хлопоты кому бы то ни было.

Рон лежал в Восточной больнице уже в четвертый раз. По итогам совещания адвокатов сторон с судьей его поместили туда для бследования и старались подлечить настолько, чтобы он мог в поюженное время предстать перед судом.

Судья Ландрит назначил заседание на 28 июля, но затем отлоил его до окончания обследования Рона врачами Восточной больицы. Хотя Билл Питерсон против обследования не возражал, осоых сомнений по поводу того, что Рон совершенно здоров, у него е было. В письме к Марку Барретту он писал: «По моему личному інению, он совершенно нормален с точки зрения законов Оклаомы, а его срывы в суде были вызваны всего лишь злостью из-за ого, что его судили и осудили». И еще: «В тюрьме он вел себя впол-іе разумно».

Биллу Питерсону нравилась идея анализа ДНК. Его никога не посещали сомнения относительно того, что Рон убийца, и еперь это могло быть доказано на строго научной основе. Обіенявшись письмами и стараясь не вдаваться в детали (какая іаборатория, какова стоимость анализа, срок его проведения), •ни с Марком Барреттом согласились в принципе, что анализ іровести нужно.

Состояние Рона несколько стабилизировалось, и чувствовал он себя лучше. Любое место, даже психиатрическая клиника, было значительным улучшением по сравнению с Макалестером. В Восточной больнице имелось несколько отделений, Рона поместили в строго охраняемое, с решетками на окнах и большим количеством колючей проволоки повсюду. Палаты были маленькими, старыми и неуютными, отделение переполнено больными, многие спали на койках в коридоре. Но Рону повезло — он лежал в палате один.

Сразу после поступления его осмотрел доктор Кертис Грунди и нашел своего пациента недееспособным. Рон понимал, в чем его обвиняют, но не был в состоянии сотрудничать с адвокатами. Доктор Грунди написал судье Ландриту, что при соответствующем лечении состояние Рона стабилизируется до такой степени, что его можно будет судить.

Два месяца спустя доктор Грунди снова осмотрел его. В подробном четырехстраничном докладе, посланном судье Ландриту, он отмечал, что Рон: 1) способен понять суть предъявленных ему обвинений; 2) способен консультироваться со своим адвокатом и разумно помогать ему в подготовке к процессу, хотя и 3) является душевнобольным и нуждается в дальнейшем лечении. «Ему необходимо продолжать проводить курс психиатрического лечения в течение всего процесса, чтобы поддерживать состояние, в котором он мог бы выдержать этот суд».

В дополнение к этому доктор Грунди квалифицировал Рона как безобидного больного. «Непохоже, чтобы мистер Уильямсон мог представлять значительную и непосредственную угрозу для себя самого или для других, если прекратить его пребывание в стационаре. Он постоянно отрицает наличие у него суицидальных намерений или склонности к убийству. Его поведение в течение всего периода пребывания в больнице было лишено агрессии по отношению к себе и окружающим. Признаки опасного поведения появляются у него только тогда, когда его помещают в строго регламентированное и охраняемое окружение».

Судья Ландрит назначил слушания по вопросу о дееспособности на 10 декабря, и Рона привезли в Аду. Его зарегистрировали в понтотокской окружной тюрьме, он поздоровался со старым приятелем Джоном Кристианом и был помещен в свою старую камеру. Тут же проведать его пришла Аннет с кучей еды и нашла брата бодрым, исполненным надежд и очень довольным тем, что он «снова дома». Рон с нетерпением ждал нового суда, который должен был доказать его невиновность. Он непрерывно говорил о Рике Джо Симмонсе, а Аннет постоянно просила его сменить тему. Но он не мог.

Накануне слушаний Рон четыре часа провел с психологом — доктором Салли Черч, нанятой Марком Барреттом выступить в качестве свидетеля. Доктор Черч до того дважды встречалась с Роном и внимательнейшим образом изучила долгую историю его болезни. У нее практически не было сомнений, что его нельзя судить по состоянию здоровья.

Рон, однако, был решительно настроен доказать, что готов к суду. Девять лет он мечтал о возможности снова схлестнуться с Биллом Питерсоном, Деннисом Смитом, Гэри Роджерсом и всеми их лжесвидетелями и доносчиками.

Он никого не убивал и отчаянно желал окончательно и бесповоротно это доказать. Марк Барретт ему нравился, но попытки адвоката доказать, что его клиент ненормальный, злили Рона.

Рон хотел лишь суда.

Судья Ландрит назначил слушания в малом зале, дальше по коридору от главного зала, в котором Рона в свое время осудили. Утром десятого декабря все места в малом зале были заняты. Разумеется, присутствовали Аннет, несколько репортеров, Джанет Чесли и Ким Маркс, готовые дать свидетельские показания. Барни Уорда не было.

Когда Рона последний раз в наручниках перевели из тюрьмы в здание суда, он получил смертный приговор. Тогда он был еще молодым тридцатипятилетним мужчиной с темными волосами, крепкой фигурой, в хорошем костюме. Теперь, девять лет спустя, он шел туда снова — совершенно седой, похожий на привидение старик в тюремной одежде, с трудом держащийся на ногах. Когда подсудимого ввели, судья Ландрит был потрясен его видом. Рон же очень обрадовался, увидев Томми на судейской скамье в черной мантии.

Когда он кивнул судье и улыбнулся, тот заметил, что зубов у Рона практически нет. Седые волосы были в желтых никотиновых разводах. От имени штата заявление о недееспособности Рона оспаривал Билл Питерсон, чрезвычайно раздраженный самой постановкой вопроса и выказывавший презрение к процедуре слушаний. Марку Барретту помогала Сара Боннелл, адвокат из Пурселла, назначенная «вторым номером» в повторном суде над Роном. Она была опытным адвокатом по уголовным делам, и Марк полностью на нее полагался.

Не теряя времени даром, они вызвали в качестве первого свидетеля самого Рона. Не прошло и нескольких минут, как все пришли в полное замешательство. Марк попросил свидетеля назвать свое имя, и между ними произошел следующий диалог:

Марк:

— Мистер Уильямсон, существует ли некий другой человек, который, по вашему мнению, совершил это убийство?

Рон:

— Да, существует. Его зовут Рики Джо Симмонс. На момент двадцать четвертого сентября восемьдесят седьмого года, согласно его собственному заявлению, сделанному в полицейском управлении Ады, он жил по адресу: Третья Западная улица, дом триста двадцать три. Я получил подтверждение, что по этому адресу действительно жили некие Симмонсы, в том числе Рики Джо Симмонс. Вместе с ним проживали некий Коуди и некая Дебби Симмонс.

Марк:

— И вы пытались сделать сведения о Рики Симмонсе достоянием гласности?

Рон:

— Я сообщил о мистере Симмонсе множеству людей. Я писал Джо Джиффорду, я писал Тому и Джерри Крисуэллам в их ритуальный дом, они знают, что здесь, в Аде, памятник можно купить только у Джо Джиффорда, потому что он здесь единственный, кто делает памятники. А флористы из «Незабудки» составляли цветочную композицию. Им я тоже написал. Я писал разным людям из компании «Соло», где он прежде... он прежде работал. Я писал на стекольный завод, там он тоже работал, и покойная раньше там работала.

Марк:

— Давайте на минутку вернемся назад. Зачем вам понадобилось писать на предприятие по изготовлению памятников?

Рон:

— Потому что я знал Джо Джиффорда. В детстве я подстригал у него лужайку, когда был мальчиком, вместе с Бертом Роузом, моим соседом. И я знал, что если мистер Картер и миссис Стиллуэлл будут покупать памятник здесь, в Аде, они будут покупать его у Джо Джиффорда, потому что он единственный, кто здесь делает монументы. Я вырос рядом с его мастерской.

Марк:

— А зачем вы писали в цветочный магазин «Незабудка»?

Рон:

— Потому что знал: если они будут покупать цветы здесь, в Аде, миссис Стиллуэлл ведь из Стоунвола, штат Оклахома, если они будут покупать цветы здесь, в Аде, они могут их купить в «Незабудке».

Марк:

— А в ритуальный дом зачем вы писали?

Рон:

— Ритуальный дом — это... Ритуальный дом Крисуэлла — это ритуальный дом, я прочел в заметке... Билл Лукер сказал, что именно они организуют похороны покойницы.

Марк:

— И вам было важно, чтобы они знали, что Рики...

Рон:

— Да, он очень опасный человек, и я просил, чтобы они помогли его арестовать.

Марк:

— Потому что они организовывали похороны мисс Картер?

Рон:

— Да, правильно.

Марк:

— Зачем вы писали администратору команды «Флорида Марлинз»?

Рон:

— Я писал тренеру третьей базы «Оклендз Атлетикс», который потом стал, да, администратором «Флорида Марлинз».

Марк:

— Вы просили его распространять эту информацию?

Рон:

— Нет, я рассказал ему всю эту историю про бутылку кетчупа «Дель Монте», про которую Симмонс сказал... что Деннис Смит держал в руках бутылку кетчупа «Дель Монте», когда давал показания... и Рики Джо Симмонс сказал, что он изнасиловал покойную бутылкой кетчупа... я написал Рини и сказал ей, что это ужасно и что я за все свои сорок четыре года ничего подобного не слыхал.

Марк:

— Но вы знали, что администратор «Флорида Марлинз» рассказал об этом другим людям, не так ли?

Рон:

— Может быть. Потому что Рини Лэчмен мой добрый друг.

Марк:

— Что заставляет вас так думать?

Рон:

— Потому что я, бывало, слушал вечерами «Футбол по понедельникам» и «Первенство по бейсболу», и смотрел кое-какие репортажи по телевизору и в печати, и знал, что про бутылку кетчупа всем известно.

Марк:

— Понятно. Значит, вы слышали, как по радио говорили, что...

Рон:

— Да, да, конечно.

Марк:

— В «Футболе по понедельникам»?

Рон:

— Да, да, точно.

Марк:

— И в «Первенстве по бейсболу»?

Рон:

— Это замечательная команда, в которую мне, к сожалению, не посчастливилось попасть, но тем не менее мне необходимо, чтобы Симмонс признался в том, что он сделал, ну, что он изнасиловал с применением предметов, изнасиловал в извращенной форме и убил Дебру Сью Картер у нее дома, на Восьмой восточной улице, восьмого декабря восемьдесят второго года.

Марк:

— И вы слышали имя Дебры Картер во время передачи?

Рон:

— Да, слышал.

Марк:

— Это было и в «Футболе по понедельникам»?

Рон:

— Я постоянно слышу имя Дебры Сью Картер.

Марк:

— Но ведь у вас в камере нет телевизора, не так ли?

Рон:

— Я слышу, как у других работает телевизор. Там, в Вините, слышал. А в камере смертника у меня был свой телевизор. Я все время слышу, что мое имя связывают с этим чудовищным преступлением, и я делаю все, что только могу, чтобы очистить свое имя от этого зловонного кошмара.

Марк сделал паузу, чтобы все могли перевести дыхание. Некоторые зрители обменялись взглядами. Другие хмурились, стараясь ни с кем не встречаться глазами. Судья Ландрит что-то писал в своем блокноте. Адвокаты тоже строчили, хотя в тот момент казалось трудным осмысленно складывать слова.

Адвокату всегда чрезвычайно сложно допрашивать собственного недееспособного клиента в качестве свидетеля, потому что никто, включая самого свидетеля, не знает, какие ответы могут у него вырваться. Марк решил просто дать Рону возможность говорить.

Семью Картеров сопровождала Кристи Шепард, племянница Дебби, которая выросла неподалеку от дома Уильямсонов. Она была дипломированным врачом и несколько лет проработала с пациентами, страдающими тяжелыми психическими недугами.

Послушав Рона всего несколько минут, она совершенно точно поняла, что он болен. Позднее в тот день она сказала своей матери и Пегги Стиллуэлл, что Рон Уильямсон — психически тяжелобольной человек.

Доктор Кертис Грунди, главный свидетель Билла Питерсона, тоже наблюдал за Роном, только «с другой стороны».

Допрос продолжался, хотя вопросов и не требовалось. Рон либо игнорировал их, либо отделывался короткими ответами, чтобы поскорее вернуться к Рики Джо Симмонсу и распространяться на эту тему до тех пор, пока его не перебьют следующим вопросом. Через десять минут Марк Барретт решил: довольно.

После Рона вызвали Аннет, и она засвидетельствовала, что ее брат не способен ни на чем мысленно сосредоточиться и одержим Рики Джо Симмонсом.

Джанет Чесли подробно рассказала о тех усилиях, которые пришлось приложить, чтобы Рона перевели в СМБ в Макалестере, и подтвердила, что он без конца говорит только о Рики Джо Симмонсе, в силу чего не способен конструктивно общаться с адвокатом. По ее мнению, состояние Рона улучшается, и она выразила надежду, что в будущем он сможет участвовать в новом суде. Но это произойдет еще не скоро.

Ким Маркс в основном говорила о том же. Она не видела Рона несколько месяцев и порадовалась произошедшим в нем переменам. В ярких подробностях она описала пребывание Рона в блоке Н и призналась, что каждый день опасалась, как бы он не умер. Его умственная деятельность обнаруживала определенные признаки прогресса, однако он по-прежнему не мог сосредоточиться ни на одном предмете, кроме Рики Джо Симмонса. С ее точки зрения, пока он не подлежал суду.

Последней свидетельницей со стороны Рона была доктор Салли Черч. За всю долгую и многообразную историю его судимостей она, как ни трудно в это поверить, была первым официальным экспертом, призванным оценить его психическое состояние.

Он страдал биполярным расстройством и шизофренией — двумя заболеваниями, наиболее трудно поддающимися лечению, ибо пациент не всегда осознает эффект, оказываемый на него медикаментами. Рон часто прекращал принимать лекарства, что вообще характерно для страдающих именно этими болезнями. Доктор Черч описала симптомы, потенциальные раздражители и методы лечения биполярного расстройства и шизофрении.

Накануне, в окружной тюрьме, во время ее визита Рон спросил, слышит ли она звук работающего вдали телевизора. Она сказала, что не уверена. А вот Рон слышал, и в телешоу говорили о Дебби Картер и бутылке кетчупа. А было все так: он написал Рини Лэчмену, бывшему игроку и тренеру «Оклендз эйз», и рассказал ему про Рики Симмонса, Дебру Картер и бутылку кетчупа. Рон считал, что Рини Лэчмен в разговоре упомянул о его письме нескольким спортивным обозревателям, которые стали говорить об этом в эфире. История разошлась по свету — «Футбол по понедельникам», «Первенство по бейсболу» и так далее, — и вот теперь о ней говорят по телевизору.

— Разве вы не слышите? — прокричал ей Рон. — Они же вопят: «Кетчуп! Кетчуп! Кетчуп!»

Свое выступление в качестве свидетеля доктор Черч закончила экспертным выводом: Рон Уильямсон не способен конструктивно сотрудничать с адвокатом и, следовательно, подготовиться к процессу.

Во время обеденного перерыва доктор Грунди спросил Марка Барретта, можно ли ему поговорить с Роном наедине. Марк доверял доктору Грунди и возражений не имел. Психиатр и пациент-заключенный встретились в комнате для свидетелей.

Когда суд возобновил заседание после перерыва, Билл Питерсон встал и смущенно произнес:

— Ваша честь, мы с нашим свидетелем доктором Грунди во время перерыва побеседовали, и я полагаю, что штат Оклахома будет просить суд оговорить в качестве особого условия, что... в принципе дееспособность мистера Уильямсона восстановима, но в настоящий момент он недееспособен.

Понаблюдав за Роном в ходе заседания и побеседовав с ним минут пятнадцать во время перерыва, доктор Грунди совершил разворот на сто восемьдесят градусов и полностью изменил свое мнение. Рон, конечно же, не мог участвовать ни в каком суде.

Судья Ландрит вынес постановление о признании его недееспособным и назначил повторные слушания через месяц. Когда заседание явно близилось к концу, Рон вдруг спросил:

— Я могу задать вопрос?

— Да, сэр, — разрешил судья Ландрит.

Рон:

— Томми, я знал тебя и знал твоего отца, Пола, и я говорю тебе чистую правду: я не знаю, какое отношение к Рики Симмонсу имеют эти Дьюк Грэм и Джим Смит. Этого я не знаю. А что касается моей вменяемости, то пусть меня приведут сюда через тридцать дней, а ты арестуй Симмонса, поставь его на свидетельское место, покажи видеозапись и добейся от него признания в том, что он сделал на самом деле.

Судья Ландрит:

— Я понимаю, о чем вы говорите.

Если Томми это действительно понимал, то он был единственным человеком в зале, который мог этим похвастать.

Вопреки желанию Рона его вернули в Восточную клинику для дальнейшего наблюдения и лечения. Сам он предпочел бы остаться в Аде, чтобы не допустить проволочки с повторным процессом, и сердился на своих адвокатов за то, что они отослали его обратно в Виниту. Марк Барретт действительно прилагал отчаянные усилия, чтобы вырвать его из понтотокской тюрьмы прежде, чем на сцене появятся новые подсадные утки.

В Восточной больнице Рона осмотрел стоматолог, заметил опухоль у него на нёбе, сделал биопсию и обнаружил рак. Опухоль была капсулированная, поэтому ее легко удалили. Операция прошла успешно, и врач сказал Рону, что, останься она незамеченной — например, если бы он сидел в тюрьме в Аде или Макалестере, — опухоль дошла бы до мозга.

Рон позвонил Марку и поблагодарил его за то, что он настоял на его возвращении в клинику.

— Вы спасли мне жизнь, — сказал он. Они снова стали друзьями.

В 1995 году штат Оклахома принял решение брать анализ крови на ДНК у каждого заключенного и хранить результаты в новой общей базе данных.

Улики по делу Картер все еще находились в криминалистической лаборатории местного отделения ФБР в Оклахома-Сити. Кровь, отпечатки пальцев, сперма и волосы, собранные на месте преступления, наряду со множеством отпечатков и образцов крови, волос и слюны, взятых у свидетелей и подозреваемых, оставались в тамошних лабораторных шкафах и холодильниках.

То, что всем этим распоряжался штат, не устраивало Денниса Фрица. Он не доверял Биллу Питерсону, городской полиции и, разумеется, не доверял их сподвижникам в Оклахомском отделении ФБР. Черт возьми, ведь Гэри Роджерс был агентом именно этого отделения.

Фриц ждал. Весь 1998 год он переписывался с «Проектом “Невиновность”» и старался быть терпеливым. Десять лет заключения научили его сдержанности и упорству, слишком уж хорошо он испытал на себе жестокость разочарования от несбывшихся ложных надежд.

Письмо от Рона развлекло его. Читая написанное на семи страницах фирменных бланков Восточной больницы послание, Деннис давился от смеха. Его старый друг не утратил чувства юмора и боевитости. Рики Джо Симмонс, будь он проклят, все еще на свободе, но Рон решительно намеревался пригвоздить его.

Чтобы не сойти с ума, Деннис дни напролет проводил в юридической библиотеке, изучая всевозможные дела, и попутно сделал обнадеживающее открытие: его апелляция на habeas corpus рассматривалась в региональном суде Западного района Оклахомы, а округ Понтоток принадлежал к Восточному. Он обсудил этот казус с другими тюремными знатоками-юристами, и они пришли к единодушному мнению, что Деннис не подлежал юрисдикции Западного района. Он заново написал ходатайство, сопроводил его кратким синопсисом своего дела и подал апелляцию в нужный суд. Волокита обещала быть долгой, но оптимистическая перспектива придавала ему энергию и решимость отстаивать свою правоту.

В январе 1999 года он переговорил по телефону с Барри Скеком. Скек одновременно сражался на множестве фронтов — «Проект “Невиновность”» был завален жалобами на ошибочные приговоры. Деннис выразил недовольство по поводу того, что все улики находятся в руках штата, но Барри растолковал ему, что это общепринятая практика. «Расслабься, — сказал он, — с образцами ничего не случится». Он знал, как защитить их от фальсификации.

Интерес Скека к делу Денниса объяснялся просто: полиция не провела следствие в отношении человека, которого последним видели с жертвой. Это была непростительная ошибка — «красная тряпка», именно то, что требовалось Скеку, чтобы выиграть дело.

* * *

26 и 27 января 1999 года компания «Корпорация лабораторий Америки» («Лэбкорп»), располагающаяся в Северной Каролине неподалеку от Рейли, провела сравнительный анализ ДНК образцов спермы, найденных на месте преступления (на разорванных трусах, простынях, а также в вагинальных мазках), и ДНК Рона Уильямсона и Денниса Фрица. Эксперт Брайан Расколл из Калифорнии был приглашен адвокатами Рона и Денниса для наблюдения за ходом анализа.

Два дня спустя судья Ландрит сообщил новость, которую Марк Барретт и многие другие давно ждали с нетерпением. Данные анализов ДНК, проведенные в «Лэбкорп», подтвердили: Рон Уильямсон и Деннис Фриц не имеют отношения к преступлению.

Аннет постоянно поддерживала тесные контакты с Марком Барреттом и знала, что где-то проводится судьбоносный анализ. Она была дома, когда зазвонил телефон. Первыми словами Марка были слова «Аннет, Рон невиновен». У нее подкосились ноги, и она едва не лишилась чувств.

— Марк, вы уверены?

— Рон невиновен, — повторил Марк. — Мы только что получили официальное заключение из лаборатории.

Из-за сотрясавших ее рыданий Аннет не могла говорить и пообещала Марку перезвонить позднее. Опустившись в кресло, она долго плакала и молилась, снова и снова благодаря Господа за Его милосердие. Вера в Бога поддерживала ее все эти кошмарные годы, и вот Бог услышал ее молитвы. Она пробормотала несколько псалмов, еще немного поплакала, потом начала обзванивать родных и друзей. Реакция Рини была аналогичной.

На следующий день сестры проделали четырехчасовой путь на машине до Виниты. Там уже ждали свидания с Роном Марк Барретт и Сара Боннелл — предстояло небольшое торжество. Когда Рона привели в комнату для посетителей, мимо случайно проходил доктор Кертис Грунди, его тоже позвали, чтобы сообщить хорошую новость. Рон был его пациентом, и между ними установились добрые взаимоотношения. Проведя в Вините полтора года, Рон начал понемногу поправляться, состояние его стабилизировалось, и стали очевидны признаки медленного улучшения.

— У нас отличная новость, — сказал Марк, обращаясь к своему клиенту. — Из лаборатории пришел результат анализа ДНК, который подтвердил, что вы с Фрицем невиновны.

Рона мгновенно захлестнули эмоции, он бросился к сестрам. Они обнимались, плакали, а потом, не сговариваясь, запели церковный гимн, который знали с детства.

Марк Барретт немедленно составил ходатайство о снятии со своего клиента всех обвинений и его освобождении, которое судья Ландрит с радостью принял к рассмотрению. Билл Питерсон оспорил ходатайство и настоял на продолжении тестов на волосяном материале. Слушания были назначены на 3 февраля.

Билла Питерсона распирало. Заявив протест против ходатайства об освобождении, он не мог вести себя тихо. Еще до слушаний «Ада ивнинг ньюз» привела его слова: «Анализ ДНК волос, которого не существовало в 1982 году, докажет, что эти двое повинны в смерти Дебби Картер».

Его заявление достигло ушей Марка Барретта и Барри Скека. Если Питерсон позволяет себе столь самоуверенное высказывание даже на этой стадии, быть может, он знает нечто, чего не знают они? Не имел ли он доступа к волосам, найденным на месте преступления? Не могли ли волосы быть подменены?

3 февраля в главном зале суда не было свободных мест. Энн Келли, репортер «Ада ивнинг ньюз», проявляла огромный интерес к делу и подробно освещала его на всех этапах. Ее репортажи, помещавшиеся на первой полосе, читали все, поэтому, когда судья Ландрит уселся на свою судейскую скамью, он увидел, что аудитория до отказа набита полицейскими, судейскими служащими, родственниками и местными адвокатами.

На сей раз Барни тоже сидел в зале, ничего не видя, но слыша больше, чем кто бы то ни было из присутствующих. Он был толстокож и знал, как следует относиться к постановлению судьи Сэя от 1995 года. Он никогда не согласится с выводами, касающимися его работы, однако сделать ничего не может. Что же касается Рона Уильямсона, то Барни всегда считал, что его клиент попался в ловушку Питерсона и полицейских, и предвкушал удовольствие увидеть, как сфабрикованное ими дело показательно развалится у всех на виду.

Адвокаты дискутировали сорок пять минут, после чего судья Ландрит мудро решил: прежде чем он примет окончательное решение, исследование волос современными методами должно быть завершено. «Только поторопитесь», — предупредил он адвокатов.

Надо отдать должное Питерсону: он под протокол пообещал суду и присутствующим согласиться на снятие обвинений с Уильямсона и Фрица, если генетический анализ волос подтвердит их непричастность к преступлению.

10 февраля 1999 года Марк Барретт и Сара Боннелл отправились в Лексингтонский исправительный центр, чтобы встретиться с Гленом Гором и провести, как предполагалось, обычный допрос. Хотя повторный суд над Роном еще не был назначен, они потихоньку готовились к нему.

Гор удивил их, заявив, что ожидал их визита. Он читал газеты и был в курсе событий. Известно ему было и о решении судьи Сэя от 1995 года, и о том, что где-то в будущем маячит пересмотр дела Уильямсона. Они поговорили о подобной возможности, и разговор незаметно соскользнул на Билла Питерсона, человека, которого Гор ненавидел, потому что именно он упек его на сорок лет в тюрьму.

Барретт спросил, почему он дал показания против Уильямсона и Фрица, и добавил:

— Вы бы согласились пройти испытание на полиграфе по этому поводу?

Гор ответил, что с полиграфом у него проблем нет, и добавил, что и тогда был согласен на такое испытание, но полиция его так и не провела.

Адвокаты поинтересовались, согласится ли он сдать слюну на анализ ДНК. Он ответил, что в этом нет необходимости — в базе данных уже есть его код ДНК, поскольку по решению властей штата такому анализу подвергаются теперь все заключенные. В разговоре Марк Барретт упомянул, что Фриц и Уильямсон тоже прошли анализ ДНК. Гор уже знал об этом.

— Ваша ДНК могла быть на мисс Картер? — спросил Барретт.

Возможно, признался Гор, потому что он танцевал с ней пять раз в тот вечер. Танцы не в счет, сказал Марк и принялся объяснять ему, каким образом можно оставить свою ДНК на чужом теле: кровь, слюна, волосы, пот, сперма.

— Полиция располагает спермой с места преступления, — сообщил он.

Выражение лица Гора резко изменилось, эта информация его явно встревожила. Он попросил прерваться и отправился за своим адвокатом. Через некоторое время он вернулся в сопровождении тюремного адвоката Рубена. Пока Гор отсутствовал, Сара попросила охранника принести спицу с ваткой.

— Глен, дадите образец слюны на анализ? — спросила она, держа наготове спицу. Гор схватил ее, разломал пополам, прочистил оба уха и сунул половинки спицы в карман рубашки.

— У вас было сношение с мисс Картер? — спросил Марк.

Гор не ответил.

— Вы хотите сказать, что никогда не вступали с ней в половую связь? — снова спросил Марк.

— Этого я не говорил.

— Если так, то сперма может нести ваш код ДНК.

— Я этого не делал, — сказал Гор. — Ничем не могу вам помочь.

Он и Рубен встали, свидание было окончено. Когда они уже подходили к двери, Марк спросил Гора, согласен ли он встретиться еще раз. Конечно, ответил Гор, но будет лучше, если встреча состоится у него на работе.

На работе?! Марк считал, что Гор отбывает сорокалетний срок заключения.

Гор объяснил, что в дневное время он трудится в Пурселле, родном городе Сары Боннелл, в Департаменте общественных работ. Пусть они ловят его там — будет больше времени для разговора.

Марк и Сара согласились, хотя оба были потрясены тем, что Гор, как оказалось, работает за пределами тюрьмы.

В тот же день Марк позвонил Лоре Лонг, отвечавшей тогда за анализы ДНК в Оклахомском отделении ФБР, и попросил ее извлечь из базы данных код ДНК Глена Гора и сравнить его с образцами спермы, взятыми с места преступления. Она пообещала.

Деннис Фриц сидел, запертый в своей камере, в ожидании переклички, проводившейся ежедневно в 16.15, когда из коридора через железную дверь до него донесся знакомый голос тюремного адвоката:

— Эй, Фриц, ты свободен! — И что-то еще насчет ДНК.

Деннис не мог выйти из камеры, и адвокат исчез. Сокамерник Денниса тоже все слышал, и остаток вечера они провели в догадках: что это могло означать?

Звонить в Нью-Йорк было поздно. Деннис всю ночь не сомкнул глаз, безуспешно пытаясь унять волнение. Когда рано утром ему удалось связаться с «Проектом “Невиновность”», новость подтвердилась. Результат анализа показал: коды ДНК Денниса и Рона не имеют никакого отношения к коду ДНК спермы, найденной на месте преступления.

Деннис впал в эйфорию. Спустя почти 12 лет после его ареста правда все же наконец восторжествовала. Доказательство было железным и неоспоримым. Деннис будет признан невиновным и отпущен на свободу. Он позвонил матери, та страшно разволновалась от радости. Он позвонил дочери, Элизабет, которой теперь было уже двадцать пять лет, и они вместе возликовали. Отец и дочь не виделись все эти двенадцать лет и поговорили о том, каким счастьем будет встретиться снова.

Чтобы гарантировать сохранность волос с места преступления, а также образцов, предоставленных Фрицем и Уильямсоном, Марк Барретт устроил так, что независимый эксперт осмотрел их и сфотографировал под микроскопом в инфракрасных лучах.

Не прошло и трех недель после предыдущих слушаний, как «Лэбкорп» завершила первый этап исследования и прислала весьма невразумительное заключение. Марк Барретт и Сара Боннелл поехали в Аду на встречу с судьей. Том Ландрит желал поскорее получить ответы, которые мог дать только анализ ДНК.

Из-за чрезвычайной сложности этого анализа к работе были привлечены разные лаборатории, которые исследовали разные образцы. Это было необходимо еще и из-за взаимного недоверия между обвинением и защитой. В общей сложности к исследованию было привлечено пять лабораторий.

Адвокаты предварительно обсудили этот вопрос с судьей, и тот снова напомнил им, что анализ должен быть сделан как можно скорее.

После слушаний Марк и Сара спустились на нижний этаж зала суда, в офис Билла Питерсона. В ходе переписки, а также слушаний он становился все более враждебен. Они надеялись, что дружеский визит поможет немного смягчить ситуацию.

Вместо этого они услышали гневную тираду. Питерсон был попрежнему уверен, что Рон Уильямсон изнасиловал и убил Дебби Картер, и был намерен стоять на своем до конца. «Забудьте про

ДНК. Забудьте про экспертов из Оклахомского отделения ФБР. Уильямсон — плохой парень, который насиловал женщин в Талсе, вечно ошивался в барах, слонялся по улицам с гитарой и жил рядом с Дебби Картер». Питерсон беззаветно верил, что Гэри Аллен, сосед Дебби Картер, действительно видел во дворе в ночь убийства Рона Уильямсона и Денниса Фрица, которые, хохоча и ругаясь, смывали с себя кровь водой из садового шланга. Они должны быть виновны! Питерсон продолжал вещать без остановки, стараясь убедить скорее себя самого, чем Марка и Сару. Те были совершенно ошеломлены: этот человек оказался начисто лишен способности признать собственную ошибку и ухватить суть реально сложившейся ситуации.

Март тянулся для Денниса как год. Эйфория прошла, и отныне ему с каждым днем становилось все тяжелее и тяжелее оставаться в тюрьме. Он был одержим мыслью о том, что Питерсон или кто-нибудь в Оклахомском отделении ФБР мог подменить образцы волос. Отложив в сторону результат анализа спермы, штат отчаянно постарается спасти дело с помощью единственной оставшейся у него улики. Если код ДНК волос докажет невиновность его и Рона и они будут освобождены, ложность обвинения станет очевидной. На карту была поставлена репутация следствия и прокуратуры.

У Денниса не было возможности контролировать ситуацию, и он находился в состоянии постоянного стресса. У него случился сердечный приступ, он обратился к тюремному врачу с жалобой на тахикардию. Таблетки, которые ему прописали, почти не помогли.

Дни тянулись бесконечно долго. Так настал апрель.

У Рона острая эйфория тоже начала угасать и вылилась в очередную тяжелую депрессию и состояние тревоги. У него появились суицидальные наклонности. Он часто звонил Марку Барретту, адвокат старался его подбодрить. Марк позаботился о том, чтобы ни один его звонок не оставался без ответа; если его самого не было в офисе, он поручал поговорить с его клиентом кому-нибудь из коллег.

Рона, как и Денниса, пугала вероятность фальсификации результатов властями. Оба томились в тюрьме как раз по вине экспертов штата, тех самых людей, которые и теперь безраздельно владели уликами. Нетрудно было представить себе сценарий, согласно которому волосы могли быть подменены, чтобы допущенная несправедливость не вышла наружу. Рон ни от кого не скрывал, что, как только окажется на свободе, подаст в суд на всех повинных в судебной ошибке. Те, кто занимал высокие должности, несомненно, нервничали.

Рон звонил столько, сколько было разрешено, — обычно раз в день. В своем параноидальном состоянии он предлагал самые разные планы действия, один кошмарнее другого.

Однажды Марк Барретт сделал то, чего никогда себе не позволял и, вероятно, никогда больше не позволил бы. Он заверил Рона, что вытащит его из тюрьмы. Если надежда на анализ провалится, они выйдут на повторный суд, и Марк гарантирует ему оправдательный приговор.

Утешительное обещание опытного юриста возымело действие — Рон на несколько дней успокоился.

«Образцы волос не соответствуют друг другу» — гласил заголовок в воскресном выпуске «Ада ивнинг ньюз» 11 апреля. Энн Келли сообщала, что «Лэбкорп» проверила четырнадцать из семнадцати волос, взятых на месте преступления, и «они ни в малейшей степени не соответствуют коду ДНК Фрица и Уильямсона». По этому поводу Билл Питерсон заявил:

> «В настоящий момент мы не знаем, кому принадлежат эти волосы. Мы не сравнивали их ни с чьими, кроме волос Фрица и Уильямсона. Когда мы затевали всю эту проверку на ДНК, у меня не было никаких сомнений, что эти два человека виновны. Я хотел, чтобы они (физические улики) были проверены, с единственной целью: доказать вину этих парней. Когда мы получили результаты исследования спермы, я был так удивлен, что у меня просто отвалилась челюсть».

Окончательное заключение должно было прийти из лаборатории в следующую среду, 14 апреля. Судья Ландрит назначил слушания на 15-е, и ходили слухи, что осужденных могут освободить прямо в ходе судебного заседания. Обоим, и Фрицу, и Уильямсону, предстояло пятнадцатого числа появиться в зале.

Барри Скек приехал в Аду! Слава Скека росла не по дням, а по часам по мере того, как «Проект “Невиновность”» на основании данных анализа ДНК добивался отмены одного приговора за другим, и когда распространилась молва, что он прибудет в Аду, чтобы еще раз повторить успех, в средствах массовой информации начался настоящий ажиотаж. Общегосударственные и оклахомские новостные программы одолевали звонками Марка Барретта, судью Ландрита, Билла Питерсона, «Проект “Невиновность”», семейство Картеров — то есть всех главных «игроков». Накал страстей быстро нарастал.

Неужели Рон Уильямсон и Деннис Фриц действительно уже в четверг будут ходить по городу как свободные люди?

Деннис Фриц не слышал о результатах волосяных тестов. Во вторник, 13 апреля, когда он сидел в своей камере, неожиданно появился охранник и рявкнул:

— Пакуй свое дерьмо! Ты уезжаешь.

Деннис знал, что его должны отправить в Аду, и надеялся, что это будет сделано, чтобы освободить его. Он быстро собрал вещи, попрощался кое с кем из приятелей и заспешил на выход. Оказалось, что в Аду его повезет не кто иной, как Джон Кристиан — знакомое лицо из понтотокской окружной тюрьмы.

Двенадцать лет в застенке научили Денниса дорожить возможностью уединения и ценить такие маленькие радости, как открытое пространство, лес, цветы. Весна была в разгаре, и по пути в Аду Деннис улыбался, глядя в окно на гряды холмов и разбросанные тут и там фермы.

В голове у него беспорядочно мелькали мысли. Он не знал результатов последних исследований и не был уверен, зачем именно его везут в Аду. Был шанс, что его освободят, но существовала и возможность того, что в последнюю минуту возникнет препятствие, которое круто повернет дело в другое русло. Ведь двенадцать лет назад его уже чуть было не освободили во время предварительных слушаний, когда судья Миллер счел доказательства недостаточными. И тогда полицейские с Питерсоном откопали Джеймса Харио, суд был назначен, и Деннис угодил в тюрьму.

Он думал об Элизабет, о том, как замечательно было бы увидеть и обнять ее. Ему не терпелось как можно скорее убраться из Оклахомы.

Потом его снова одолевал страх: свобода была близка, тем не менее с него не сняли наручники и везут в тюрьму.

Энн Келли с фотографом уже поджидали его. Перед входом в тюрьму Деннис улыбнулся и охотно поговорил с репортерами.

— Это дело никогда не могло быть доказано, — сказал он. — Доказательства против меня были совершенно недостаточными, и если бы полиция провела должное расследование в отношении всех подозреваемых, такого бы никогда не случилось. — Далее он коснулся пороков системы защиты: — Если у вас нет денег, чтобы организовать себе достойную защиту, вы оказываетесь отданным на милость судебной системы. А попав в ее власть, почти невозможно вырваться, даже если вы невиновны.

Ночь он провел в своем старом узилище, мечтая о свободе.

Тишина тюрьмы была нарушена следующим утром, 14 апреля, когда Рона Уильямсона привезли из Виниты. В полосатой тюремной одежде, он ухмылялся в объективы камер. Прошел слух, что их освободят на следующий день, и это привлекло внимание общенациональной прессы.

Фриц и Уильямсон не виделись одиннадцать лет. Они лишь раз за все эти годы обменялись письмами, но теперь, встретившись вновь, обнимались, смеялись и пытались осознать реальность того, где они находятся и что происходит. Прибыли адвокаты и около часа проговорили со своими клиентами. Программа Эн-би-си «Дейтлайн» фиксировала на пленку буквально все. Джим Дуайер из «Нью-Йорк дейли ньюс» приехал вместе с Барри Скеком.

Все набились в маленькую комнату для допросов в восточном крыле тюрьмы, выходящем окнами на здание суда. В какой-то момент Рон растянулся на полу, глядя через стеклянную дверь, и подпер подбородок ладонью. Кто-то спросил:

— Эй, Рон, что это вы делаете?

— Жду Питерсона, — ответил тот.

Лужайка перед зданием суда кишела операторами и репортерами. Одному из них удалось залучить Питерсона для интервью. Когда Рон увидел обвинителя перед зданием суда, он закричал в дверь:

— Ты, жирный мерзавец! Мы победили тебя, Питерсон!

Мать и дочь произвели на Денниса ошеломляющее впечатление. Хотя они с Элизабет регулярно переписывались и она посылала ему множество фотографий, он не был готов увидеть то, что увидел. Дочь была красивой, элегантной, зрелой женщиной двадцати пяти лет, и Деннис расплакался, обнимая ее.

В тот день в тюрьме вообще было много слез.

* * *

Рона и Денниса посадили в разные камеры, видимо, чтобы они снова не принялись убивать.

Шериф Глейз пояснил:

— Я буду держать их врозь. Просто я не имею права держать в одной камере двух осужденных убийц. А пока судья не сказал, что это не так, они ими являются.

Камеры, однако, располагались рядом, так что они имели возможность переговариваться. У сокамерника Денниса имелся маленький телевизор, и из программы новостей он достоверно узнал, что их освободят на следующий день. Деннис немедленно сообщил об этом Рону.

Никого не удивило, что Терри Холланд снова была в тюрьме, где отбывала очередной срок в своей блистательной карьере мелкой мошенницы. Они с Роном обменялись несколькими словами, не сказав друг другу ничего особо неприятного. Когда ночь подходила к концу, Рон снова принялся за свое. Он начал вопить о свободе, о неправом суде, ругался, оскорблял женщин-заключенных и громко разговаривал с Богом.

ГЛАВА ПЯТНАДЦАТАЯ

Оправдание Рона Уильямсона и Денниса Фрица привлекло к Аде внимание всей страны. 15 апреля на рассвете здание суда было окружено тонвагенами новостных программ, передвижными спутниковыми антеннами, фотографами, операторами и репортерами. Толпа горожан заполонила лужайку, заинтригованная столь редким сборищем и жаждущая увидеть, что будет дальше. Так много народу всеми правдами и неправдами стремилось попасть в зал, что судья Ландрит был вынужден сымпровизировать нечто вроде системы лотереи для журналистов, а один кабель для теле- и радиофургонов был протянут наружу прямо через окно его кабинета.

Лес камер застыл в ожидании перед зданием тюрьмы, и когда появились Фриц и Уильямсон, их тут же окружили репортеры. Рон был в пиджаке, при галстуке и в модных брюках, которые Аннет срочно купила для него, на нем были новые туфли, которые, судя по всему, оказались маловаты и жали. Мать Денниса тоже купила ему костюм, но он предпочел повседневную одежду, которую ему разрешали носить в последний год пребывания в тюрьме. Они быстро проделали свой последний путь в наручниках, улыбаясь и обмениваясь шутками с журналистами.

Аннет и Рини приехали заранее и заняли свои обычные места в первом ряду позади скамьи подсудимых. Они держались за руки, молились и плакали, а раза два даже рассмеялись. Торжествовать было еще рано. Их окружали дети, другие родственники и несколько друзей. Ванда и Элизабет Фриц сели поблизости, тоже держась за руки и что-то взволнованно шепча. Зал был заполнен до отказа. Семейство Картеров разместилось по другую сторону прохода, им предстояло еще раз пережить эту муку: штат опять будет стараться раскрыть преступление и свершить правосудие. Семнадцать лет минуло со дня убийства Дебби, и первые двое осужденных за ее убийство вот-вот выйдут на свободу.

Вскоре уже все места были заняты, и зрители начали выстраиваться вдоль стен. Судья Ландрит разрешил снимать в зале и велел расположить фотографов и репортеров в ложе жюри, куда принесли и поставили впритык друг к другу складные стулья. Полицейские и охранники были повсюду, обеспечивая строжайшие меры безопасности. Незадолго до этого поступил анонимный звонок с угрозами в адрес Рона и Денниса. В тесноте зала напряжение ощущалось особенно остро.

Среди множества находившихся здесь полицейских, однако, не было видно Денниса Смита и Гэри Роджерса.

Потянулись адвокаты: Марк, Сара и Барри Скек заняли места на скамье защиты, Билл Питерсон, Нэнси Шу и Крис Росс — на скамье обвинения. Все улыбались и обменивались рукопожатиями. Штат «присоединялся» к ходатайству о снятии обвинений и освобождении двух ранее осужденных. Это было общей попыткой исправить ошибку, редкий случай, когда юридическое сообщество объединилось в решающий час, чтобы должным образом осудить несправедливость. Одна большая счастливая семья. Все будут радоваться и гордиться системой, которая так прекрасно работает.

Ввели Рона и Денниса. С них в последний раз сняли наручники. Они сели позади своих адвокатов, в нескольких футах от родственников. Рон уставился прямо перед собой и мало что видел. А Деннис оглядел толпу и заметил угрюмые, мрачные лица. Похоже, большинство собравшихся перспектива их освобождения отнюдь не радовала.

Судья Ландрит занял судейское место, поприветствовал собравшихся и сразу же перешел к делу. Он предложил Питерсону вызвать своего первого свидетеля. Мэри Лонг, глава подразделения Оклахомского отделения ФБР, занимающегося анализами ДНК, начала с подробного объяснения процесса исследования. Она говорила о разных лабораториях, принимавших участие в анализе волос и спермы с места преступления и образцов, взятых у подозреваемых.

Рон и Деннис начали покрываться испариной. Они думали, что слушания займут всего несколько минут — ровно столько, сколько потребуется судье Ландриту, чтобы объявить о снятии обвинений и освобождении. Но по мере того как минуты тянулись и тянулись, они начали нервничать. Рон принялся ерзать и ворчать: «Что происходит?» Сара Боннелл время от времени передавала ему записки, в которых уверяла, что все идет хорошо.

У Денниса начали сдавать нервы. Куда ведут эти показания? И не ждут ли их с Роном новые сюрпризы? Каждое прежнее их появление в зале суда оборачивалось кошмаром, и нынешнее присутствие вызывало пугающие воспоминания о свидетелях-лжецах, о присяжных с каменными лицами, о Питерсоне, требующем для них смертной казни. Деннис совершил ошибку, снова окинув взглядом зал и не найдя ни одного сочувствующего лица.

Мэри Лонг тем временем обратилась к важному материалу. Семнадцать волосков, собранных на месте преступления — тринадцать лобковых и четыре головных, — были тщательно исследованы. Десять найдены на кровати или в постельном белье. Два — на разорванных трусах, три — на тряпке, служившей кляпом, и два находились под телом жертвы.

Только четыре из семнадцати обнаружили совпадения с известными кодами ДНК. Два из них принадлежат Дебби и ни один — ни Рону, ни Деннису. Ноль.

Далее Лонг говорила об образцах спермы, взятых с постельного белья, порванных трусов и тела жертвы и исследованных ранее. Результат исследования исключал Рона и Денниса из числа подозреваемых. После этого свидетельница Лонг была отпущена.

В 1988 году Мелвин Хетт показал на суде, что из семнадцати волосков тринадцать «под микроскопом структурно соответствовали» волосам Денниса, а четыре — волосам Рона. Было якобы даже полное «совпадение». В то же время в окончательном заключении Хетта, представленном уже после того, как начался суд над Деннисом, Глен Гор вообще не фигурировал. Эта экспертиза была единственной прямой «достоверной» уликой, которую штат представил против Рона и Денниса, и послужила главным основанием для их осуждения.

Данные анализа ДНК свидетельствовали о том, что один из волосков, найденных в постельном белье, был оставлен Гленом Гором. Была также исследована ДНК спермы, обнаруженной в вагинальном мазке, взятом у жертвы в процессе вскрытия. Результат также указал на Глена Гора.

Судья Ландрит знал это, однако не разглашал информацию вплоть до начала слушаний. Теперь, с его разрешения, Билл Питерсон сообщил ее потрясенной аудитории.

— Ваша честь, — сказал Питерсон, — сегодня трудный день для всей системы уголовного правосудия. Убийство произошло в восемьдесят втором году, суд состоялся в восемьдесят восьмом. В то время мы располагали доказательствами, которые на тот момент казались нам неоспоримыми, они были представлены присяжным, и на их основании Деннис Фриц и Рон Уильямсон были осуждены.

Не вдаваясь в воспоминания, какие именно «неоспоримые» доказательства были представлены суду одиннадцатью годами раньше, он пустился в рассуждения о том, что теперешний анализ ДНК противоречит большей части того, во что он тогда верил. Поэтому на основании новых данных он больше не может поддерживать обвинение и просит суд удовлетворить ходатайство о прекращении дела и освобождении заключенных. Питерсон сел на место.

На протяжении всей своей речи он не произнес ни одного примирительного слова, не выразил ни малейшего сожаления по поводу допущенной им чудовищной ошибки, даже не извинился.

Впрочем, Рон и Деннис и не ожидали от него извинений. Двенадцать лет жизни были украдены у них из-за человеческой ошибки и самонадеянности, обернувшихся злодеянием. А ведь несправедливости, от которой они так чудовищно пострадали, можно было легко избежать, и уж по крайней мере принести извинения штат был обязан.

Но никаких извинений они никогда так и не дождались, и это оставило глубокие незаживающие раны в их душах.

Судья Ландрит немного порассуждал о несправедливости всего случившегося, а потом попросил Рона и Денниса встать и объявил, что все обвинения с них снимаются. Отныне они свободные люди и могут прямо сейчас покинуть зал суда. Небольшая часть присутствовавших зааплодировала, раздались радостные возгласы, однако большинство зрителей не было расположено торжествовать. Аннет и Рини обнялись со своими детьми и родственниками, все они плакали.

Рон вскочил, пронесся мимо ложи присяжных, выбежал через боковую дверь, скатился вниз по лестнице и, выскочив на крыльцо, вздохнул полной грудью. Потом закурил свою первую сигарету на свободе и победно помахал рукой в объектив ближайшей камеры. Этот снимок был напечатан в десятках газет.

Несколько минут спустя он вернулся в зал. Они с Деннисом, их родственники и друзья обнимались, позировали перед объективами кино- и фотоаппаратов и отвечали на вопросы толпы собравшихся репортеров. Марк Барретт заранее позвонил Грегу Уилхойту и попросил его прилететь в Оклахому, чтобы присутствовать при этом великом событии. Увидев друг друга, Рон и Грег обнялись, как братья, коими они, в сущности, и были.

— Что вы чувствуете, мистер Уильямсон? — спросил Рона кто-то из журналистов.

— В каком смысле? — быстро отреагировал Рон. — Я чувствую, что у меня сейчас отвалятся ноги — эти туфли мне чертовски малы.

Вопросы продолжались не менее часа, несмотря на то что позднее предполагалась пресс-конференция.

Пегги Стиллуэлл помогли выйти из зала дочери и сестры. Она была потрясена и шокирована: никто не предупредил их заранее о том, что подозрения переместились на Глена Гора. Они снова возвращались на место преступления, им предстояло тягостное ожидание нового суда. Правосудие ничуть не приблизилось. И они пребывали в полном недоумении. Большая часть родственников Дебби Картер по-прежнему верила в виновность Фрица и Уильямсона, но как вписать в эту картину Глена Гора?

Рон и Деннис начали наконец потихоньку продвигаться к выходу, при этом каждый их шаг фиксировался на пленку. Толпа медленно стекала по лестнице и выплескивалась наружу. На крыльце они, теперь свободные люди, задержались на минуту, чтобы глотнуть свежего воздуха и подставить лица солнцу.

Они были оправданы, отпущены, свободны, тем не менее никто не принес им извинений, ничего толком не объяснил, не говоря уж о том, что им не предложили ни гроша компенсации, никакой помощи вообще.

Наступило время обеда. Любимым рестораном Рона был «Барбекю у Боба», в северной части города. Аннет загодя позвонила и заказала там несколько столиков, что оказалось нелишним, поскольку их сопровождение разрасталось с каждой минутой.

Хотя у Рона осталось лишь несколько зубов и ему было неловко с трудом жевать перед множеством направленных на него объективов, он с удовольствием умял полную тарелку свиных ребрышек и попросил добавки. Не будучи любителем смаковать пищу, он смаковал момент триумфа. Он был со всеми вежлив, благодарил незнакомых людей, которые подходили, чтобы поздравить его, обнимался с теми, кто желал его обнять, разговаривал со всеми репортерами, которые жаждали услышать его историю.

Улыбка не сходила с лиц Рона и Денниса, даже когда они жевали.

Накануне Джим Дуайер, репортер «Нью-Йорк дейли ньюз», и Александра Пелози из программы «Дейтлайн» канала Эн-би-си отправились в Пурселл, чтобы задать несколько вопросов Глену Гору. Гор знал, что обстановка в Аде стремительно накаляется и он становится главным подозреваемым. А тюремный персонал, как ни странно, этого не знал.

Гор услышал, что его ищут какие-то приезжие, и решил, что это адвокаты или стражи порядка — люди, встречи с которыми ему хотелось бы избежать. Около полудня он потихоньку улизнул с того места, где чистил канавы, и скрылся. Углубившись в лес и пройдя несколько миль, он очутился на шоссе и двинулся на попутках в направлении Ады.

Когда Рон и Деннис узнали, что Гор сбежал, они покатились со смеху. Значит, он действительно виновен.

По окончании долгого обеда Фрицы и Уильямсоны со своей «группой поддержки» направились в Уинтерсмит-парк, где была назначена пресс-конференция. Рон и Деннис вместе со своими адвокатами уселись за длинный стол и оказались перед объективами множества камер. Скек говорил о «Проекте “Невиновность”» и той работе, которая проводится им по освобождению невинно осужденных. Марка Барретта спросили, как вообще могла произойти подобная несправедливость, и он подробно изложил историю следствия и суда, которые изначально пошли по ложному пути, — пятилетняя проволочка, нерасторопная и сомнительная работа полиции, использование подсадных уток и ненадежных «научных» методов... Большинство вопросов было обращено к новоиспеченным реабилитированным. Деннис сообщил, что прежде всего собирается покинуть Оклахому, вернуться в Канзас-Сити и проводить как можно больше времени с Элизабет, а уж потом станет думать о будущем. У Рона не было даже ближайших планов, кроме намерения уехать из Ады.

В пресс-конференции участвовали также Грег Уилхойт и Тим Дюрэм, еще два недавно оправданных бывших заключенных, из Талсы. Тим провел в тюрьме четыре года за изнасилование, которого не совершал, прежде чем «Проект “Невиновность”» благодаря данным анализа ДНК добился его освобождения.

В федеральном суде Мускоги Джим Пейн, Вики Хилдебранд и Джейл Сьюард с трудом сдерживали радость, испытывая глубокое удовлетворение. Здесь не было никаких торжеств — со времени их участия в деле Уильямсона прошло уже четыре года, и они давно были по горло загружены другой работой, — тем не менее и они сделали небольшую паузу, чтобы отметить момент возобладавшей справедливости. Задолго до того, как анализ ДНК помог сорвать покров с этой тайны, они традиционным старым способом — включив лишь мозги и не пожалев времени и усилий — распознали истину и спасли жизнь невинному человеку.

Судья Сэй тоже не предавался самолюбованию. Ему приятно было сознавать свою правоту, однако он был слишком занят массой новых дел. Он просто добросовестно выполнил свою работу, вот и все. Все остальные судьи, решавшие судьбу Рона Уильямсона, оскандалились, но Фрэнк Сэй слишком хорошо знал систему и все ее изъяны. Истину бывает трудно найти, однако он был готов и знал, где ее искать.

Марк Барретт попросил Аннет найти место для пресс-конференции и, возможно, для небольшого приема по случаю возвращения домой Рона и Денниса. Она знала такое место — зал собраний в ее церкви, той самой, в которой вырос Рон, в которой она сама играла на фортепьяно и органе последние сорок лет.

Накануне она позвонила пастору, чтобы испросить у него разрешения и обговорить детали. Священник колебался, говорил невнятно, потом вдруг сказал, что должен посоветоваться со старейшинами. Аннет почуяла беду и поспешила в церковь. Когда она приехала, пастор сообщил, что обзвонил старейшин и они вместе пришли к единодушному выводу: церковь не должна устраивать у себя подобных мероприятий. Потрясенная Аннет спросила — почему?

— Не исключены акты насилия, — пояснил он. — Уже ходят слухи об угрозах в адрес Рона и Денниса, ситуация может выйти из-под контроля. Город гудит по поводу их освобождения, причем большинство горожан его не приветствует. В окружении Картеров есть несколько весьма отчаянных ребят, так что... ну, словом, ничего не получится.

— Но церковь молилась за Ронни все эти двенадцать лет, — напомнила Аннет.

— Да, конечно, и мы будем продолжать это делать — ответил священник. — Но множество людей по-прежнему думают, что они виновны. Все это спорно. Церковь может оказаться запачканной. Так что — нет.

Возмущенная Аннет выбежала из его кабинета. Он догнал ее и попытался успокоить. Тщетно.

Аннет позвонила Рини. Через несколько минут Гэри Симмонс, находившийся в трех часах езды от их дома, уже ехал в Аду. Гэри направился прямо в церковь и попробовал убедить пастора, но тот был непреклонен. Они спорили долго, но добиться ничего так и не удалось. Церковь стояла на своем: слишком рискованно.

— Рон придет сюда в воскресенье утром, — сказал Гэри. — Вы примете его?

— Нет, — твердо ответил пастор.

Празднование состоялось в доме Аннет, где был накрыт обеденный стол. Друзья приходили, уходили, одни сменяли других. После того как обед закончился, все собрались на застекленной террасе, где начались евангельские песнопения. Барри Скек, иудей из Нью-Йорка, впервые слышавший эти гимны, радостно пытался подпевать. Марк Барретт тоже присутствовал; для него это был знаменательный день, он гордился и не хотел уезжать. Сара Боннелл, Джанет Чесли и Ким Маркс пели вместе со всеми, так же как Грег Уилхойт и его сестра Нэнси. Деннис Фриц, его дочь Элизабет и мать Ванда сидели рядышком и участвовали во всеобщей радости.

— Тем вечером, — рассказывала впоследствии Рини, — все собрались отпраздновать событие в доме Аннет. Стол был обильным, все пели, смеялись. Аннет играла на пианино, Рон — на гитаре, остальные пели хором разные песни, хлопали в ладоши, веселились и радовались. В десять часов, когда наступило время вечерних новостей, все затихли. Мы уселись перед телевизором, чтобы услышать новость, которой ждали, о которой мечтали столько лет, мы хотели, чтобы городу с экрана объявили: мой братик Роналд Кит Уильямсон не только свободен, он невиновен! Однако, хотя событие было таким радостным и все мы чувствовали огромное облегчение, в глазах Рона нельзя было не заметить муку — ведь его столько лет терзали и считали преступником.

По окончании телерепортажа они еще раз поздравили друг друга, после чего Марк Барретт, Барри Скек и еще кое-кто из гостей откланялись. Назавтра предстоял очень долгий день.

Позднее тем же вечером раздался телефонный звонок, Аннет взяла трубку. Неизвестный голос сказал, что ку-клукс-клан не дремлет и ищет Ронни. Одной из главных новостей дня было то, что кто-то из окружения Картеров нанял человека убить Рона и Денниса и что этим занимается ку-клукс-клан. На юго-востоке Оклахомы все еще действовали остатки клана, но вот уже несколько десятков лет не было слышно, чтобы они кого-нибудь убивали. К тому же обычно белые их мишенями не являлись, но в горячке момента клан сочли наиболее подходящей организованной бандой, которая могла учинить подобную расправу.

В испуге Аннет позвонила Рини и Гэри и шепотом сообщила им о звонке. Они решили отнестись к нему серьезно, но сочли за благо скрыть угрозу от Ронни.

— Счастливейший вечер нашей жизни, — рассказывала Рини, — обернулся кошмарнейшей ночью. Мы позвонили в полицию. Там ответили, что никого посылать к нам не станут и ничего не могут сделать до тех пор, пока что-нибудь не произойдет. Как же мы могли быть настолько наивными, чтобы подумать, что они будут нас защищать?! В полной панике мы бросились опускать жалюзи, запирать окна и двери. Конечно, никто не собирался спать — у всех нервы были на пределе. Один наш родственник тревожился за жену и новорожденного ребенка, оказавшихся в такой опасности. Мы собрались в кружок и принялись молиться, взывая к Богу, чтобы Он успокоил нас, и к ангелам — чтобы они окружили наш дом и защитили его. В ту ночь нас никто не тронул. Господь снова внял нашим молитвам. Даже теперь, вспоминая ту ночь, мы не можем удержаться от смеха: как же нам могло прийти в голову позвонить в полицию Ады?!

«Ада ивнинг ньюз» напечатала подробнейший отчет Энн Келли о событиях того дня. Вечером ей позвонил Крис Росс, помощник окружного прокурора. Он был крайне недоволен и упрекал ее в том, что прокуратура и полиция оказались оклеветанными.

О том, что испытывали освобожденные из тюрьмы и их родственники, речи не было.

На следующий день рано утром Рон и Деннис вместе с адвокатами Марком Барреттом и Барри Скеком отправились в местную гостиницу «Холидей инн», где уже были установлены камеры канала Эн-би-си. Всем четверым предстояло участвовать в прямом эфире телешоу «Тудей» с Мэттом Лоером.

Событие набирало силу, и большинство журналистов оставались в Аде в поисках кого бы то ни было, хоть отдаленно имеющего представление о деле или причастного к нему. Бегство Гора оказалось занимательнейшим побочным сюжетом.

Потом вся группа — реабилитированные, их родственники и адвокаты — поехала в Норман и остановилась возле офиса Оклахомской службы защиты неимущих, где предстояла еще одна торжественная встреча. Рон сказал несколько слов, поблагодарив всех, кто столько сделал, чтобы защитить его интересы и в конце концов добиться его освобождения. После этого они поспешили в Оклахома-Сити на съемки сюжета для «Инсайд эдишн» и еще одного — для программы под названием «Бремя доказательств».

Адвокаты Скек и Барретт попытались организовать встречу с губернатором и высшими судебными властями штата, чтобы выступить в поддержку мер по облегчению процедуры проведения анализов ДНК и обеспечению компенсаций невинно осужденным. Вся компания отправилась к местному Капитолию, намереваясь провести там пресс-конференцию. Время было выбрано удачно: за ними следовала вся общенациональная пресса. Губернатор, разумеется, оказался слишком занят, трудился не покладая рук, поэтому выслал к митингующим своего первого помощника, весьма ушлого типа, который ухватился за идею устроить встречу Рона и Денниса с членами Оклахомского апелляционного уголовного суда.

Было неясно, какие результаты должны воспоследовать от подобной встречи, но вероятность того, что она вызовет взаимное негодование, была велика. В пятницу днем у судей, конечно же, было полно работы. Только одна судья вышла к собравшимся, но к ней никто не имел претензий. Она не участвовала в рассмотрении апелляций и утверждении приговоров Рона и Денниса.

Барри Скек отправился обратно в Нью-Йорк. Марк остался в Нормане, где он и жил. Сара поехала к себе в Пурселл. Во всем этом безумии наступило затишье, всем требовался перерыв. Деннис с матерью остались в Оклахома-Сити у Элизабет.

На обратном пути в Аду Аннет вела машину, а Рон впервые за много лет сидел на переднем сиденье. Без наручников. Без тюремной одежды. Без бдительного вооруженного охранника. Он наслаждался пейзажами юго-восточной Оклахомы, изборожденной, словно волнами, грядами невысоких холмов с разбросанными тут и там фермами и нефтяными вышками.

Ему не терпелось поскорее уехать отсюда.

— Нам, в сущности, пришлось заново знакомиться, — рассказывала Рини. — Ведь мы так долго жили друг без друга. Следующий день после его освобождения мы провели чудесно. Я попросила его потерпеть — ведь у нас накопилось столько вопросов, и нам очень хотелось узнать все о его жизни в блоке смертников. Он проявил снисходительность и великодушно отвечал на наши вопросы несколько часов кряду. Одним из вопросов, который задала я, был вопрос: откуда у него на руках шрамы? «Я пребывал в такой депрессии, — ответил он, — что просто сидел и наносил себе порезы». Мы спрашивали, как выглядела его камера, была ли пища съедобной и так далее. «Мне бы не хотелось больше об этом говорить, — сказал он наконец. — Давайте побеседуем о чем-нибудь другом». Мы с уважением отнеслись к его желанию. Потом он уселся во дворике дома Аннет, играл на гитаре и пел. До нас, находившихся в доме, доносилось его пение, и я едва сдерживала слезы, думая о том, что ему пришлось пережить. Он подошел к холодильнику, открыл его и просто смотрел. Его радовало, что в доме столько еды, а особенно — что он, при желании, может есть все, что захочет. Стоя у окна в кухне, он изумлялся тому, какие у нас замечательные автомобили, он таких еще никогда не видел. Однажды, когда мы ехали в машине, он заметил, как необычно для него видеть обычных людей, спешащих куда-то по своим делам.

Рон волновался о том, чтобы поскорее снова приобщиться к церкви. Аннет не рассказала ему об инциденте с пастором и не собиралась этого делать. На воскресенье она пригласила Марка Барретта и Сару Боннелл, Рон хотел, чтобы они были с ним. На воскресную службу они прибыли все вместе заранее, чтобы занять места в первом ряду. Аннет, как всегда, сидела за органом, и когда она заиграла первый, весьма бравурный гимн, Рон вскочил, захлопал в ладоши и запел, искренне вдохновленный.

В своем вступительном слове пастор ни словом не обмолвился о возвращении Рона, но во время молитвы умудрился вставить, что Бог любит всех, даже Рона.

Аннет и Рини взвились от гнева.

Пятидесятническая служба — мероприятие не для робких, и по мере того, как музыка становилась все громче, хор начинал раскачиваться, а паства приходила в возбуждение, несколько прихожан пробились к Рону, чтобы поприветствовать его, обнять и поздравить с возвращением. Но таких было ничтожно мало. Остальные добрые христиане лишь глазели на убийцу.

В тот день Аннет покинула эту церковь, чтобы никогда больше в нее не возвращаться.

В воскресенье «Ада ивнинг ньюз» вышла с заголовком на первой полосе: «Обвинитель защищает свой труд по большому счету». Статья сопровождалась пафосной фотографией Билла Питерсона, выступающего в суде, перед прокурорской стойкой.

По понятным причинам он чувствовал себя неуютно после оправдания Рона и Денниса и испытывал потребность поделиться с жителями Ады своим недовольством. Он выражал недоверие доказательствам невиновности освобожденных, и все его высказывания, по словам Энн Келли, были не чем иным, как вспышкой раздражения оскандалившегося прокурора, которому лучше бы избегать репортеров.

Статья начиналась так:

> Окружной прокурор округа Понтоток Билл Питерсон утверждает, будто адвокаты Денниса Фрица и Рона Уильямсона напрасно доверились данным анализа ДНК, на основании которых их клиенты были освобождены из тюрьмы.

Протягивая Питерсону якобы спасительную веревку достаточной длины, чтобы он мог на ней повеситься, ему позволили пуститься в пространные и подробные воспоминания о том, как проводились анализы ДНК в деле Картер. При малейшей возможности Питерсон делал дешевые выпады в адрес Марка Барретта и Барри Скека и не упускал ни единого шанса одобрительно похлопать по плечу самого себя: ведь анализы ДНК — это его идея!

Он ухитрялся увиливать от очевидного. Не раз признал: он хотел получить данные этих анализов только для того, чтобы забить последние гвозди в гробы Рона и Денниса. Он был настолько уверен в их виновности, что не боялся результатов. Теперь же, когда эти результаты оказались не в его пользу, он требовал похвалы за свою честность.

Ребяческое тыканье пальцем продолжалось пункт за пунктом. Питерсон зловеще обронил смутный намек на наличие других подозреваемых и продолжение сбора улик. В статье говорилось:

> Он (Питерсон) сказал, что обнаружены новые улики, связывающие Фрица и Уильямсона с убийством Картер. Закон о том, что дважды судить за одно преступление нельзя, здесь неприменим, и они могут снова предстать перед судом.
>
> Питерсон сообщил также, что следствие по делу об убийстве Картер возобновлено и Глен Гор не единственный подозреваемый.

Заканчивалась же статья двумя убийственными цитатами из Питерсона. Первая:

> Я действовал совершенно правильно в 1988 году, выступая против них обвинителем. Теперь же, соглашаясь снять с них обвинения, я делал лишь то, чего требовали закон, мораль и этика при новых открывшихся обстоятельствах.

Оставалось, разумеется, добавить, что его в высшей степени моральное и исключительно этичное согласие на освобождение осужденных случилось почти через пять лет после того, как Рона чуть не казнили, и через четыре после того, как Питерсон публично отчитал судью Сэя за то, что тот назначил пересмотр дела. Поднявшись на немыслимую этическую высоту, Питерсон в последний момент вяло посодействовал тому, что два невинных человека провели в тюрьме всего двенадцать лет.

Но самая достойная сожаления часть истории заключалась во второй цитате. Эти слова Питерсона были выделены рамкой и помещены в центре первой полосы.

> Слово «невиновный» никогда не слетало с моих губ в отношении Уильямсона и Фрица. Все это вовсе не доказывает их невиновности. Это лишь означает, что я не могу доказать их вину с теми уликами, которыми сейчас располагаю.

После недолгих четырех дней, проведенных на свободе, Рон и Деннис были все еще слишком взволнованы, и статья привела их в ужас. Почему Питерсон хочет снова притащить их в суд? Один раз он их уже приговорил, и они не сомневались, что сможет сделать это снова.

Новые улики, старые улики, никаких улик — не имеет никакого значения. Они безо всяких улик двенадцать лет промучились в тюрьме за то, что никого не убивали. В округе Понтоток улики не являются основанием для осуждения.

Статья привела Марка Барретта и Барри Скека в бешенство. Оба написали длинные опровержения в газету, но благоразумно не стали отправлять их немедленно. Несколько дней спустя им стало ясно, что Питерсона мало кто слушает.

В воскресенье во второй половине дня Рон и Деннис со своими сторонниками по просьбе Марка Барретта отправились в Норман. По счастливой случайности, «Международная амнистия» в целях сбора средств проводила там рок-концерт на открытом воздухе. В летнем амфитеатре собралось множество народа. День выдался теплым и солнечным.

В перерыве между музыкальными номерами выступил Марк Барретт. Он представил собравшимся Рона, Денниса, Грега и Тима Дюрэма. Каждый из них в течение нескольких минут рассказывал свою историю. Все четверо, не привыкшие к публичным выступлениям, нервничали, однако они все же набрались храбрости и говорили от души. Аудитория встречала их восторженно.

Четыре молодых человека, четыре обычных белых парня из хороших семей были оклеветаны, сжеваны системой и изолированы от общества в общей сложности на тридцать три года. Их мысль была ясна: покуда эта система действует, такое может случиться с каждым.

После выступления они побродили по амфитеатру, послушали музыку, съели мороженое, наслаждаясь солнцем и свободой. Откуда ни возьмись появился Брюс Либа, он по-медвежьи крепко обнял старого друга. Брюс не был на суде над Роном и не писал ему в тюрьму. Он чувствовал себя виноватым за такое пренебрежение и искренне просил прощения у своего лучшего школьного товарища. Рон легко простил его.

Он был готов прощать всех. Дурманящий дух свободы вытеснил все былые обиды и мечты о возмездии. Планы массового судебного преследования обидчиков, лелеемые в течение двенадцати лет, стали достоянием прошлого. Теперь Рон не хотел ворошить старые кошмары.

Интерес средств массовой информации к ним не угасал. Особое внимание привлекал Рон, потому что он был белым парнем из белого города, схваченным ни за что белыми полицейскими, обвиненный белым прокурором и осужденный белыми присяжными. Для журналистов его история стала горячим и в высшей степени притягательным сюжетом. Подобная несправедливость могла приключиться и нередко приключалась с бедняками и представителями меньшинств, но — как считалось до сих пор — не с героем маленького городка.

Многообещающая бейсбольная карьера, чудовищный скачок в безумие камеры смертника, пребывание на волосок от казни, некомпетентные полицейские, не сумевшие разглядеть очевидного убийцу, — сюжет был богат и многослоен.

Просьбы об интервью стекались в кабинет Марка Барретта со всего света.

Шесть дней пропрятавшись в лесу, Глен Гор объявился сам. Он связался с адвокатом в Аде, который позвонил в тюрьму и уладил формальности. Обговаривая условия сдачи, Гор особенно заботился о том, чтобы не попасть в руки властей Ады.

Впрочем, беспокоился он напрасно. Шайка, не умевшая стрелять в цель, не горела желанием возвращать Гора, чтобы не получить еще один сомнительный суд на свою голову. Для того чтобы залечить тяжелые раны, нанесенные многим самолюбиям, требовалось время. Питерсон и полиция, прикрываясь официальным статусом, встали в позу, утверждая, что следствие открыто заново и они энергично продвигаются вперед в поисках убийцы или убийц. Гор — всего лишь один из игроков на этом поле.

Прокуратура и полиция так и не смогли заставить себя признать ошибку и цеплялись за тщетную надежду, что они могут еще оказаться правы. Может, еще какой-нибудь наркоман приковыляет в участок и сделает признание или снова приплетет к убийству Рона и Денниса. Может, откуда-нибудь появится новый доносчик-соглядатай. Может, полицейским удастся выжать очередное «сонное признание» из какого-нибудь свидетеля или подозреваемого.

Ведь это была Ада. Здесь рвение полицейских могло принять какой угодно новый оборот. В том числе и опять развернуться в сторону Рона и Денниса.

ГЛАВА ШЕСТНАДЦАТАЯ

Когда команда в отъезде, ежедневные ритуалы стадиона «Янки» варьируются мало. Не испытывая цейтнота в ожидании зрительских толп и журналистов и не имея необходимости постоянно содержать площадку в идеальном состоянии, старое сооружение оживает медленно, кряхтя. Только поздним утром рабочие в форме цвета хаки и пепельно-серых майках неторопливо начинают приводить поле в порядок. Грэнтли, главный газонщик, кое-как правит своей похожей на паука газонокосилкой «Торо», а Томми, специалист по глине, утрамбовывает и разравнивает землю за площадкой «дома». Дэн толкает перед собой газонокосилку поменьше через густой пырей вдоль линии первой базы. Разбрызгиватели синхронно включаются через определенные интервалы времени вокруг ограничительной полосы «забора». Группа туристов во главе с гидом толпится за третьей базой, гид указывает на что-то вдали, за табло.

Пятьдесят семь тысяч мест пустуют. Звуки мягким эхом разносятся вокруг — приглушенный рокот малой косилки, смех рабочих, отдаленное шипение шланга, из которого мойщик поливает сиденья верхних ярусов, перестук колес поезда номер четыре, проходящего невдалеке, справа от поля, дробь молотка возле ложи прессы. Те, кто поддерживает сооружение, прославленное Рутом, дорожат мертвым сезоном, вклинивающимся между ностальгией по былой славе «Янки» и ожиданием новой.

Двадцать пять лет спустя после своего первого сюда приезда Рон Уильямсон ступил на покрытую щебнем ограничительную полосу стадиона. Он остановился, чтобы охватить взглядом всю его ширь и вобрать в себя атмосферу главного бейсбольного святилища. Был ясный, сверкающий голубизной весенний день. Воздух был легок, солнце стояло высоко, трава, идеально ровная и зеленая, напоминала ковер. Солнечные лучи согревали бледную кожу Рона. Запах свежескошенной травы напоминал о других полях, других играх, старых мечтах.

На нем была бейсболка с эмблемой «Янки» — сувенир, подаренный администрацией. Он находился в Нью-Йорке в качестве знаменитости дня, был приглашен участвовать в специальном сюжете программы Дайаны Сойер «Доброе утро, Америка». На нем были его единственный спортивный темно-синий блейзер, спешно купленный Аннет двумя неделями раньше, единственный галстук и единственные брюки. Туфли он, однако, успел сменить. Рон утратил интерес к одежде. Хотя когда-то, работая в магазине, он советовал другим, как следует одеваться, самому ему теперь это было безразлично. Двенадцать лет тюремного заточения отбивают вкус к франтовству.

Под бейсболкой скрывались остриженные «под горшок» седые волосы, густые и спутанные. Рону было сорок шесть лет, но выглядел он гораздо старше. Поправив бейсболку, он ступил на траву. Росту в нем было шесть футов, и хотя на его фигуру наложили отпечаток двадцать лет небрежения и дурного обращения, в ней все еще угадывалась стать былого атлета. Он пересек штрафную площадку, прошагал по земляной дорожке базы и направился к «дому», возле которого постоял немного, глядя на нескончаемые ряды ярко-синих сидений. Осторожно поставив ногу на «пятачок» базы, он покачал головой. Дон Ларсен именно с этого места делал отличные броски. Уайти Форд, один из его идолов, был хозяином этого «пятачка». Рон оглянулся через левое плечо на правое поле, к которому, казалось, слишком близко примыкала стена, за которую Роджер Марис послал столько флай-болов... Вдали, за стеной, виднелся монумент в честь величайших игроков «Янки».

Одним из них был, конечно, Микки.

Марк Барретт, тоже в фирменной бейсболке, стоял поодаль и пытался представить себе, о чем думает его клиент, отпущенный из тюрьмы, в которой безвинно провел двенадцать лет без извинений, потому что ни у кого не хватило духу признать свои ошибки, без прощания, а так, словно ему хотели сказать: «Катись отсюда подобру-поздорову и веди себя тихо», — без компенсации, утешения, без письма от губернатора или какого-нибудь другого официального лица, без какого бы то ни было заявления со стороны пресс-служб. И вот две недели спустя он оказался в эпицентре внимания средств массовой информации, каждое из которых желало урвать свой кусочек его истории.

Удивительно, но Рон ни на кого не таил обиды. Они с Деннисом были слишком ошеломлены счастьем свободы. Обида придет позже, спустя долгое время после того, как пресса утратит к ним интерес.

Барри Скек стоял на краю поля, тоже наблюдая за Роном и беседуя с другими. Верный болельщик «Янки», он созвонился с администрацией команды и организовал этот визит. Сейчас, во время их пребывания в Нью-Йорке, он был «принимающей стороной».

Фотографы и операторы сняли Рона на поле, после чего краткая экскурсия продолжилась, группа медленно двинулась вдоль линии первой базы во главе с гидом, не устававшим рассказывать о разных знаменитых игроках. Многие из этих историй и биографий Рон хорошо знал.

— Ни одному из игроков никогда не удавалось выбить мяч за пределы стадиона «Янки», но Мэнтл ближе всех подошел к этому. Он сделал бросок с лицевой линии в правый центр, вон туда, — гид указал направление рукой, — на 535 футов от площадки «дома».

— Но один питчер в Вашингтоне бросил еще дальше, — вставил Рон. — На 565 футов. Это был Чак Стоббз.

Знания Рона произвели впечатление на гида.

В нескольких шагах за Роном шла Аннет, как всегда, расспрашивая о подробностях, высказывая суждения, стараясь все понять, хотя она не была бейсбольной болельщицей и в тот момент ее главной заботой было удерживать брата от возлияний. Он сердился на нее, потому что накануне вечером она не позволила ему напиться.

Группа включала также Денниса, Грега Уилхойта и Тима Дюрэма. Все четверо приняли участие в программе «Доброе утро, Америка». Поездку оплатил канал Эй-би-си. Джим Дуайер из нью-йоркской «Дейли ньюс» тоже сопровождал их.

Они вступили на ограничительную линию центрального поля. По другую ее сторону находился Парк славы, в котором были установлены огромные скульптурные бюсты Рута и Герига, Мэнтла и Ди Маджио, а также десятки мемориальных досок в честь других великих «янки». Гид рассказал, что до реконструкции этот маленький уголок едва ли не священной земли составлял часть территории ярмарки. Он открыл ворота, они, миновав изгородь, вошли в вымощенный камнем внутренний дворик и на миг словно бы забыли, что находятся на бейсбольном стадионе.

Рон подошел к бюсту Мэнтла и прочел его краткую биографию. Вехи его спортивной карьеры, заученные еще в детстве, он и сейчас помнил наизусть.

Последний раз Рон числился в команде «Янки» в сезоне 1977 года, он играл тогда в дублирующем составе в Форт-Лодердейле и был настолько далек от Парка славы, насколько вообще может быть далек от него игрок в бейсбол. У Аннет сохранились его старые фотографии в форме «Янки». Когда-то она принадлежала одному из представленных в этом Парке идолов. Большой клуб просто передавал форму знаменитостей новичкам, и, проделывая печальный путь вниз по лестнице дублирующих составов, эти вещи отступали на дальние рубежи, накапливая все больше боевых шрамов, наносимых жизнью. На всех штанах были заштопаны коленки и многократно зашит задний шов. Эластичные куртки были либо ушиты, либо расставлены и испачканы изнутри маркером — тренеры надписывали их, чтобы игроки не путались. Все вещи пестрели пятнами от травы и пота.

1977 год, Форт-Лодердейл, команда «Янки». Рон выходил на поле четырнадцать раз в тридцати трех иннингах. Две победы, четыре поражения и достаточное количество травм, чтобы «Янки» вышвырнули его, когда сезон, слава Богу, подошел к концу.

Экскурсия продолжалась. Рон задержался у доски Регги Джексона. Гид рассказывал о том, как менялись размеры стадиона: когда играл Рут, они были больше, когда Марис и Мэнтл — меньше. Команда кинооператоров все запечатлевала на пленку, снимала даже то, чему наверняка предстояло быть вырезанным.

Как забавна эта суета, подумала Аннет. Будучи ребенком и подростком, Ронни мечтал оказаться в центре внимания, стремился к этому, и вот теперь, столько лет спустя, камеры фиксируют каждое его движение.

«Наслаждайся моментом», — твердила она про себя. Еще месяц назад ее брат был заперт в психушке, и они вовсе не были уверены, что он оттуда выйдет.

Все не спеша вернулись к скамейке запасных и еще ненадолго там задержались. Спеша в эти последние несколько минут вобрать в себя магию этого места, Рон сказал Марку Барретту:

— Я словно бы вкусил капельку того восторга, который они здесь испытывали.

Марк кивнул, но не нашел что ответить.

— Единственное, чего мне всегда хотелось, — это играть в бейсбол, — признался Рон. — И это было единственное удовольствие, которое я когда-либо испытывал. — Он помолчал, посмотрел вокруг и добавил: — Знаете, все это — вроде глотка воды после долгой жажды. Но чего мне действительно хочется, так это холодного пива.

Пить он начал в Нью-Йорке.

От стадиона «Янки» они совершили победный прыжок в Диснейленд. Некий немецкий телеканал оплатил три дня развлечений для всей компании. От Рона и Денниса требовалось одно: рассказывать свои истории, а немцы, с характерным для европейцев любопытством к смертной казни, тщательно записывали все подробности.

Любимым местом Рона в Диснейленде оказался Эпкот, немецкая «деревушка», где он нашел баварское пиво и стал заливать его в себя кружка за кружкой.

Они прилетели в Лос-Анджелес для участия в прямом эфире шоу «Лиза». Незадолго до вылета Рон улизнул и вылакал пинту водки. Поскольку у него не хватало зубов, речь его вообще была весьма невнятной, поэтому никто не заметил, как у него заплетается язык.

Мало-помалу история освобожденных из тюрьмы узников теряла актуальность, и вся группа — Рон, Аннет, Марк, Деннис, Элизабет и Сара Боннелл — потянулась по домам.

Ада была последним местом, куда Рону хотелось вернуться.

Он поселился у Аннет, и начался трудный процесс адаптации. Журналисты в конце концов исчезли с его горизонта.

Под неусыпным наблюдением Аннет Рон исправно принимал лекарства. Он много спал, играл на гитаре и мечтал стать знаменитым певцом. Алкоголь в доме Аннет был запрещен, а Рон редко покидал дом.

Страх снова быть арестованным и отправленным в тюрьму снедал его и заставлял инстинктивно оборачиваться на ходу и подскакивать при каждом громком звуке. Рон знал, что полиция о нем не забыла. Там все еще думали, что он каким-то образом причастен к убийству. Так же считало и большинство жителей Ады.

Он хотел уехать, но у него не было денег. Удержаться на какой бы то ни было работе он был не в состоянии и никогда даже не заговаривал о том, чтобы найти ее. Водительских прав он лишился почти двадцать лет назад и не особенно стремился штудировать учебник и сдавать экзамен на их получение.

Аннет прилагала невероятные усилия, чтобы добиться для него от Службы социального обеспечения выплаты пособия по недееспособности за предыдущие годы. Чеки перестали поступать, как только он оказался в тюрьме. Наконец ей удалось одержать верх и получить урезанную сумму в шестьдесят тысяч долларов. Ему снова стали высылать ежемесячное пособие в шестьсот долларов, назначенное вплоть до момента снятия с него статуса недееспособности, что представлялось маловероятным.

Рон вмиг почувствовал себя миллионером и пожелал жить отдельно. Ему также не терпелось покинуть Аду и Оклахому вообще. Единственный сын Аннет Майкл жил в Спрингфилде, штат Миссури, и было решено отправить Рона к нему. Потратив двадцать тысяч, они купили новый, обставленный мебелью трейлер с двумя спальнями и поселили в нем Рона.

Хотя событие было радостным, Аннет тревожило то, что Рон будет жить один. Когда она уезжала, он сидел на своем новеньком раскладном диване, смотрел новенький телевизор и был абсолютно счастлив. Когда три недели спустя она снова приехала проведать его, он все так же сидел на диване, а вокруг, к ее ужасу, валялась куча пустых пивных банок.

Если Рон не спал, не пил, не говорил по телефону и не играл на гитаре, то слонялся возле «Уол-марта» — источника пива и сигарет. Но что-то там произошло, и его попросили найти себе другое место для прогулок. В те бурные дни самостоятельной жизни он начал зацикливаться на идее вернуть долг всем, кто поддерживал его все эти годы. Беречь деньги казалось ему смешным, и, вдохновленный призывами по телевизору, он начал их отдавать: голодающим детям, евангелистам, оказавшимся перед угрозой потери целых приходов. Всем им он посылал деньги.

Его телефонные счета были чудовищными. Он звонил Аннет и Рини, Марку Барретту, Саре Боннелл, Грегу Уилхойту, адвокатам Службы защиты неимущих, судье Ландриту, Брюсу Либе, даже кое-кому из представителей тюремных властей. Обычно он был возбужден, опьянен свободой, но каждый разговор неизбежно заканчивался сетованиями по поводу Рики Джо Симмонса. След Глена Гора в деле, обнаруженный в результате анализа ДНК, на него впечатления не произвел. Рон желал, чтобы Симмонса немедленно арестовали «за изнасилование, изнасилование с применением предметов, изнасилование в извращенной форме и убийство Дебры Сью Картер в ее доме по адресу Восьмая Восточная улица, 1022, 1/2, восьмого декабря 1982 года!!!». В каждом разговоре он минимум два раза повторял эту заветную формулировку слово в слово.

Звонил Рон также и Пегги Стиллуэлл. Как ни странно, между ними по телефону сложились сердечные отношения. Он убедил ее в том, что не был знаком с Дебби, и Пегги ему поверила. Через восемнадцать лет после потери дочери ее рана все еще не затянулась, и она призналась Рону, что все эти годы ее терзало смутное подозрение, что настоящий убийца не найден.

Как правило, Рон избегал баров и фривольных женщин, но однажды попался. Он шел куда-то по своим делам, когда у тротуара притормозила машина, в которой находились две молодые дамы, и он подсел к ним. Начался объезд баров, затянувшийся допоздна, а когда в конце концов они приехали в его трейлер, одна из спутниц нашла у него под кроватью тайничок с наличными. Обнаружив позднее пропажу тысячи долларов, Рон поклялся больше вообще не иметь дела с женщинами.

Его единственным другом в Спрингфилде был Майкл Хадсон. Рон уговорил племянника купить гитару и научил его нескольким аккордам. Майкл регулярно навещал Рона и докладывал матери о том, как живет дядя. Рон пил все больше.

Алкоголь и лекарства плохо сочетались, и у него развилась паранойя. При виде полицейской машины он впадал в панику, боялся ходить по улице, подозревая, что полицейские следят за ним. От Питерсона и полицейских из Ады можно было ждать чего угодно. Он заклеил окна газетами, запирал двери на замок и еще изнутри залеплял скотчем. Ложась спать, клал рядом мясницкий нож.

Марк Барретт дважды приезжал к нему с ночевкой. Состояние Рона, его паранойя и пьянство, а особенно нож, встревожили его.

Рон был одинок и запуган.

* * *

Деннис Фриц тоже ходил по улицам с опаской. Он вернулся в Канзас-Сити и поселился у матери в маленьком домике на Листер-авеню. Когда он видел его в последний раз, дом был окружен отрядом полиции особого назначения.

Прошло несколько месяцев после их освобождения, но Глену Гору так и не предъявили обвинение. Следствие ни шатко ни валко продвигалось в непонятном направлении, и, насколько понимал Деннис, они с Роном по-прежнему оставались подозреваемыми. Деннис тоже вздрагивал при виде полицейской машины и, выходя из дома, постоянно оглядывался. И он тоже подскакивал от каждого телефонного звонка.

Отправившись в Спрингфилд навестить Рона, Деннис был крайне обеспокоен его пьянством. Они пытались предаться воспоминаниям и даже посмеяться над кое-какими из них, но Ронни слишком много пил. В пьяном виде он не был агрессивен или перевозбужден, но вел себя слишком шумно и порой неприятно. Спал до полудня, просыпаясь, тут же впадал в эйфорию и принимался играть на гитаре. Пиво он пил на завтрак и на обед.

Как-то днем они отправились на прогулку в машине, потягивая пиво и наслаждаясь свободой. Рон играл на гитаре. Деннис вел машину очень аккуратно. Он не знал Спрингфилда, а неприятности с полицией были ему не нужны. Рон вдруг решил, что им нужно непременно остановиться у одного ночного клуба, где он рассчитывал повеселиться. Деннису идея не очень понравилась, тем более что Рон не был знаком ни с хозяином, ни с вышибалами. Последовал бурный спор, но в конце концов они возвратились в трейлер.

Рон мечтал о сцене. Он хотел выступать перед многотысячными аудиториями, записывать альбомы, которые будут вмиг распродаваться, и стать знаменитым. Деннису было неловко сказать ему, что с его скрипучим голосом, поврежденными голосовыми связками и весьма посредственными способностями к игре на гитаре это не более чем несбыточная мечта. Но умерить пьянство он Рону настоятельно советовал. Он предложил ему включить в свой ежедневный рацион, состоявший преимущественно из «Будвайзера», безалкогольное пиво, а крепкие напитки исключить вовсе. Рон начал полнеть, и Деннис настоятельно советовал ему заняться физическими упражнениями и бросить курить.

Рон слушал, но пиво продолжал пить настоящее. Вытерпев три дня, Деннис вернулся в Канзас-Сити. Несколько недель спустя он приехал снова, с Марком Барреттом. Они пригласили Рона в кафетерий, где Рон, выйдя с гитарой на крохотную сценку, исполнил несколько песен Боба Дилана. И хоть народу в кафетерии было мало и люди не столько слушали, сколько ели, Рон чувствовал себя артистом и был счастлив.

Чтобы чем-то себя занять и что-нибудь заработать, Деннис нашел почасовую работу — за очень небольшую плату он жарил гамбургеры. Поскольку последние двенадцать лет он корпел над юридическими книгами, избавиться от этой привычки ему оказалось нелегко. Барри Скек советовал ему подумать о юридическом образовании и даже обещал натаскать его. Университет Миссури в Канзас-Сити находился рядом, и в нем имелся юридический факультет, где можно было учиться по свободному графику. Деннис начал готовиться к поступлению, но вскоре вынужденно прекратил занятия.

Он страдал чем-то вроде посттравматического синдрома, и нагрузка оказалась ему не по силам. Страх тюрьмы не покидал его, его терзали ночные кошмары, жуткие воспоминания и боязнь снова оказаться арестованным. Расследование убийства продолжалось, и при том, что руки у полицейских Ады были развязаны, всегда сохранялась угроза услышать посреди ночи стук в дверь, а то и подвергнуться нападению отряда полиции особого назначения. В конце концов Деннису пришлось обратиться за профессиональной врачебной помощью, и жизнь его постепенно начала налаживаться. Барри Скек заводил разговоры о возбуждении судебного преследования, о коллективном иске против всех, кто был повинен в недобросовестном следствии и неправом суде, и Деннис сосредоточился на этой идее.

На горизонте замаячила борьба, и он настроился на нее.

Жизнь Рона развивалась в противоположном направлении. Он совершал странные поступки, что не осталось незамеченным соседями. Стал расхаживать по трейлерному городку с мясницким ножом, утверждая, что Питерсон и полиция Ады охотятся за ним, поэтому он должен быть готов защитить себя, чтобы не попасть обратно в тюрьму.

В конце концов Аннет получила уведомление о его выселении. Поскольку на ее звонки он не отвечал, она добилась судебного предписания о его обследовании в психиатрической клинике.

Рон сидел в своем трейлере за закрытыми, запертыми и заклеенными изнутри дверями и окнами, пил пиво и смотрел телевизор, когда снаружи раздался пронзительный голос, усиленный мегафоном: «Выходите с поднятыми руками!» Он выглянул в щелку, увидел полицейских и подумал, что жизнь его снова кончена, его опять повезут в блок смертников.

Полицейские боялись его не меньше, чем он — их, но в конце концов стороны пришли к согласию. Рона отвезли не в блок смертников, а в психиатрическую клинику.

Трейлер, которому было меньше года, успел за это время превратиться в груду железа и был продан, так что, когда Рона выписали, Аннет пришлось искать, где бы его поселить. Единственным, что ей удалось найти, было место в частной лечебнице неподалеку от Спрингфилда. Она забрала брата из клиники и перевезла в Центр по уходу за престарелыми округа Даллас.

Поначалу тамошний режим и постоянный уход оказывали благотворное воздействие. Алкоголь здесь был под строгим запретом, и Рон вовремя получал таблетки. Он стал лучше себя чувствовать, но вскоре ему надоели постоянная опека и окружение, состоявшее из престарелых немощных людей в инвалидных колясках. Он начал жаловаться и постепенно стал невыносим для персонала, тогда Аннет нашла для него другое место — в Маршфилде, штат Миссури. Этот приют тоже населяли печальные старики, а Рону было всего сорок семь. Что, черт побери, он делает в доме престарелых? Этот вопрос он задавал снова и снова, и в конце концов Аннет решила забрать его обратно в Оклахому.

В Аду он возвращаться не хотел, да никто там и не жаждал его возвращения. В Оклахома-Сити Аннет нашла для него место в Харбор-хаусе, старом мотеле, превращенном в пристанище для мужчин, переживающих переломный момент в своей жизни: от плохого периода к чему-нибудь, что с Божьей помощью могло оказаться лучше. Алкоголь здесь тоже был запрещен, и Рон не пил несколько месяцев.

Марк Барретт раза два-три навестил его и понял, что долго Рон там не выдержит. Никто бы не выдержал. Большинство обитателей Харбор-хауса напоминали зомби и были травмированы психически еще больше, чем Рон.

Шли месяцы, а Глену Гору все еще не предъявляли обвинение в убийстве. Новое расследование оказалось таким же «плодотворным», как прежнее, восемнадцатилетней давности.

Полиция Ады, прокуратура и Оклахомское отделение ФБР располагали неопровержимыми данными анализа ДНК, указывавшими на то, что сперма и волосы, найденные на месте преступления, принадлежат Глену Гору, но они по-прежнему никак не могли раскрыть убийство. Им требовались еще какие-то доказательства.

Рон и Деннис так и не были исключены из списка подозреваемых. И хотя они были свободны и наслаждались свободой, темное облако продолжало нависать над их головами. Они каждую неделю, а то и каждый день перезванивались, разговаривали друг с другом, со своими адвокатами и после года жизни в постоянном страхе решили нанести упреждающий удар.

Если бы Билл Питерсон, полиция Ады и штат Оклахома извинились перед ними за допущенную несправедливость и закрыли дело в отношении их, власти сохранили бы лицо и печальная история была бы предана забвению.

Вместо этого служители закона нарвались на судебный иск.

В апреле 2000 года Деннис Фриц и Рон Уильямсон подали коллективный иск против половины штата Оклахома. Ответчиками были город Ада, округ Понтоток, Билл Питерсон, Деннис Смит, Джон Кристиан, Майк Тенни, Глен Гор, Терри Холланд, Джеймс Харио, штат Оклахома, Оклахомское отделение ФБР и лично его сотрудники Гэри Роджерс, Расти Физерстоун, Мелвин Хетт, Джерри Питерс и Лари Маллинз, а также руководители Департамента исправительных учреждений Гэри Мейнард, Дэн Рейнолдс, Джеймс Саффл и Лари Филдз.

Иск о нарушении гражданских прав согласно четвертой, пятой, шестой, восьмой и четырнадцатой поправкам Конституции США был подан в федеральный суд. Такие дела редко попадали к кому-нибудь, кроме судьи Фрэнка Сэя, но тот позднее взял самоотвод.

В иске указывалось, что ответчики: 1) не обеспечили истцам справедливого честного суда, поскольку использовали сфабрикованные улики и скрыли от суда улики оправдательные; 2) вступили в сговор с целью организовать арест по ложным обвинениям и злонамеренно предвзято провели следствие; 3) применяли вероломные методы воздействия; 4) намеренно провоцировали эмоциональные стрессы у истцов; 5) допустили халатность в ходе следствия и суда и 6) инициировали и поддерживали злонамеренное обвинение.

Иск к тюремной системе включал пункт о том, что Рон, находясь в блоке смертников, подвергался дурному обращению и что его психическая болезнь не была принята во внимание официальными лицами, несмотря на многократные просьбы сделать это.

Истцы требовали сто миллионов долларов в возмещение морального ущерба.

В местной газете процитировали сказанные по этому поводу слова Билла Питерсона: «По моему мнению, этот разнузданный иск выдвинут просто для того, чтобы привлечь внимание. Меня он ничуть не пугает».

Он еще раз повторил, что расследование убийства «продолжается».

Иск был составлен фирмой Барри Скека и адвокатом из Канзас-Сити Шерил Пайлат. Марк Барретт присоединился к адвокатской команде позднее, когда ушел из Службы защиты неимущих и открыл частную практику.

Гражданский процесс по делу о судебной ошибке выиграть чрезвычайно трудно, и большинству оправданных ход в судебные помещения заказан. Тот факт, что человек был приговорен ошибочно, не является автоматическим основанием для встречного иска.

Потенциальный истец обязан доказать, что его гражданские права были попраны, что не была обеспечена защита его конституционных прав и что именно это привело к его несправедливому осуждению. И еще одна трудность: практически все, кто причастен к юридической процедуре, приведшей к ошибочному приговору, защищены иммунитетом. Судья пользуется неприкосновенностью независимо от того, насколько плохо он провел процесс, завершившийся неправым приговором. Обвинитель обладает иммунитетом на все то время, пока выполняет свои обязанности, то есть до тех пор, пока является прокурором. Правда, если выясняется, что прокурор был слишком вовлечен в процесс следствия, он может оказаться подсуден. А полицейский неприкосновенен до тех пор, пока не будет со всей очевидностью доказано, что его действия были настолько неправомерными, что любой здравомыслящий представитель органов наблюдения за исполнением законов будет обязан рассматривать их как нарушение Конституции.

К тому же подобные процессы разорительно дорогостоящи и рискованны, поскольку судебные издержки исчисляются десятками, а то и сотнями тысяч долларов, а возврат этих средств если и возможен, то лишь в очень отдаленной перспективе.

Большинство невинно осужденных, таких как Грег Уилхойт, не рискуют потратить и гроша.

Следующим пристанищем Рона в июле 2001 года стал так называемый Транзитный дом в Нормане, весьма хорошо организованное учреждение, предлагавшее своим постояльцам индивидуальные условия содержания, психологическую помощь и тренинг. Ближайшей целью оно ставило обеспечить своим пациентам такую реабилитацию, чтобы они снова стали способны жить самостоятельно под наблюдением наставников. Ну а конечная цель состояла в том, чтобы вернуть их обществу в качестве полноценных и полезных его членов.

Первым этапом была годичная программа, в ходе реализации которой мужчины жили в общежитии, в комнатах с соседями, и соблюдали множество правил. А одним из первых навыков, которые здесь пытались восстановить, был навык ездить в общественном транспорте и ходить по городу. На личную гигиену, приготовление еды и уборку тоже обращали большое внимание. Рон умел взбивать яйца и делать сандвичи с арахисовым маслом.

Детской любовью Рона когда-то была девочка по имени Дебби Кит. Ее отец был священником и хотел, чтобы она вышла замуж за священника, так что Рон к ней и близко не подходил. Брат Дебби, Микки Кит, пошел по стопам отца и стал пастором евангелистского храма в Аде, который теперь посещала Аннет. По просьбе Рона и настоянию Аннет преподобный Кит поехал в Норман и посетил Транзитный дом.

Намерение Рона вернуться в церковь и очистить свою жизнь от греха было серьезным. В его основе лежала глубокая вера в Бога и Иисуса Христа. Он никогда не забывал ни стихов Писания, выученных еще в детстве, ни евангельских гимнов, которые очень любил. Несмотря на все ошибки и недостатки, он отчаянно стремился вернуться к своим корням. Его глодало чувство вины за то, как он прожил свою жизнь, но он верил в Христово обещание божественного, вечного и полного прощения.

Преподобный Кит поговорил с Роном и помолился вместе с ним, а также обсудил некоторые формальности. Он объяснил, что если Рон действительно хочет стать членом общины, то должен заполнить письменную форму, указав в ней, что он является заново рожденным христианином, что будет поддерживать церковь, уплачивая десятину и присутствуя на службах всегда, когда сможет, и никогда не навлечет на церковь никаких нареканий. Рон, не задумываясь, тут же заполнил и подписал форму. Преподобный забрал ее с собой, вынес на обсуждение церковного совета, и совет принял положительное решение.

В течение нескольких месяцев Рон был совершенно счастлив: чист, трезв и полон решимости с Божьей помощью покончить с дурными пристрастиями. Он стал посещать Общество анонимных алкоголиков, стараясь не пропускать ни одного собрания. Его медикаментозное лечение было сбалансировано, а родственники и друзья охотно общались с ним. Рон был весел, шумен и всегда имел наготове остроумный ответ или смешную историю. К испугу незнакомцев, он с хитрым видом начинал каждую свою историю словами: «Когда я сидел в камере смертника...» Родные не оставляли его своими заботами и часто удивлялись способности Рона помнить мельчайшие подробности событий, случавшихся с ним в тот период, когда он в буквальном смысле слова был не в своем уме.

Транзитный дом находился неподалеку от центра Нормана, до конторы Марка Барретта оттуда было рукой подать, и Рон нередко заходил к нему. Адвокат и клиент пили кофе, говорили о музыке, обсуждали иск. Рона, что неудивительно, прежде всего интересовало, когда дело может быть завершено и сколько денег он сможет получить. Марк пригласил Рона посетить вместе с ним его церковь — приход Учеников Христа в Нормане. Несколько раз Рон ходил с женой Марка на занятия воскресной школы и был очарован открытостью и свободой дискуссий о Библии и христианстве. Спрашивать можно было о чем угодно — не то что у пятидесятников, для которых Слово было непогрешимым и непререкаемым, а иные взгляды осуждались априори.

Большую часть времени Рон посвящал музыке, практикуясь в исполнении какой-нибудь песни Боба Дилана или Эрика Клэптона до тех пор, пока не добивался максимального сходства исполнения. И он нашел себе занятие: выступал в некоторых кофейнях в Нормане и Оклахома-Сити, исполнял песни по заказу и собирал кое-какую мелочь со своей немногочисленной аудитории. Страх сцены был ему неведом. Его вокальные данные были весьма ограниченными, но он не придавал этому значения, он просто пел.

Оклахомская ассоциация противников смертной казни пригласила его спеть и сказать несколько слов на собрании, организованном для сбора средств в пожарной части — популярном месте гуляний, расположенном неподалеку от Оклахомского университета. Присутствие двух сотен людей, что являлось гораздо более обширной аудиторией, чем те, к коим он привык, смутило Рона, и он встал слишком далеко от микрофона. Его было еле слышно, но встречали его все равно восторженно. В тот вечер он познакомился с доктором Сьюзан Шарп, профессором криминологии Оклахомского университета и активисткой движения против смертной казни. Она пригласила его к себе на занятия, и он с радостью согласился.

Они подружились, хотя Рон вскоре стал воспринимать эту дружбу как роман. Сьюзан же старалась держаться в рамках дружеских отношений и испытывала к нему профессиональный интерес. Перед ней был глубоко травмированный, несчастный человек, и она очень хотела ему помочь. О романе с ее стороны не было и речи, и Рон не был агрессивен.

Успешно пройдя первую стадию программы Транзитного дома, Рон благополучно перешел ко второй. Теперь он жил в отдельной квартире. Аннет и Рини истово молились о том, чтобы он оказался способен жить самостоятельно. Они старались даже в мыслях не связывать его будущее с санаториями, психиатрическими больницами и частными клиниками. Если он сумеет пройти через вторую стадию программы, то следующим шагом мог бы стать поиск работы.

Рон продержался около месяца, а потом потихоньку пошел вразнос. Без дисциплины и надзора он начал пропускать прием лекарств и не мог устоять против острого желания выпить холодного пива. Любимым местом времяпрепровождения стал для него бар «Дели» в кампусе — место, привлекавшее забулдыг и «детей контркультуры».

Рон стал там завсегдатаем и, по обыкновению, напиваясь, делался нехорош.

29 октября 2001 года Рон давал показания под присягой в качестве истца. Комната стенографистов была забита адвокатами, жаждущими порасспросить человека, ставшего местной знаменитостью.

После нескольких предварительных вопросов главный адвокат защиты спросил Рона:

— Вы принимаете какие-нибудь лекарства?

— Да, принимаю.

— Это препараты, прописанные вам врачом?

— Да, психиатром.

— У вас есть список этих лекарств, знаете ли вы, что сейчас принимаете?

— Да, знаю.

— И что это за лекарства?

— Я принимаю депакот, по 250 миллиграммов четыре раза в день; зипрексу — один раз, вечером, и веллбутрин — один раз, днем.

— Вы знаете, для чего предназначены эти препараты?

— Ну, депакот — против резких смен настроения, веллбутрин — от депрессии, а зипрекса — от зрительных и слуховых галлюцинаций.

— Хорошо. Нас, разумеется, интересует, оказывают ли принимаемые вами лекарства воздействие на вашу память.

— Не знаю. Вы ведь еще не просили меня ничего вспомнить.

Опрос продолжался несколько часов и сильно вымотал Рона.

Билл Питерсон как ответчик подал ходатайство об упрощенном производстве — это обычный маневр, предназначенный для того, чтобы вывести себя из-под иска.

Истцы утверждали, что иммунитет Питерсона утратил силу в тот момент, когда он вышел за рамки обязанностей прокурора и стал руководить расследованием убийства Дебби Картер. Они приводили два явных примера фабрикации улик Питерсоном.

Первый следовал из письменных показаний Глена Гора, имеющихся в деле, в которых Гор утверждал, что Билл Питерсон явился к нему в камеру в понтотокской тюрьме и угрозами заставил дать показания против Рона Уильямсона. По его словам, Питерсон сказал: пусть, мол, Гор молит Бога, чтобы его отпечатки пальцев «не обнаружились в квартире Дебби Картер», а то «он может легко загреметь вслед за Уильямсоном».

Другой пример фабрикации улики, тоже имевшийся в деле, был связан с повторным снятием отпечатка ладони Дебби Картер. Питерсон признал, что в январе 1987 года встречался с Джерри Питерсом, Лари Маллинзом и следователями из Ады и обсуждал с ними вопрос об этом отпечатке. По его утверждению выходило, будто можно получить более четкий отпечаток через четыре с половиной года после погребения, поэтому он попросил Маллинза и Питерса исследовать его еще раз. Тело было эксгумировано, отпечаток снят заново, и эксперты внезапно изменили свое мнение.

(Адвокаты Рона и Денниса наняли своего эксперта по отпечаткам, мистера Билла Бейли, который определил, что Маллинз и Питерс пришли к своему новому заключению, сопоставляя разные участки сравниваемых отпечатков ладоней. Проведя собственное исследование, Бейли пришел к выводу, что отпечаток ладони на стене не принадлежит Дебби Картер.)

Федеральный судья отклонил ходатайство Питерсона об упрощенном производстве, сказав:

— Законный вопрос состоит в том, замешаны ли Питерсон, Питерс и Маллинз наряду с остальными в систематической фабрикации улик с целью добиться обвинительного приговора для Уильямсона и Фрица. — И добавил: — В этом деле косвенные улики указывают на согласованные действия нескольких дознавателей и Питерсона, направленные на то, чтобы лишить истцов одного или нескольких из их конституционных прав. Неоднократное сокрытие следователями оправдательных доказательств при представлении обвинительных, представление спорных сфабрикованных улик, нежелание видеть очевидные и явно указывающие на других лиц улики, а также использование сомнительных криминологических заключений позволяют предположить, что ответчики действовали намеренно, добиваясь определенного исхода судебных процессов над Уильямсоном и Фрицем и не принимая во внимание знаков, предупреждавших, что результат, к которому они стремятся, несправедлив и противоречит фактам, добытым в ходе следствия.

Постановление, вынесенное судом 7 февраля 2002 года, стало взрывом бомбы для ответчиков и изменило инерцию процесса.

Рини в течение многих лет пыталась убедить Аннет уехать из Ады. Здесь люди всегда будут коситься на нее из-за Рона и шептаться у нее за спиной. Церковь их отвергла. А иск, выдвинутый ими против Ады и штата, породит еще большую неприязнь.

Аннет противилась, потому что Ада была ее родным домом. Ее брат невиновен. Взгляды и перешептывания она научилась игнорировать и могла продолжать жить как прежде.

Но предстоящий процесс тревожил ее. После почти двух лет напряженной предсудебной работы Марк Барретт и Барри Скек почувствовали, что ветер подул в их сторону. Переговоры о соглашении шли с переменным успехом, но у адвокатов обеих сторон складывалось ощущение, что до суда дело не дойдет.

Вероятно, наступило время перемен. В апреле 2002 года, прожив в городе шестьдесят лет, Аннет покинула Аду и переехала в Талсу, где у нее были родственники, а вскоре после этого и брат поселился у нее.

Она давно мечтала вырвать его из Нормана. Там Рон снова начал пить, а напившись, не мог удержать язык за зубами. Он хвастался насчет перспектив будущего процесса, своих многочисленных адвокатов, миллионов, которые он сдерет с тех, кто обманом упек его в камеру смертника, и так далее. Околачиваясь в «Дели» и других барах, он привлекал к себе внимание разного сброда, липнувшего к нему, когда у него бывали деньги.

Переехав к Аннет, Рон вскоре понял, что правила в этом доме такие же, какие были в ее доме в Аде, особенно это касалось выпивки. Он заделался трезвенником, стал ходить в ее церковь и подружился с пастором. При церкви существовала группа под названием «Свет для заблудших», в которую входили мужчины, изучавшие Библию. Они собирали деньги для миссионерских поездок в бедные страны. Их излюбленным способом зарабатывать была ежемесячная продажа обедов, состоявших из стейка с картофелем, и Рон с удовольствием трудился вместе с ними на кухне. Его обязанностью было заворачивать печеный картофель в фольгу, он обожал эту работу.

Осенью 2002 года «разнузданный» иск был улажен за несколько миллионов долларов. Чтобы спасти карьеры и самолюбия, многочисленные ответчики настояли на том, чтобы соглашение было конфиденциальным: они и их страхователи передавали истцам крупные суммы денег, не признавая при этом своей вины. Секретное соглашение было похоронено в спрятанной под замком папке и защищено ордером федерального суда.

Тем не менее его подробности вскоре разлетелись по всем кофейням Ады, и городской совет был вынужден обнародовать тот факт, что сумма выплаченных им компенсаций составила около пятисот тысяч долларов из городского резерва «на черный день». По мере того как слухи ураганом неслись по городу, сумма эта от одной кофейни к другой разрасталась и, по широко распространившемуся мнению, составила в конце концов около пяти миллионов. Ссылаясь на анонимный источник, «Ада ивнинг ньюз» обнародовала именно эту цифру.

Поскольку Рон и Деннис так и не были очищены от подозрений, многие граждане Ады продолжали считать, что они замешаны в убийстве и теперь благополучно получают немалую выгоду от своего преступления. Это, разумеется, вызывало еще большее общественное негодование.

Марк Барретт и Барри Скек в целях защиты интересов своих клиентов настояли, чтобы те взяли начальную единовременно выплачиваемую сумму, а потом получали ежегодную ренту.

Деннис купил дом в пригороде Канзас-Сити, позаботился о матери и Элизабет, а остальные деньги положил в банк.

Рон оказался далеко не так предусмотрителен.

Он уговорил Аннет купить ему квартиру в кондоминиуме неподалеку от ее дома и их церкви. Потратив шестьдесят тысяч, они приобрели славную квартирку с двумя спальнями, и Рон в очередной раз начал самостоятельную жизнь. Несколько недель он держался. Если по какой-либо причине Аннет не могла его подвезти, сам ходил в церковь.

Но Талса была знакомым ипподромом, и очень скоро он уже снова участвовал в скачках по стрип-клубам и барам, где поил всех за свой счет и давал девушкам «на чай» тысячи долларов. Деньги, а также его длинный язык привлекали к нему самых разных приятелей, как старых, так и новых, многие из которых были рады поживиться за его счет. Он был щедр до глупости и совершенно беспечен относительно управления своим новым состоянием. Пятьдесят тысяч долларов испарились без следа, прежде чем Аннет успела его приструнить.

По соседству с его квартирой имелся бар «Баунти», тихий маленький паб, завсегдатаем которого был Гай Уилхойт, отец Грега. Они познакомились, стали собутыльниками и часами с удовольствием болтали о Греге и призраках блока смертников. Гай сообщил бармену и хозяину, что Рон — его лучший друг и друг Грега и что если у него когда-нибудь возникнут неприятности, что весьма вероятно при его характере, пусть они зовут Гая, а не полицию. Те пообещали защитить Рона в случае необходимости.

Но Рон не мог держаться в стороне от стрип-клубов. Любимым среди них был «Леди Година», и там он потерял голову из-за некой танцовщицы. Вскоре ему стало известно, что за ней тянется дурная слава, но это не имело для него никакого значения. Узнав, что у нее есть семья, но нет дома, он пригласил их всех к себе и предложил свободную комнату наверху. Стриптизерша с двумя детьми и их предполагаемым отцом вселились в чудесную новую квартирку мистера Уильямсона. Но в доме не оказалось еды. Рон позвонил Аннет, продиктовал ей длинный список необходимых продуктов, и сестра неохотно согласилась съездить в магазин и все ему привезти. Когда она приехала, Рона нигде не было. В комнате наверху за запертой дверью пряталась от его сестры стриптизерша с семьей, они ни за что не соглашались выйти. Аннет громко через дверь объявила ультиматум: если они немедленно не уберутся вон, она вызовет полицию. Они исчезли, и Рон очень по ним скучал.

Приключения продолжались, пока Аннет как официальная опекунша не явилась наконец с судебным предписанием. Они снова поспорили из-за денег, но в глубине души Рон понимал, что сестра права. Квартира была продана, а Рон отправился в очередной санаторий.

Настоящие друзья его не покинули. Деннис Фриц знал, что Рон старается обрести стабильность в жизни, и предложил ему поселиться у него в Канзас-Сити. Он будет следить за тем, чтобы Рон своевременно принимал лекарства и соблюдал диету, будет заставлять его делать физические упражнения, а также поможет ему бросить пить и курить. Деннис сам недавно открыл для себя здоровую пищу, витамины, пищевые добавки, травяные чаи и тому подобное и горел желанием приобщить ко всему этому друга. Неделями напролет они обсуждали перспективу переезда Рона, но Аннет в конце концов наложила вето на эту затею.

Грег Уилхойт, ныне полноправный калифорниец и яростный борец против смертной казни, умолял Рона переехать в Сакраменто, где жизнь была легкой и непритязательной, а прошлое начисто забыто. Рону нравилась эта идея, но рассуждать о ней было интереснее, чем воплощать в жизнь.

Брюс Либа разыскал Рона и предложил ему разделить с ним жилье, как это не раз бывало в прошлом. Это предложение Аннет одобрила, и Рон переехал к Брюсу, который в то время работал дальнобойщиком. Рон ездил с ним на пару, наслаждаясь свободой дальних дорог.

Аннет предсказала, что идиллия продлится не более трех месяцев — это был обычный для Рона срок. Всякий распорядок и всякое место ему быстро надоедали. Три месяца спустя он действительно поссорился с Брюсом, причем ни один из них не помнил из-за чего. Рон вернулся в Талсу, несколько недель пожил у Аннет, а на следующие три месяца снял люкс в маленьком отеле.

* * *

В 2001 году, через два года после освобождения Денниса и Рона и почти через девятнадцать лет после убийства Дебби Картер, полиция Ады завершила расследование. Еще два года прошло, прежде чем Глен Гор был привезен из тюрьмы в Лексингтоне и предстал перед судом.

По целому ряду причин Билл Питерсон не выступал обвинителем по этому делу. Если бы он встал перед присяжными и, направив указующий перст на подсудимого, сказал: «Глен Гор, вы заслуживаете смерти за то, что сделали с Дебби Картер», — ему было бы трудно кого-либо убедить, поскольку он уже дважды произносил эти слова, указуя на двух других мужчин. Питерсон взял самоотвод, выдвинув в качестве причины «конфликт интересов», но послал своего помощника Криса Росса присутствовать на суде и все записывать.

Обвинитель, Ричард Уинтори, был прислан из Оклахома-Сити и, вооруженный данными анализа ДНК, легко добился приговора. Выслушав подробности длинной криминальной биографии Гора, жюри не долго колебалось, чтобы приговорить его к смертной казни.

Деннис отказался следить за ходом суда, а Рон не мог его игнорировать. Он каждый день звонил судье Ландриту и повторял:

— Томми, ты должен схватить Рики Джо Симмонса. Забудь о Горе! Рики Джо Симмонс, вот кто настоящий убийца!

Одна частная клиника сменяла другую. Как только Рону надоедало очередное место или он исчерпывал лимит гостеприимства персонала своими выходками, начинались звонки, и Аннет вынуждена была спешно искать новое заведение, которое согласилось бы его принять. Потом приезжала, паковала его вещи и перевозила брата на новое место. Попадались такие, от которых за версту несло дезинфекцией и смутным приближением смерти, но встречались и уютные, гостеприимные.

Рон находился в одном из таких, приятных, в городке Хоу, когда его навестила доктор Сьюзан Шарп. Рон вот уже несколько недель не брал в рот спиртного и чувствовал себя превосходно. Они поехали на машине за город, в парк на берегу озера, и долго гуляли там. День был ясным и морозным.

— Он был как маленький мальчик, радовавшийся тому, что его взяли на прогулку в такой прекрасный солнечный денек, — рассказывала доктор Шарп.

Когда Рон бывал трезв и своевременно принимал лекарства, общаться с ним было сплошным удовольствием. В тот вечер у них состоялось «свидание» в ближнем ресторане. Рон исключительно гордился собой, потому что угощал ужином прекрасную даму.

ГЛАВА СЕМНАДЦАТАЯ

Острые боли в животе появились в начале осени 2004 года. У Рона было ощущение, что живот его раздут, и ему было неудобно сидеть и лежать. При ходьбе ощущение вздутия ослабевало, но боль усиливалась. От нее он уставал и не мог спать. Он бродил по коридорам своего последнего санатория ночами напролет, стараясь найти облегчение от болезненно распиравшего ощущения в животе.

Аннет жила в двух часах езды от санатория и не видела брата уже месяц, хотя он жаловался ей на боли по телефону. Когда она приехала, чтобы отвезти его к дантисту, ее потряс размер его живота. «Он выглядел как женщина на десятом месяце беременности», — рассказывала она. Они решили отменить визит к дантисту и отправились прямиком в отделение неотложной помощи семинолской больницы. Оттуда их направили в Талсу, где на следующий день Рону поставили диагноз: цирроз печени. Неоперабельный, неизлечимый, без шанса на успех трансплантации. Это был второй смертный приговор, к тому же на этот раз очень болезненный. По самым оптимистичным прогнозам, жить ему оставалось полгода.

Из пятидесяти одного года своей жизни минимум четырнадцать лет Рон провел за решеткой, не имея возможности пить. После освобождения за пять лет до кончины он, конечно, прикладывался к бутылке, но были и длинные периоды полной трезвости, когда он боролся с алкоголизмом. Поэтому казалось, что цирроз наступил рановато. Аннет задавала прямые вопросы врачам, и ответы были такими же откровенными. В дополнение к пьянству Рон в прошлом страдал и пристрастием к наркотикам, хотя после освобождения эта беда почти сошла на нет. Свою лепту внесли, конечно, и многочисленные лекарства. По меньшей мере половину жизни Рон в разное время и в разных количествах принимал очень сильные психотропные препараты.

Вероятно, у него и от рождения была слабая печень. Но теперь это уже не имело значения. И снова Аннет позвонила Рини, чтобы сообщить новость, в которую трудно было поверить.

Доктора откачали несколько галлонов жидкости, и Аннет попросили найти для брата другое место. Она получила отказ в семи заведениях, прежде чем удалось найти для него комнату в частном санатории «Сломанная стрела». Там сестры и остальной персонал приняли его как члена семьи.

Вскоре Аннет и Рини стало ясно, что шесть месяцев — нереальный срок. Рон угасал стремительно. За исключением чудовищно раздутого живота, в остальном его тело обмякло и съежилось. У него совершенно отсутствовал аппетит, а под конец он перестал даже пить и курить. По мере того как печень отказывала, боли становились невыносимыми. Он не мог найти удобного положения, часами медленно ходил по палате или взад-вперед по коридору.

Родственники, установив очередь, старались проводить с ним как можно больше времени. Аннет жила поблизости, а Рини и Гэри с детьми — в Далласе. Но и они при первой же возможности совершали пятичасовую поездку, чтобы навестить его.

Несколько раз своего клиента проведал Марк Барретт. Он был весьма занятым человеком, но Рон всегда оставался среди его приоритетных забот. Они говорили о смерти и жизни после смерти, о Боге и спасении через веру в Христа. Рон встречал смерть почти умиротворенным. Она была тем, чего он ждал много лет. Он не боялся умирать. Ему не было горько. Он сожалел о многом, совершенном им в этой жизни, о сделанных ошибках, о боли, которую причинял, но он искренне просил Бога о прощении, и оно было ему даровано.

Он ни на кого не таил зла, хотя Билл Питерсон и Рики Джо Симмонс оставались его наваждением чуть не до самого конца. Однако перед смертью он простил и их.

В следующее свое посещение Марк заговорил о музыке, и Рон несколько часов распространялся о своей новой карьере и о том, как будет весело, когда он выйдет из санатория. О болезни в том разговоре не упоминалось, как и о смерти.

Аннет привезла ему гитару, но ему было трудно играть. Вместо этого он попросил ее спеть их любимый гимн. Последнее выступление Рона состоялось в санатории во время сеанса караоке. Бог весть откуда он нашел в себе силы петь. Медсестры и остальные пациенты к тому времени уже знали его историю и старались подбодрить его. Под конец вечера он станцевал с обеими своими сестрами под магнитофонную запись.

В отличие от большинства умирающих Рон не требовал священника, чтобы тот, держа его за руку, принял последнюю исповедь и помолился вместе с ним. Он знал Священное Писание не хуже любого проповедника, причем его знание Евангелия было очень основательным. Быть может, Рон более других сбился с пути, но он раскаялся и получил прощение.

Он был готов.

За пять лет, проведенных на свободе, в его жизни случилось несколько ярких моментов, но в целом она оказалась не такой уж и радостной. Он семнадцать раз переезжал с места на место и окончательно убедился и убедил всех, что самостоятельно жить не может. Какое будущее его ожидало? Он был обузой для Аннет и Рини. Вообще большую часть жизни он для кого-нибудь был обузой и устал от этого.

Попав в камеру смертника, он не раз говорил Аннет: «Лучше бы я никогда не родился», — и отчаянно желал только одного — поскорее умереть. Он стыдился того, что причинил столько страданий, особенно родителям, хотел снова их увидеть, сказать им, как он сожалеет о содеянном, и остаться с ними навечно. Вскоре после его освобождения Аннет однажды застала его стоявшим в кухне и, словно в трансе, уставившимся в окно. Схватив ее за руку, он сказал:

— Помолись со мной, Аннет. Помолись за то, чтобы Бог взял меня к себе прямо сейчас.

Это была просьба, которую она не могла выполнить.

Приехав на День благодарения, Грег Уилхойт провел с Роном десять дней кряду. Хотя Рон стремительно уходил и был одурманен огромными дозами морфия, они часами говорили о своей жизни в блоке смертников, чудовищной, но теперь, задним числом, вызывавшей порой даже чувство юмора.

К ноябрю 2004 года Оклахома казнила своих приговоренных в рекордном темпе, и многие их бывшие соседи были уже мертвы. Рон знал, что кое-кого из них встретит на небесах, когда наконец туда попадет. Но большинство — нет.

Он сказал Грегу, что повидал в этой жизни как самое хорошее, так и самое плохое. Больше ему ничего не хочется видеть, и он готов уйти.

— Он был в совершенном ладу с Богом, — рассказывал Грег. — Смерти он не боялся. Ему просто хотелось со всем этим покончить.

Когда Грег прощался с ним, Рон был почти без сознания. Морфия для него не жалели, и до финала оставалось всего несколько дней.

Многих друзей Рона его смерть застала врасплох. Деннис Фриц как-то был проездом в Талсе, но не смог найти санаторий. Он собирался приехать специально, чтобы повидаться с Роном, но не успел. Брюс Либа находился по работе за пределами штата и временно не имел контакта с Роном.

Едва ли не в последние часы жизни Рона Барри Скек связался с ним по телефону. Дэн Кларк, следователь, работавший по их гражданскому иску, включил громкую связь, и голос Барри разнесся по комнате. Разговор был односторонний, Рон находился под глубоким действием наркотиков, он вообще был едва жив. Барри пообещал скоро приехать и посплетничать о том о сем. Ему удалось-таки вызвать у Рона слабую улыбку, а все находившиеся в палате рассмеялись, когда Барри сказал:

— Да, Ронни, если тебе не удастся, то обещаю: мы достанем в конце концов Рики Джо Симмонса.

Когда ушел последний посетитель, в палату пригласили членов семьи.

Тремя годами раньше Тарин Саймон, известная фотохудожница, путешествовала по стране, снимая оправданных бывших заключенных для своей книги. Она сфотографировала Рона и Денниса и включила в книгу короткий рассказ об их злоключениях. Каждого из них она попросила сказать несколько слов, чтобы сопроводить ими снимки.

Вот что сказал Рон:

> Надеюсь, я не попаду ни в рай, ни в ад. Я бы хотел, когда придет смерть, просто заснуть, никогда не просыпаться и не видеть дурных снов. Вечный покой, как написано на некоторых надгробиях, — вот о чем я мечтаю, потому что не хочу представать перед Страшным судом. Я не хочу, чтобы кто бы то ни было когда бы то ни было меня снова судил. Там, в блоке смертников, я спрашивал себя: зачем я родился, если мне было суждено пройти через это все? Каков смысл моего рождения? Я готов был про-

клинать отца с матерью — настолько мне было плохо — за то, что они привели меня на эту землю. И если подобное предстояло бы мне снова, я бы предпочел не рождаться.

Перед лицом реальной смерти, однако, Рон несколько отступил от своего тогдашнего заявления. Теперь ему очень хотелось провести вечность на небесах.

4 декабря Аннет, Рини и их родные собрались вокруг постели Рона, чтобы сказать ему последнее «прости».

Через три дня они снова собрались все вместе — в ритуальном доме Хэйхерста в «Сломанной стреле», на отпевание. Духовник Рона преподобный Тэд Хистон совершил богослужение. Чарлз Стори, тюремный капеллан, произнес речь и вспомнил несколько забавных случаев из их жизни в Макалестере. Марк Барретт сказал трогательное надгробное слово о своем особом друге. Шерил Пайлат зачитала письмо, присланное Барри Скеком, который в тот момент где-то далеко занимался сразу двумя делами невинно осужденных.

Гроб стоял открытым, в нем мирно покоился бледный седой старик. Рядом с гробом положили бейсбольную куртку Рона, его перчатку и биту, а также гитару.

Присутствующие исполнили два классических евангельских гимна — «Я отлетаю» и «Он сделал меня свободным», — которые Рон знал с детства и пел всю жизнь — во время религиозных бдений, в летних церковных лагерях, на похоронах матери, будучи скован цепями, в блоке смертников в самые черные свои дни, в доме у Аннет в день освобождения. Притопывая в такт музыке, присутствующие заулыбались.

Служба, конечно же, была печальной, но в атмосфере витало общее ощущение облегчения. Трагическая жизнь завершена, и тот, кто прожил ее, отошел теперь к лучшей. Именно об этом молился Ронни. Наконец он стал по-настоящему свободен.

Позднее в тот же день скорбящие собрались в Аде на погребение. Отдать дань покойному, к радости родственников, пришло немало друзей семьи. Из уважения к семейству Картеров Аннет решила похоронить Рона на другом кладбище, не там, где покоилась Дебби.

День выдался холодным и ветреным. 7 декабря 2004 года — ровно двадцать два года спустя после того, как Дебби в последний раз видели живой. Среди тех, кто нес гроб, были Брюс Либа и Деннис Фриц. После того как местный священник произнес надгробную речь, все помолились и поплакали, настала минута последнего прощания.

На надгробии Рона навечно высечено:

РОНАЛД КИТ УИЛЬЯМСОН
Родился 3 февраля 1953 г. — умер 4 декабря 2004 г.
Он стоял до конца
Невинно осужден в 1988 г.
Оправдан 15 апреля 1999 г.

ОТ АВТОРА

Просматривая «Нью-Йорк таймс» через два дня после похорон Рона Уильямсона, я наткнулся на его некролог. Заголовок — «Роналд Кит Уильямсон, освобожденный из блока смертников, умер в возрасте 51 года» — был интригующим и сам по себе, но пространный текст, написанный Джимом Дуайером, позволял предположить, что за ним кроется куда более долгая и богатая событиями история. Рядом был помещен впечатляющий снимок: Рон в зале суда в день освобождения, немного обескураженный, оживленный и даже чуточку самодовольный.

История его освобождения в 1999 году почему-то прошла мимо меня, я ничего не слышал о Роне Уильямсоне и Деннисе Фрице.

Я перечитал некролог еще раз. Даже в приливе высшего вдохновения я не мог бы сочинить ничего столь захватывающего и впечатляющего. Вскоре я понял, что автор некролога лишь слегка ковырнул поверхность этой истории. Несколько часов спустя я уже говорил по телефону с сестрами Рона, Аннет и Рини, и у меня моментально возник замысел книги.

Мне редко приходило в голову написать нечто документальное — гораздо больше меня привлекало сочинение романов, — и я не представлял себе, во что ввязываюсь. Следующие полтора года я был полностью поглощен событиями, изысканиями и их описанием. Мне пришлось много раз съездить в Аду, побывать в тамошних суде, тюрьме, многочисленных кофейнях, в старом и новом блоках смертников в Макалестере, в Ашере, где я два часа просидел в верхнем ярусе стадиона, беседуя о бейсболе с Мерлом Боуэном, в офисе «Проекта “Невиновность”» в Нью-Йорке, в кафе в Семиноле, где мы обедали с судьей Фрэнком Сэем, на стадионе

«Янки», в лексингтонской тюрьме, где я провел несколько часов с Томми Уордом, и в Нормане, у себя «на базе», где я постоянно встречался с Марком Барреттом, с которым мы говорили часами. Встречался я и с Деннисом Фрицем в Канзас-Сити, с Аннет и Рини в Талсе, а когда мне удалось уговорить Грега Уилхойта приехать домой из Калифорнии, мы совершили с ним обход Биг-Мака, где он снова увидел свою камеру впервые после того, как покинул ее пятнадцатью годами раньше.

С каждым новым знакомством и с каждой новой беседой история приобретала иной поворот. Я мог бы исписать тысячу страниц, пересказывая эти беседы.

Путешествия, связанные с работой над книгой, открыли для меня мир невинно осужденных — нечто, о чем я, даже будучи в прошлом юристом, никогда по-настоящему не задумывался. Это отнюдь не сугубо оклахомская проблема. Судебные ошибки случаются ежемесячно во всех штатах страны, и причины их всегда разные и всегда одни и те же: недобросовестная работа полиции, неквалифицированная экспертиза, ошибочные свидетельства очевидцев, плохая работа адвокатов, лень прокуроров, самонадеянность обвинителей.

В больших городах загруженность криминалистов чудовищна, в результате чего зачастую их работа и поведение бывают далеки от профессиональных требований. А в маленьких полиция нередко оказывается неквалифицированной и неконтролируемой. Убийства и изнасилования потрясают общество, и оно требует справедливого и скорого возмездия. Граждане и присяжные верят, что правоохранительные и судебные власти будут вести себя должным образом. Когда же это оказывается не так, получается то, что произошло с Роном Уильямсоном и Деннисом Фрицем.

А Томми Уорд и Карл Фонтено! Оба по сей день отбывают пожизненные сроки. Томми еще, быть может, когда-нибудь будет освобожден под честное слово, Карл — никогда, из-за процедурных вывертов. Данные анализа ДНК их не спасут, потому что никаких биологических улик в их деле не существует. Убийца или убийцы Дениз Харауэй никогда не будут найдены, во всяком случае, полицией. Чтобы узнать больше об их истории, зайдите на сайт www.wardandfontenot.com.

Собирая материалы для этой книги, я наткнулся еще на два дела, тоже относящиеся к Аде. В 1983 году некоего Келвина Ли Скотта судили в округе Понтоток за изнасилование. Жертвой была молодая вдова, на которую напали, когда она спала в своей постели. Поскольку насильник накрыл ей лицо подушкой, она не могла его узнать. Эксперт по волосам из Оклахомского отделения ФБР показал, что два лобковых волоса с места преступления под микроскопом оказались «структурно сопоставимы» с волосами, взятыми у Келвина Ли Скотта, который горячо отрицал свою причастность к преступлению. Присяжные, однако, рассудили иначе, и он был приговорен к двадцати пяти годам лишения свободы. Отсидев двадцать, он был освобожден условно-досрочно. И только в 2003 году, когда он уже был на свободе, его оправдали на основе данных анализа ДНК.

Расследование вел Деннис Смит. Билл Питерсон был окружным прокурором.

В 2001 году бывший помощник начальника полиции Ады Деннис Корвин в федеральном суде был признан виновным в изготовлении и распространении метамфетамина и получил шесть лет тюрьмы. Корвин, как вы, возможно, помните, — тот самый полицейский, которого Глен Гор упомянул в своих письменных показаниях, данных лет через двадцать после его предполагаемых совместных дел с Корвином по распространению наркотиков.

Ада — симпатичный городок, и возникает естественный вопрос: когда же плохие парни наконец из него уберутся?

Невозможно подсчитать, сколько денег тратится впустую. Штат Оклахома ежегодно выделяет пятьдесят тысяч долларов на каждого узника. Не считая дополнительных расходов, коих требует содержание в блоке смертников, а также лечения в психиатрических больницах, Рон обошелся штату по меньшей мере в 600 тысяч долларов. Точно так же и Деннис. Прибавьте к этому сумму, которая была выплачена им в качестве компенсации, и вы легко сосчитаете все сами. Не будет преувеличением сказать, что несколько миллионов долларов были выброшены на ветер из-за их ошибочного осуждения.

А ведь в эти суммы не входят ни тысячи часов, затраченные адвокатами апелляционного судебного округа, столь усердно трудившимися, чтобы освободить невиновных, ни время юристов штата, старавшихся подвести их под казнь. И каждый доллар, пошедший на то, чтобы либо осудить, либо оправдать их, взят из карманов налогоплательщиков.

Но случалась и некоторая экономия. Барни Уорду заплатили «умопомрачительную» сумму в 3600 долларов за защиту Рона, и, как вы помните, судья Джонс отклонил его ходатайство оплатить услуги эксперта-криминалиста, чтобы иметь независимую точку зрения на улики, представленные штатом. Грег Сондерс получил такой же гонорар — 3600 долларов. И ему тоже было отказано в оплате услуг эксперта. Деньги налогоплательщиков следует беречь!

Финансовые потери были весьма велики, однако они не идут ни в какое сравнение с той тяжкой данью, которую пришлось заплатить людям. Очевидно, что психические проблемы Рона чудовищно усугубились из-за ложного обвинения, и даже выйдя на свободу, он уже не мог с ними справиться. Так случается с большинством невинно осужденных и впоследствии оправданных. Деннису Фрицу повезло. У него хватило мужества, ума, а под конец и денег, чтобы вернуться к нормальной жизни. Он живет тихой, спокойной, обеспеченной жизнью в Канзас-Сити и в прошлом году стал дедом.

Что касается остальных персонажей, то Билл Питерсон попрежнему живет в Аде и является окружным прокурором. Два его помощника — это Нэнси Шу и Крис Росс. Один из его следователей — Гэри Роджерс. Деннис Смит уволился из полиции в 1987 году и скоропостижно скончался 30 июня 2006 года. Барни Уорд умер летом 2005-го, когда я писал эту книгу, мне так и не удалось с ним встретиться. Судью Рона Джонса не переизбрали на очередной срок в 1990-м, и он покинул Аду.

Глен Гор еще содержится в блоке Н в Макалестере. В июне 2005 года его приговор был отменен Оклахомским апелляционным уголовным судом, и дело отправлено на пересмотр на том основании, что суд над Гором не был справедливым: судья Ландрит не позволил его адвокату использовать в качестве аргумента защиты тот факт, что два человека уже были осуждены за это преступление.

21 июня 2006 года Гора опять признали виновным. Жюри не смогло прийти к единому мнению по вопросу о смертной казни, и судья Ландрит, как того требует закон, приговорил Гора к пожизненному заключению без права на условно-досрочное освобождение.

Я бесконечно обязан множеству людей, которые помогли мне написать эту книгу. Аннет, Рини и члены их семей ознакомили меня со всеми аспектами жизни Рона. Марк Барретт потратил бесчисленное количество часов, возя меня по Оклахоме, рассказывая истории, в которые мне поначалу было трудно поверить, и предоставив в мое распоряжение свои обширные связи. Его помощница Мелисса Харрис скопировала для меня миллион разных документов и держала их в безупречном порядке.

Деннис Фриц с заслуживающей восхищения готовностью вспоминал столь болезненные для него события и безотказно отвечал на все мои вопросы. Так же, как и Грег Уилхойт.

Бренда Толлетт из «Ада ивнинг ньюз» перерыла весь архив и предоставила мне многочисленные газетные материалы, в которых подробнейшим образом освещалась история двух убийств. Энн Келли Уивер, уже не работавшая в «Оклахомце», хорошо помнила и делилась со мной многочисленными историями, сопровождавшими процедуру оправдания.

Судья Фрэнк Сэй поначалу принципиально не хотел говорить об одном из своих дел. Он все еще придерживается старомодного мнения, что судей «следует слышать, а не видеть». Но в конце концов уступил. В одном из наших телефонных разговоров я назвал его «героем», он тут же заявил решительный протест. Вики Хилдебранд по-прежнему работает с ним и живо помнит, как первый раз читала ходатайство Рона о habeas corpus.

Джим Пейн теперь сам федеральный судья и, хотя был весьма полезен, категорически отказался признать свои заслуги в спасении жизни Рона. Между тем он настоящий герой. То, что он взял на себя труд без промедления, дома, после работы, потратив не один час, внимательно прочесть изложение дела Рона, составленное Джанет Чесли, и найти в нем достаточно оснований для того, чтобы обратиться к судье Сэю с рекомендацией об отсрочке исполнения приговора, остановило казнь за одиннадцать часов до рокового срока.

Хотя судья Том Ландрит появляется лишь в последних главах этой истории, ему досталось ни с чем не сравнимое удовольствие председательствовать на слушаниях об оправдании в апреле 1999 года. Посещать его кабинет в здании суда в Аде всегда было колоссальной радостью. Истории, многие из которых, вероятно, действительно имели место, сыпались из него как из рога изобилия.

Барри Скек и бойцы «Проекта “Невиновность”» были великодушны и открыты. К моменту написания этой книги они освободили сто восемьдесят невинно осужденных благодаря данным анализа ДНК и открыли по меньшей мере тридцать филиалов своей организации по всей стране. Чтобы подробнее ознакомиться с их деятельностью, можно зайти на сайт www.innocenceproject.org.

Томми Уорд провел в старом блоке F для приговоренных к смерти три года и девять месяцев, прежде чем был переведен в лексингтонскую тюрьму. Мы состояли с ним в переписке. Некоторые истории, которые он мне поведал, касались Рона, и он позволил мне использовать их в этом тексте.

Пытаясь представить себе кошмар его жизни, я в значительной мере опирался на «Сны Ады» Роберта Мейера. Это замечательная книга, прекрасный образец того, какой должна быть литература о реальных преступлениях. Мистер Мейер очень помог мне в моих изысканиях.

Моя благодарность адвокатам и всем сотрудникам Оклахомской службы защиты неимущих — Джанет Чесли, Биллу Лукеру и Ким Маркс. А также Брюсу Либе, Мерлу Боуэну, Кристи Шепард, Лесли Делк, доктору Кит Хьюм, Нэнси Воллертсен, доктору Сьюзан Шарп, Майклу Салему, Джейл Сьюард, Ли Манну, Дэвиду Моррису и Берту Колли. Студент третьего курса Виргинского университета Джон Шерман полтора года провел, с головой зарывшись в коробки с собранными материалами, и сумел-таки навести в них порядок.

Чрезвычайно полезными для меня были тома данных под присягой показаний большинства тех, кто имел отношение к этому делу. В некоторых не было нужды. Некоторые не подтвердились. Изменены были лишь имена упоминаемых жертв изнасилований.

Джон Гришэм
1 июля 2006 г.

РЕГИОНЫ:

- Архангельск, 103-й квартал, ул. Садовая, 18, т. (8182) 65-44-26
- Белгород, пр. Хмельницкого, 132а, т. (0722) 31-48-39
- Волгоград, ул. Мира, 11, т. (8442) 33-13-19
- Екатеринбург, ул. Малышева, 42, т. (3433) 76-68-39
- Калининград, пл. Калинина, 17/21, т. (0112) 65-60-95
- Киев, ул. Льва Толстого, 11/61, т. (8-10-38-044) 230-25-74
- Красноярск, «ТК», ул. Телевизорная, 1, стр. 4, т. (3912) 45-87-22
- Курган, ул. Гоголя, 55, т. (3522) 43-39-29
- Курск, ул. Ленина, 11, т. (07122) 2-42-34
- Курск, ул. Радищева, 86, т. (07122) 56-70-74
- Липецк, ул. Первомайская, 57, т. (0742) 22-27-16
- Н. Новгород, ТЦ «Шоколад», ул. Белинского, 124, т. (8312) 78-77-93
- Ростов-на-Дону, пр. Космонавтов, 15, т. (8632) 35-95-99
- Рязань, ул. Почтовая, 62, т. (0912) 20-55-81
- Самара, пр. Ленина, 2, т. (8462) 37-06-79
- Санкт-Петербург, Невский пр., 140
- Санкт-Петербург, ул. Савушкина, 141, ТЦ «Меркурий», т. (812) 333-32-64
- Тверь, ул. Советская, 7, т. (0822) 34-53-11
- Тула, пр. Ленина, 18, т. (0872) 36-29-22
- Тула, ул. Первомайская, 12, т. (0872) 31-09-55
- Челябинск, пр. Ленина, 52, т. (3512) 63-46-43, 63-00-82
- Челябинск, ул. Кирова, 7, т. (3512) 91-84-86
- Череповец, Советский пр., 88а, т. (8202) 53-61-22
- Новороссийск, сквер им. Чайковского, т. (8617) 67-61-52
- Краснодар, ул. Красная, 29, т. (8612) 62-75-38
- Пенза, ул. Б. Московская, 64
- Ярославль, ул. Свободы, 12, т. (0862) 72-86-61

Заказывайте книги почтой в любом уголке России
107140, Москва, а/я 140, тел. (495) 744-29-17

ВЫСЫЛАЕТСЯ БЕСПЛАТНЫЙ КАТАЛОГ

Звонок для всех регионов бесплатный
тел. 8-800-200-30-20

Приобретайте в Интернете на сайте www.ozon.ru

Издательская группа АСТ
129085, Москва, Звездный бульвар, д. 21, 7-й этаж

Справки по телефону:
(495) 615-01-01, факс 615-51-10
E-mail: astpub@aha.ru http://www.ast.ru

По вопросам оптовой покупки книг
издательства АСТ обращаться по адресу:
Звездный бульвар, дом 21, 7-й этаж
Тел. 615-43-38, 615-01-01, 615-55-13

Книги издательства АСТ можно заказать по адресу:
***107140, Москва, а/я 140*, АСТ – “Книги по почте”**

Литературно-художественное издание

Гришэм Джон
Невиновный

Роман

Редактор Е.М. Кострова
Художественный редактор О.Н. Адаскина
Компьютерная верстка: О.С. Попова
Технический редактор Т.В. Сафаришвили
Младший редактор Н.В. Дмитриева

Общероссийский классификатор продукции
ОК-005-93, том 2; 953000 — книги, брошюры

Санитарно-эпидемиологическое заключение
№ 77.99.60.953.Д.007027.06.07 от 20.06.07 г.

ООО «Издательство АСТ»
141100, Россия, Московская обл., г. Щелково, ул. Заречная, д. 96
Наши электронные адреса:
WWW.AST.RU E-mail: astpub@aha.ru

ООО Издательство «АСТ МОСКВА»
129085, г. Москва, Звездный б-р, д. 21, стр. 1

Издано при участии ООО «Харвест». ЛИ № 02330/0150205 от 30.04.2004.
Республика Беларусь, 220013, Минск, ул. Кульман, д. 1, корп. 3, эт. 4, к. 42.
E-mail редакции: harvest@anitex.by

ОАО «Полиграфкомбинат им. Я. Коласа». ЛП № 02330/0056617 от 27.03.2004.
Республика Беларусь, 220600, Минск, ул. Красная, 23.